3.0

Titolo originale: *Perfect Daughter*
Copyright © Amanda Prowse, 2015
The moral right of Amanda Prowse to be identified as the author
of this work has been asserted in accordance with the
Copyright, Designs and Patents Act of 1988.
First published in the UK in 2015 by Head of Zeus Ltd.
All rights reserved.

Traduzione dall'inglese di Micol Cerato
Prima edizione: giugno 2016
© 2016 Newton Compton editori s.r.l.
Roma, Casella postale 6214

ISBN 978-88-541-9101-3

www.newtoncompton.com

Realizzazione a cura di Librofficina, Roma
Stampato nel giugno 2016 presso Puntoweb s.r.l., Ariccia (Roma)
su carta prodotta con cellulose senza cloro gas provenienti
da foreste controllate, nel rispetto delle normative ambientali vigenti

Amanda Prowse

La figlia perfetta

Newton Compton editori

Ho l'enorme fortuna di avere la Nipote Perfetta! Amelie Beth Smith, sei meravigliosa sia dentro che fuori. Siamo tutti fierissimi di te. Sei gentile, paziente, divertente e geniale e non vedo l'ora di scoprire come si dispiegherà il tuo viaggio. Non dimenticare mai quanto sei amata.

Prologo

Quando l'ultimo ospite se ne fu andato e Jacks ebbe avvolto nella pellicola protettiva i rotolini di salsiccia avanzati, gli sposi novelli scalciarono via le scarpe e si sdraiarono sul letto matrimoniale appena ricevuto in dono, lo sguardo fisso sul soffitto.

«È andata bene, no?».

Era stato un matrimonio piccolo e discreto presso l'Ufficio di Stato Civile sul corso. L'ufficiale aveva bofonchiato la formula e la mamma di Pete aveva pianto. E poi tutti si erano accalcati nella loro nuova casa di Sunnyside Road, comprata grazie all'aiuto dei genitori di entrambi. Pete si era affannato a mettere i sottobicchieri sotto le lattine di birra, Jacks aveva fatto girare vassoi colmi di tramezzini e torte, e Gina, la sua migliore amica, l'aveva presa in giro per quel suo comportamento da donna adulta e sposata. Jacks si era guardata intorno, nel cucinino squadrato della loro villetta a schiera di Weston-super-Mare, cercando di impedire alla mente di tornare alla cucina immensa della villa affacciata sul mare dove non molto tempo prima, sdraiata su un divanetto, aveva ceduto al fascino di un ragazzo che le parlava del vasto mondo che si apriva oltre la soglia di casa sua, illudendola che, un giorno, avrebbe avuto la possibilità di vederlo.

Poi aveva notato suo padre, Don, con il braccio intorno alle spalle di Pete, e aveva provato una strana forma di soddisfazione. Silenziosamente, si era avvicinata a loro.

«Stavo giusto dicendo al nostro Pete che il miglior consiglio che mi sento di darvi è quello di non andare mai a letto arrabbiati. E se riuscirete a sorridere nel dolore, pensa solo a quanto riderete nella gioia».

«E il miglior consiglio che posso darvi io è quello di non accettare consigli da lui!». La madre di Jacks aveva indicato il marito con un movimento del pollice. Aveva parlato in tono un po' più forte del solito – ma di solito non si scolava tre bicchieri di Asti e quattro Martini al limone.

«Grazie, Don». Raggiante, Peter aveva sorriso a quella che era appena diventata sua moglie. «Mi prenderò cura di lei, lo prometto», aveva detto, come se Jacks non fosse presente.

Accarezzandole le spalle, Pete la riportò al presente. «Fa un po' strano avere tutte queste stanze ed essere gli unici occupanti della casa. Tre camere da letto, il bagno e due stanze al piano di sotto… Io sono ancora abituato alla cameretta che avevo da mia madre!».

«Lo so, anch'io. Sarà fantastico, Pete, tutto questo spazio». Lei si grattò la pelle che prudeva, tesa sulla pancia. «Non faremo in tempo ad accorgercene e avremo un occupante in più!».

«Già. Non vedo l'ora. Dovremmo tinteggiare la cameretta, renderla accogliente?»

«Con quali soldi? Ora come ora, non penso ce ne siano rimasti abbastanza per tinteggiare». Odiava dover sottolineare i dettagli pratici e spegnere il suo entusiasmo.

«Lo so, e non sto parlando di cose esagerate, ma un leggero strato di vernice possiamo permettercelo. E Gina è creativa, non le potremmo chiedere di disegnare qualcosa sulle pareti?»

«Accidenti, io li ho visti i suoi lavori. No grazie! Il bimbo, poveretto, aprirebbe gli occhi tutte le mattine sul logo dei Take That».

Entrambi risero. Pete si sporse a prenderle la mano. «Ho una moglie».

«Sì, ce l'hai». Sorrise.

«Tu ti senti una moglie?», chiese lui.

«Presumo di sì. Come dovrebbero sentirsi, le mogli?».

Lo sentì scrollare le spalle. «Non lo so. Come se fossero parte di una coppia, immagino, e non dovessero più affrontare il mondo da sole».

«Oh, Pete, vecchio sentimentalone! È un pensiero bellissimo, e sì, in questo caso mi sento una moglie». Sporgendosi su di lui, gli diede un bacio.

«Mi chiedo per quanto tempo vivremo qui». Jacks lasciò che le parole si allontanassero nel buio.

«Direi un paio d'anni, finché non riusciremo a reggerci davvero in piedi. Dovremmo sistemare la casa, sostituire le finestre, ripulire il giardino, cambiare la cucina e poi trasferirci in un posto migliore».

Lei sorrise nel buio, innamorata dell'idea di una cucina nuova e di un bel giardino. «Povera casa, siamo qui da tre settimane appena e già progettiamo di traslocare!».

«Avere progetti è una cosa positiva, Jacks, fissare un percorso e trovare il modo di realizzarlo. È così che fai strada nella vita, giusto? Lavori duro e punti al massimo».

«L'idea mi piace, Pete. Lavorare duro e puntare al massimo, sembra un bel piano». Gli strinse la mano. «Comunque, io non desidero molto di più. Magari un bagno in camera e lo spazio in cucina per uno di quei grossi frigoriferi».

«A me piacerebbe un garage. Così avrei un tavolo da lavoro e un posto dove tenere gli attrezzi e potrei costruire delle cose».

Lei sapeva che stava sorridendo. «Quali cose costruiresti?»

«Non lo so. Cose di legno, e poi potrei fare riparazioni, aggiustare gli oggetti. Mi piacerebbe un sacco passare il tempo fuori a trafficare».

Jacks ridacchiò. «Sembri mio padre!».

«Lo prenderò come un complimento».

«Ti dico cosa piacerebbe a me: una veranda a vetri, con i mobili di vimini. Starei seduta lì a leggere una rivista e prendere il caffè, con qualcosa su cui poggiare i piedi».

«Sembra un bel piano».

Lei si accoccolò contro di lui e gli posò la testa sul petto.

«Strano come si aggiustano le cose, vero, signora Davies?».

A quel titolo non ancora familiare, Jacks sorrise. «Strano davvero».

Uno

Doveva essere un talento, la sua capacità di svegliarsi ogni singola mattina un paio di minuti prima del suono della sveglia. Non sembrava nulla di grave – chi si preoccupava di due miseri minuti persi qua e là? Ma se li moltiplicavi per tutto l'anno, diventavano settecentotrenta minuti di sonno in meno. E se eri stanco quanto lei, quelle dodici ore extra di riposo distribuite nel corso dell'anno sarebbero state davvero provvidenziali. Avrebbe voluto potersele prendere tutte di un colpo, giacere nel letto, letteralmente, e scivolare nel sonno senza temere alcun disturbo. Il massimo.

Sdraiata di schiena, fissò il soffitto da cui pendeva un lampadario blu a motivo cachemire con le frange, contenente un'unica lampadina smorta. Avevano avuto intenzione di sostituirlo con uno giallo che s'intonasse alla tappezzeria; il piano era stato quello, forse erano arrivati addirittura a guardarne qualcuno al British Home Stores, non ricordava, ma quindici anni dopo ancora era lì. Come con tutte le cose in disuso, spaiate o troppo vecchie della casa, ci avevano preso l'abitudine, imparando a conviverci, finché quella non era diventata semplicemente la normalità. Lo stesso discorso valeva anche per gli scatoloni pieni di vestiti e cianfrusaglie impilati in corridoio. Avrebbero dovuto finire nel solaio. Cos'aveva detto, lui? «Lasciali lì, amore, e la prossima volta che metto dentro la scala li porto su». Ma tre anni dopo avevano messo radici in corridoio, erano diventati dei mobili.

Lei li aggirava con l'aspirapolvere e vi accatastava il bucato, e i ragazzi ci gettavano sopra gli zaini invece di portarli al piano superiore. In effetti, Jacks non era neanche sicura di cosa contenessero.

Spalancando gli occhi, tentò di costringersi a un maggiore stato di veglia. La camicia da notte le si era avvolta in un anello scomodo intorno alla vita; sollevando il sedere, tirò giù la stoffa finché non le rimase piatta e liscia sotto la schiena. Aveva preso l'abitudine di indossare sia la camicia da notte che i pantaloni del pigiama, ma non avrebbe saputo dire se fosse per il bisogno di calore, di conforto, o perché Peter dovesse superare un ulteriore ostacolo nel caso gli fosse venuta voglia. Comunque, doveva ammettere che era qualche tempo che la voglia non gli veniva e, in tutta sincerità, era un piccolo sollievo.

Lanciò un'occhiata al marito, che dormiva senza cuscino, testa rovesciata all'indietro e bocca aperta, con la barba nera che iniziava a spuntare come rametti da una pelle che avrebbe beneficiato di un pizzico di crema idratante. Aspetta e spera – per lui, il possesso del gel per capelli equivaleva a una dichiarazione di sessualità ambigua. Ignaro del suo scrutinio, l'uomo sollevò il braccio e si grattò il naso. Poi si voltò e respirò a bocca aperta verso di lei. Jacks distolse lo sguardo; qualunque effluvio uscisse dal suo corpo a quell'ora del mattino era tutt'altro che profumato. Era un uomo giovane, e quando si metteva in tiro ancora attraente, ma, nella luce del primo mattino, con il sudore di una notte calda appiccicato alla pelle e il respiro carico di spezie, aveva qualcosa che la faceva ritrarre disgustata.

Sorridendo, Jacks fletté le dita dei piedi dentro i vecchi calzini sportivi del marito con cui aveva dormito. Altro che sexy. A volte lui era ancora in grado di risvegliarle dentro un desiderio struggente e profondo, soprattutto quando aveva un buon profumo e si mostrava sicuro di sé, riportandole alla mente i punzecchiamenti disinvolti della loro giovinezza. Ricordava quando si erano diplomati, diciotto anni prima. Lei era una bellezza, a quel tempo, con le sue lunghe gambe snelle, i capelli biondi e un'abbronzatura che sembrava durare tutto l'anno. Aveva il naso punteggiato di lentiggini e ciglia lunghe che incorniciavano gli occhi verdi senza bisogno di mascara. Ogni volta che le capitava in mano una foto di quel periodo, la sconvolgeva accorgersi di quanto fosse carina, e di come all'epoca ne fosse inconsapevole. Ricordava le molte insicurezze, la preoccupazione per quella leggera fossetta sul mento, per gli arti allampanati.

Si erano sposati poco dopo aver iniziato a frequentarsi e in quei giorni dormivano pelle contro pelle, il viso di lei premuto nel petto di lui, braccia e gambe intrecciate. Ogni istante che non passavano insieme era considerato uno spreco. Si svegliavano nel cuore della notte per fare l'amore e poi riaddormentarsi di nuovo. Non che avesse bisogno di dormire molto, non allora. Non erano né il sonno né il cibo a sostentarla, aveva bisogno solo di lui, di lui e della loro bimba appena nata. Vederlo, pensarlo, sentire il suo corpo contro il proprio, era tutto.

Sgusciando fuori dal letto, Jacks lo guardò stringere forte gli occhi, arricciare il naso e scorreggiare. Alzò gli occhi al cielo. «Bei tempi, quelli», bisbigliò, mentre recuperava l'asciugamano dallo schienale della vecchia sedia da pranzo nell'angolo e si incamminava verso la doccia.

«Mamma?»

«Che c'è?», rispose Jacks senza sollevare la testa dal giornale. Erano le 7:15. Si era messa qualcosa addosso e pettinata, aveva acceso le luci, il riscaldamento, portato in tavola i cereali per la colazione e preparato qualcosa di caldo da bere. Dopodiché si era seduta al tavolo della cucina. Era uno dei pochi momenti all'inizio della giornata in cui riusciva a leggere le notizie locali. Un attimo breve, prima che il mondo le si precipitasse incontro e lei dovesse correre per tenergli il passo, come quella donna che aveva visto un giorno al circo in equilibrio su una palla luccicante. Sfoggiava un sorriso sicuro, ma Jacks aveva scorto sotto le vistose ciglia finte i suoi occhi pieni di terrore. Un passo falso e sarebbe caduta. Una sensazione che Jacks conosceva perfettamente.

«Mamma?». L'urlo fu più forte, questa volta.

Lei chiuse gli occhi. «Per l'amor del cielo, Martha, lo sai che odio quando si urla per le scale». Batté il palmo sul tavolo della cucina, apprezzando il suono della fede nuziale che picchiava contro il legno. «Quante volte te l'ho detto? Se vuoi chiedermi qualcosa, scendi!». Scosse la testa e tornò al suo articolo del «Weston Mercury», interessata a scoprire come fare per dare alle finestre della veranda una lucentezza a prova di macchia senza usare altro che acqua calda e uno spruzzo d'aceto.

I passi di sua figlia rimbombarono lungo le scale prive di moquette. Jacks prese fiato: quante volte gliel'aveva detto? Troppe, innumerevoli, ma a diciassette anni Martha, dopo aver vissuto tutta la vita in quella casa, ancora non era riuscita ad apprendere l'arte del conversare faccia a faccia e preferiva urlare da una stanza all'altra. Né aveva imparato a scendere le scale senza far tremare i travetti, a quanto pareva.

«Ce l'ho una camicetta per la scuola?». Stava praticamente saltellando sul posto, il tono urgente. Jacks restava sempre sbalordita dal fatto che, nonostante uscissero di casa tutti i giorni alle 7:45 negli ultimi sei anni, Martha sembrasse sempre colta di sorpresa dall'orario, come se fosse uno shock o una deviazione dalla norma, ogni santa mattina.

Jacks guardò la figlia che, con indosso la gonnellina nera e attillata dell'uniforme scolastica, i collant di lana spessa, la maglia del pigiama e fin troppo profumo, se ne stava ferma sulla soglia, intenta a cotonarsi le radici dei capelli con le dita. Decise di non commentare i cerchi di kajal nero che mascheravano i suoi begli occhi azzurri e appesantivano troppo la parte superiore del suo visetto a cuore. Alcune conversazioni si potevano fare solo un certo numero di volte. In più, quando fosse stata un'avvocato, e avesse salito di corsa le scale del tribunale con una camicetta bianca fresca di bucato e la valigetta piena di appunti importanti, avrebbe riconsiderato di certo quei capelli arruffati e quel trucco eccessivo. Avrebbe voluto imitare le colleghe. Jacks sorrise al pensiero. La sua bambina brillante, destinata a prendere presto il diploma e a intraprendere il cammino di un'istruzione universitaria e in seguito di un'abbagliante carriera. Jacks non avrebbe mai dimenticato la signora Fentiman, la donna che era venuta a tenere una conferenza nella scuola di Martha e aveva decantato le virtù di una carriera nella giustizia, tratteggiandone un ritratto talmente vivido che Jacks aveva sentito il gusto dello champagne con cui avrebbero brindato per festeggiare le vittorie e l'odore del piano di pelle della scrivania da cui sua figlia si sarebbe goduta la vista perfetta della cattedrale di St. Paul. Avrebbe vestito completi eleganti fatti su misura e indossato orecchini di Chanel. Jacks per Martha voleva quella vita, in ogni dettaglio. Desiderava che Martha andasse nelle scuole e ispirasse le ragazze a dare il meglio di sé, che bevesse calici di champagne negli uffici dei giudici invece che pinte di *cider-and-black* sotto il molo.

«Quindi ce l'ho una camicia?», incalzò Martha.

Jacks annuì. «Nell'armadio asciugabiancheria».

«L'armadio asciugabiancheria del pianerottolo da cui sono appena arrivata?». Martha indicò il soffitto.

«Proprio quello». Jacks tracciò le parole dell'articolo con il dito, ignorando il sarcasmo della figlia.

«Se la domanda non ti disturba, cos'è che stai leggendo?». Martha stava masticando un chewing gum, il che prima di colazione a Jacks sembrava incomprensibile. Doveva dare a tutto un sapore di menta, e se poi l'avesse inghiottito per sbaglio? Non voleva nemmeno pensarci.

«Un articolo sulle finestre delle verande e i modi per pulirle». Guardò la figlia attraverso gli occhiali con la montatura tartaruga che le scivolavano sul naso.

«Ma noi neanche ce l'abbiamo, la veranda!». Martha alzò gli occhi al cielo.

Jacks si tolse gli occhiali e guardò la parete di fondo della cucina che percorreva tutta la larghezza della casa. «Non ancora. Non ce l'abbiamo ancora».

Martha distolse di nuovo lo sguardo, esasperata. «Invece di una veranda, non potresti costruire un'altra stanza nel sottotetto così Jonty non dovrebbe più stare nella mia? Odio dividere la camera con lui. Non è giusto!».

«Davvero, Martha? Strano che tu non ne abbia mai parlato prima». Jacks fece un sorrisino caustico mentre sua figlia risaliva rumorosamente le scale. Sentì una fitta del familiare senso di colpa. Martha aveva ragione; non avrebbe dovuto essere costretta a dividere la stanza con il fratellino. Quando la madre di Jacks era venuta a vivere con loro, avevano spostato Jonty nella camera della sorella, gli spazi separati solo da un paio di librerie aperte. Era l'argomento di conversazione preferito di Martha. Jacks aveva sperato che prima o poi le sue lamentele si sarebbero esaurite. Non era stato così.

Per la prima volta nel corso della giornata pensò alle 7482 sterline che, da poco più di un anno, riposavano nel loro conto di deposito. Erano ciò che restava della somma ricavata dalla vendita della casa dei suoi genitori, in Addicott Road, a

LA FIGLIA PERFETTA • 17

un paio di strade di distanza, dopo aver pagato l'istallazione del sollevatore nel bagno. Un sollevatore che sua mamma non usava mai perché la spaventava e perché, in ogni caso, avevano scoperto che risultava molto più semplice infilarla direttamente nella doccia, senza tante chiacchiere. Comunque il sollevatore non era costato tanto quanto il montascale.

Un montascale contro cui Jacks andava a sbattere nel cuore della notte e per il quale doveva rimproverare di continuo Jonty, che si divertiva a usarlo come mezzo di trasporto e per far fare su e giù ai suoi Transformers.

«Questa sera farò tardi. Il City gioca in casa, l'amichevole del martedì sera, quindi non preoccuparti per la cena, prenderò qualcosa ad Ashton Gate». Questo fu ciò che urlò, eccitato, suo marito Pete dal pianerottolo. Lei scosse la testa; non c'era da stupirsi se per Martha non ci fosse niente di male nel gridare.

«D'accordo». Sospirò, allungando la mano verso la tazza e prosciugandone il contenuto. La migliore tazza di tè della giornata era senza dubbio la prima.

«Maaamma?», urlò Jonty da dietro la porta della camera.

«Mi arrendo». Jacks chiuse il giornale e posò la tazza vuota e il piatto di pane tostato nel lavandino. «Sì, tesoro?»

«Ho bisogno di portare a scuola delle cose per fare il modellino di una costruzione famosa!».

«Che cosa?». Jacks si voltò di scatto, uscì dalla cucina ed entrò a grandi passi nello stretto corridoio, evitando il borsone della palestra e le pile di scatoloni che ostruivano il passaggio, con la speranza di aver sentito male.

«La signora Palmer dice che dobbiamo prendere dall'immondizia e dal bidone del riciclaggio del materiale da usare per costruire il modellino di un edificio famoso». Era preciso, probabilmente stava leggendo la consegna riportata in un avviso appena trovato.

«Per quando ne hai bisogno?». *Non oggi, ti prego, non oggi...*

«Oggi!», rispose lui.

«Dio, Jonty! E me lo dici adesso!», sbottò Jacks. Mettendosi le mani sui fianchi snelli, cercò di pensare a una soluzione: che cosa avevano gettato via di recente che avrebbe potuto somigliare a un edificio?

«Pensavo che non dovessimo urlare per le scale». Martha fece spuntare la testa da dietro la porta del bagno, la mano chiusa sulla piastra per capelli inserita nella presa di corrente del pianerottolo.

«Non fare la sarcastica con tua madre», intervenne Peter mentre scendeva rumorosamente le scale vestito con i pantaloni larghi della tuta, calzini pesanti, maglietta a maniche lunghe e gilet imbottito, l'uniforme di un uomo che lavora all'aperto.

«Io te lo volevo dire prima, ma me n'ero dimenticato!», spiegò Jonty.

«Siamo senza latte?», urlò Pete.

Jacks voltò la testa verso la cucina. «No, è lì di lato, vicino al bollitore!». Poi salì la prima rampa di scale. «Non va bene dimenticarsi certe cose, Jonty. Ti ho detto di darmi tutte le comunicazioni o gli avvisi non appena li porti a casa da scuola. Così possiamo assicurarci di avere un po' di preavviso per cose come questa».

«Sì, meglio non ripetere la figuraccia della Festa del raccolto!», rise Martha.

«Grazie mille per il tuo contributo, Martha! Tu pensa a prepararti». Jacks sentì le guance andare a fuoco al ricordo di quando aveva spedito il figlio alla cerimonia della Festa del raccolto portando come contributo soltanto una lattina di fagioli pinto e un ovetto di cioccolato. Erano l'unica cosa su cui aveva potuto mettere le mani mentre uscivano dalla porta all'ultimo minuto. A quanto pareva, la signora Palmer aveva storto il naso e chiesto cosa fossero i fagioli pinto. Al che Jonty aveva risposto: «Servono per fare il pinto». Jacks li aveva presi per sbaglio dallo scaffale del supermercato ed era segretamente felice di non trovarli più in agguato nella credenza, pronti a irriderla con la loro etichetta raffinata, confermando la sua scarsa cultura culinaria.

«Scusa, mamma», mormorò Jonty.

«Non importa». Lei sorrise, sentendo il cuore stringersi di fronte alla sua vocina di bimbo di otto anni e al suo pentimento. Era un bravo bambino, il suo piccolo. «Appena siete pronti, per favore, scendete a fare colazione, oggi non vorrei arrivare tardi!».

«*Io* ti ho dato un'autorizzazione una settimana fa, per quel viaggio artistico a Parigi, e ancora non hai detto se posso andarci oppure no!», disse Martha.

«Io e tuo padre ne stiamo ancora parlando». Jacks annuì. Si posò la mano sulla fronte, cercando di pensare contemporaneamente a cosa avrebbe potuto portare Jonty a scuola e a come spiegare a Martha che non avevano abbastanza fondi per una gita a Parigi. I soldi del conto di deposito andavano conservati come fondo d'emergenza per un brutto periodo o per qualunque spesa fosse stata necessaria per sua madre. La sua veranda era un sogno a occhi aperti e lo stesso, tristemente, poteva dirsi del desiderio di sua figlia di andare a Parigi. Parigi, davvero! L'idea la fece ridacchiare. Ai suoi tempi, le gite si facevano alla centrale nucleare di Oldbury, con il bonus di un pranzo al sacco.

«Di che cosa stiamo ancora parlando?», chiese Pete dalla cucina.

«Della gita di Martha a Parigi!», rispose Jacks.

«Quindi *posso* andare?», domandò Martha.

Jacks scosse la testa. «No, ne stiamo ancora parlando!».

«Non capisco perché qualcuno dovrebbe volere andare a Parigi!», s'intromise Pete dal tavolo della cucina. «Un posto sporco e orribile pieno di scippatori e dove ti serve un mutuo per comprare anche solo una tazza di tè!».

«Papà, tu pensi che mi scipperanno dappertutto! Hai detto che mi avrebbero scippato se fossi andata da sola a Worle in autobus, e non è successo!».

«Semplice fortuna, piccola. E solo perché sei sopravvissuta a Worle, non significa che saresti altrettanto fortunata a Parigi».

«E comunque, come fai a sapere com'è Parigi? Tu non ci sei mai stato!», puntualizzò Martha.

«Perché non mi interessa, tesoro, solo per questo».

«Dio, papà, per te è un'avventura andare a Bristol!».

«Lo è quando ci giocano il potente City». Pete batté la mani, facendo un gran rumore.

«Posso venire con te stasera, papà, a vedere il potente City?», chiese Jonty.

«No, mi spiace. Niente partite durante la settimana finché non potrai offrire un giro al The Robins, è la regola».

«Io penso che le regole te le inventi sul momento», saltò su Martha, in difesa del fratellino. «Non è papà a decidere se posso andare o no in Francia, vero, mamma? Lo sai com'è!».

«Signorina Martha, guardi che posso *sentirla*!», urlò Pete.

«Che cosa costruisco, mamma?», chiese Jonty.

«Ehm…». Jacks stava cercando di pensare a qualcosa quando il suono di una campanella risuonò forte e chiaro sopra il chiacchiericcio e le accuse che volavano per le scale.

«La nonna chiama!», urlarono Jonty e Martha all'unisono.

Lo so. L'ho sentito.

Quando si era trasferita da loro, diciotto mesi prima, la madre di Jacks, Ida Morgan, era apparsa disorientata, confusa e a disagio, così Jacks le aveva procurato una piccola campanella, con la raccomandazione di suonarla ogni qual volta avesse avuto bisogno di qualche cura. Come aveva scoperto in seguito, le cure di cui aveva bisogno erano parecchie.

All'inizio, diversi anni prima ormai, quando la demenza di Ida aveva cominciato a farsi evidente, nessuno aveva dato molto peso alla cosa. Il padre di Jacks, Don, l'aveva minimizzata e gli altri si erano accodati, prendendo parte allo scambio di follie. Che importanza aveva se Ida dimenticava dove viveva e serviva patatine al forno congelate senza averle prima cotte? Se sbagliava tutti i nomi, metteva le uova nell'asciugatrice e le chiavi dell'auto in un barattolo di caffè? Don aveva sminuito il problema cercando di proseguire come se niente fosse, per non spaventare la moglie o stressare la loro unica figlia. Ma dopo la sua morte, Ira era peggiorata in fretta; o forse era solo che suo padre aveva protetto Jacks dalla realtà delle condizioni materne. In ogni caso, era stato uno shock.

All'inizio, Jacks andava a Addicott Road per prendersi cura di lei durante il giorno e Pete faceva un salto tutte le sere, per controllare che stesse bene e chiudere le porte e le finestre per la notte. Una volta l'aveva trovata in giardino, con addosso solo la camicia da notte, impegnata a disporre del cibo sul prato. L'aveva guardata accatastare patate non cotte, spargere cereali dalle scatole e gettare sull'erba un po' di formaggio e la carcassa di una gallina.

«Cosa stai facendo, Ida?», le aveva chiesto, gentilmente.

Lei l'aveva osservato senza riconoscerlo. «Sto dando da mangiare ai conigli», aveva risposto. «Non si cibano da soli, sai!».

«Sarebbe davvero meglio che non lo facessi, Ida. Attirerà i ratti», aveva detto lui, con dolcezza, spremendosi le meningi per ricordare se avevano mai avuto un coniglietto domestico.

«Non essere stupido!», era sbottata lei. «Non è cibo per ratti, questo, è cibo per i conigli!».

Lui l'aveva guidata dentro la casa, dove lei aveva preparato una tazza di tè come se non fosse successo nulla.

Poco dopo, Jacks e Pete avevano deciso che avrebbe dovuto trasferirsi da loro, a Sunnyside Road. Da allora erano passati diciotto mesi e sua madre era ormai debole. Per la maggior parte del tempo era tranquilla, con occasionali sprazzi di lucidità, preferiva stare a letto piuttosto che sul divano e apprezzava le cose familiari e la routine. A volte riconosceva la sua famiglia e altre volte no. Era un modo di vivere buio, difficile e solitario. E, sebbene ammetterlo fosse terribile, Jacks, Pete e i ragazzi avevano come l'impressione che per le stanze di Ida si aggirasse uno spettro, visibile e spaventoso. Se possibile, preferivano evitare di stare nella sua ombra. Le volevano bene, certo, ma per i ragazzi era difficile riconoscere quella vecchietta che urlava e fischiava; era diversissima dalla nonna che un tempo preparava la migliore torta di mele del mondo e che quando la mamma distoglieva lo sguardo passava loro caramelle di nascosto prima che andassero a letto.

Mettendosi le mani a megafono intorno alla bocca, Jacks strillò: «Arrivo subito, mamma!», poi sfrecciò in cucina. «La mamma chiama, Pete. Fammi un favore, cerca di trovare qualcosa per il modellino di Jonty. Dovrai guardare tra le cose da riciclare negli scatoloni sul retro». Scomparve nel corridoio.

Pete smise di riempirsi la bocca di cereali e fissò il punto in cui si era trovata sua moglie. «Che cosa?», urlò, ma era troppo tardi, lei stava già correndo su per le scale.

In piedi nel pianerottolo squadrato, Jacks afferrò la maniglia della porta. Inspirò e si dipinse un sorriso sulle labbra.

Trattenendo il fiato, come faceva ogni mattina per non respirare l'odore viziato e claustrofobico di ammoniaca, gas e qualcosa che ricordava la putrefazione, si avvicinò alle tende e le spalancò, mentre apriva leggermente la finestra, grata della ventata d'aria fredda che le colpì il viso. Era una camera di dimensioni discrete, con una parete coperta di armadi a muro e un letto matrimoniale rivolto verso la finestra. I tappeti a fiori provenivano dalla casa dei suoi genitori, così come i quadri appesi alle pareti e la serie di foto che punteggiava il davanzale mostrando la crescita di Jacks nel corso degli anni.

La donna si voltò verso la figura rinsecchita nel centro del letto. Ida rimpiccioliva di mese in mese, scivolando ogni notte più in basso sul materasso, tanto che Jacks immaginava che un giorno avrebbe potuto trasformarsi in polvere e scomparire del tutto. Così Jonty avrebbe potuto riavere la sua stanza, almeno. Jacks inghiottì il pensiero cattivo. Si trattava di sua madre, dopo tutto.

«'Giorno, mamma!», cinguettò, senza aspettarsi una risposta. Adottava sempre una nota di falsa giovialità quando si rivolgeva a Ida. In qualche modo, sorridere e mostrarsi allegra facilitava ogni cosa, proprio come con qualunque lavoro noioso o cliente difficile. «Come hai dormito? Bene? Andiamo, vediamo di metterti seduta».

Tirò indietro il copriletto rosa di ciniglia che aveva allietato il letto matrimoniale dei suoi genitori da quando aveva memoria. Aveva un ricordo vivido della lavata di capo che sua madre le aveva fatto quella volta che ne aveva rovinato il disegno tirando i fili con le unghie fino a rimuovere un centimetro quadrato di increspatura per lasciare al suo posto un punto spoglio. Quella coperta preziosa era una delle poche cose che l'avevano seguita dall'altra parte della città.

«È una bellissima nuova giornata!». Jacks sorrise raggiante mentre sollevava la camicia da notte lilla di sua madre fino a scoprire il pannolino. La cosa non la imbarazzava più, ormai, né notava l'ammasso di stoffa fradicia che si trovava tra quegli arti emaciati. I suoi gesti erano mirati, concentrati, privi di emozioni. Non era stato sempre così. I primi mesi avevano richiesto una brusca curva di apprendimento. Scioccata dal corpo di sua madre, Jacks si era sentita estremamente a disagio e l'esitazione e la riluttanza che provava nel toccarla non avevano fatto altro che mettere in evidenza la dura realtà che entrambe si trovavano ad affrontare. Non erano mai state molto affettuose, non erano tipe da baci e abbracci, e la nudità aveva rappresentato un grosso tabù. Prima che il loro rapporto subisse quel cambiamento radicale, il massimo della loro intimità era stato averla vista forse un paio di volte in costume da bagno. E invece, di colpo si era trovata costretta a lavarla sotto i seni piatti e cadenti, con i lunghi capezzoli puntati verso il basso; a toccare quella pelle antica e coriacea, ormai quasi traslucida, tesa sulle ossa fragili e disseminata di vene viola e sporgenti; e a vestire le sue parti intime, ora glabre e defunte. All'inizio era stato repellente, scioccante, ma in poco tempo era diventata solo un'altra area da insaponare e asciugare prima di coprirla con l'umiliante pannolino per adulti che riduceva sua madre alla condizione impotente di un neonato.

«Vediamo di metterci comode». Jacks sorrise mentre la girava delicatamente sul materasso fino a farla giacere sulla schiena. Il fruscio delle lenzuola di plastica forniva il familiare rumore di fondo. Jacks estrasse un pannolino pulito dal cestino posto in cima alla cassettiera e prese le salviette umide che vi stavano accanto. «Ti sistemo, mamma, e poi ti porto una bella tazza di tè, che ne dici? Vado a portare i bambini a scuola e quando torno ti preparo la colazione. Non ci metterò molto e per un po' ci sarà Pete. Starai sola giusto qualche minuto». Era ciò che ripeteva all'incirca ogni mattina, senza avere idea di quanto venisse recepito, più con lo scopo di rassicurare se stessa che di fornire informazioni.

«Sto… Sto aspettando quella lettera», affermò sua mamma, chiaramente, con eloquenza.

«Oh, giusto. Be', il postino non è ancora passato, ma farò attenzione e se c'è una lettera te la porto subito». Diede alle parole un tono da cantilena, come rivolgendosi a un bambino petulante. Aspettare lettere che non sarebbero mai arrivate era una delle ossessioni più recenti di Ida. La cosa aveva avuto inizio durante un pranzo domenicale, quando tutto d'un tratto era scoppiata a piangere e aveva urlato: «Le ho perse! Le ho perse tutte! Erano legate insieme, tutte le mie lettere. Ho cercato di tenerle al sicuro, ma adesso sono sparite!». Nessuno aveva idea di cosa intendesse, ma avevano scoperto in poco tempo che darle corda era la reazione migliore.

«Ho avuto un'idea!», urlò Pete dalle scale. «Che ne dici della torre pendente di Pisa? Posso costruirla con quattro lattine di birra e una confezione di un cornetto gelato».

«Io non voglio fare una torre! Quella è immondizia. Sono solo lattine!», rispose Jonty. «Maaamma? Mamma? Diglielo a papà che non posso fare solo una torre, quella è immondizia!».

«Deve essere immondizia, cretino». Martha rise.

«Solo un attimo, mamma». Jacks tirò coperte e copriletto sul corpo seminudo di Ida. Infilò il pannolino sporco in un sacchetto di plastica vuoto e lo legò con un doppio nodo. Sporgendo la testa sul pianerottolo, parlò in tono basso ma fermo.

«Martha, non dare del cretino a tuo fratello. E Jonty, tesoro, a questo punto non hai molta scelta. Papà sta facendo del suo meglio per trovarti qualcosa da portare a scuola con pochissimo preavviso. Adesso andate a fare colazione, tutti e due». Sorrise a suo figlio, che stava in piedi con le braccia incrociate sul petto.

«Ma io non voglio fare una torre, è da schiappe». Gli occhi traboccavano di lacrime.

«Che cosa vuoi fare, quindi?». Jacks parlò in fretta, incoraggiando il figlio a tenere il suo passo. Aveva sua madre a cui pensare, le cose della colazione da mettere in ordine e soltanto sedici minuti, no, quindici, per far entrare in auto entrambi i figli.

«Voglio fare il ponte sospeso di Clifton», si riprese lui, gli occhi accesi dalla prospettiva.

«Il ponte sospeso di Clifton?». Pete scoppiò in una risata fragorosa. «Sicuro! Temo ti toccherà la torre pendente di Pisa, oppure l'*Angelo del Nord* se pieghi questi tre appendini». Li sollevò, mostrandoglieli.

«L'*Angelo del Nord* non è nemmeno un edificio!», urlò Martha, mentre scendeva le scale a rotta di collo con la giacca e la borsa gettata sulla spalla.

«Be', scusa tanto! Non possiamo essere tutti dei geni, vero, Jacks?». Dalla base delle scale, lui fece l'occhiolino alla moglie.

Jacks si chinò e spettinò i capelli del figlio. «La tua torre andrà benissimo, Jonty. Puoi dipingerla e rivestirla di carta stagnola e tante altre cosette. Sarà bellissima. E penso che sia la cosa migliore, in queste circostanze».

«Okaaaay», borbottò lui, dirigendosi finalmente in cucina per fare colazione.

Raddrizzando la schiena, Jacks tornò in camera di sua madre. Quando aprì la porta, l'odore di feci la colpì in viso, offendendo il suo naso e provocandole un conato di vomito.

«Oh, Dio!», bisbigliò, coprendosi il naso e la bocca con la mano.

«Ho fatto il liquido», affermò Ida con disinvoltura, come se stesse annunciando il giorno della settimana.

Jacks annuì e scostò le coperte, cercando di non respirare dal naso. «Va bene, mamma. Rapido cambiamento di piani: dobbiamo sciacquarci un attimo nella doccia prima di portare i ragazzi a scuola. D'accordo?». Togliendo le lenzuola dal letto, le avvolse intorno al corpo della madre e la manovrò fino a metterla seduta.

«Sto aspettando una lettera».

«Sì». Jacks annuì mentre la aiutava ad alzarsi, sostenendo il suo peso da uccellino. «Quando arriva te la porto, non preoccuparti».

In quel momento il bagno era fortunatamente vuoto. Jacks usò il gomito per spalancare la porta, poi aprì il rubinetto della doccia e le tolse di dosso le lenzuola, la camicia da notte, i calzini e la vestaglia, arrotolandoli in una palla e gettandoli in un angolo della stanza. «Eccoci». Guidò la madre sotto il getto.

«Oooooooh! È troppo calda! Mi stai bruciando! Aiuto! Qualcuno mi aiuti!», strillò Ida.

Jacks sorrise e spinse le mani sotto l'acqua corrente. «Guarda, mamma! Guarda! Se fosse troppo calda brucerebbe anche me e invece non è così. La temperatura va bene. Ho controllato. Ti giuro che non è troppo calda». Allungò la mano per prendere il gel da doccia appeso alla barra con un ingegnoso uncino di plastica. «Va bene, mamma, è proprio la temperatura giusta. Vedi? Va bene».

Ormai non andava più nel panico quando sua madre urlava che si stava bruciando, anche se il tono dei suoi strilli continuava a farla sobbalzare. Ci era abituata, se l'aspettava addirittura. E dopo aver spiegato ad Angela e Ivor, i vicini, che avrebbero potuto sentire regolarmente grida del genere, non si sentiva più assalire dal timore di finire nei guai.

Cercò di non guardare i grumi scuri di escrementi che si raccoglievano nello scarico della stessa doccia dove si lavavano i suoi figli. Piuttosto, si concentrò sul far crescere la schiuma tra i palmi e sul ricoprire il più in fretta possibile ogni centimetro della pelle di sua madre.

Con quattro minuti d'avanzo, sua mamma fu riaccompagnata in un letto pulito e profumato di talco, e fu avvolta nella sua vestaglietta di lana in compagnia di Radio 4.

Pete bussò ed entrò in camera, portando un vassoio con una tazza di tè e tre biscotti Rich Tea disposti sul piattino. «Buongiorno, Ida. Ecco, una bella tazza per te». Posò il vassoio sul comodino.

«Grazie, Toto. Sei così buono con me». Con qualche tocco leggero, Ida si sistemò i capelli sottili.

«Grazie, tesoro». Jacks sorrise al marito, le cui piccole premure nei momenti di fretta facevano la differenza.

«Toto?», chiamò Ida dal nido di cuscini su cui stava appoggiata.

«Sì?». Fermandosi sulla soglia, Pete si voltò. Non gli dava fastidio che Ida lo confondesse con suo fratello, ormai morto da tempo. Toto era stato membro della RAF, l'aeronautica militare, e in tutta sincerità a Pete faceva piacere che lei gli attribuisse una carriera più emozionante che quella di piastrellare i cortili delle case nuove che stavano spuntando ovunque.

«Ho bisogno di vedere quella lettera». La donna lo guardò, preoccupata.

«Ah, non preoccuparti. Se oggi arriva, di certo te la porteremo subito».

«Maaamma?», urlò Jonty.

«Sì, tesoro, arrivo! Mamma, io torno tra pochissimo a portarti la colazione. D'accordo?».

Ida allungò la mano verso il tè, preparato con latte raffreddato, e la ignorò.

Era un giorno come tutti gli altri.

Due

Diciannove anni prima

Suo padre era in giardino, come se la stesse aspettando. «E queste che ore sarebbero, secondo te?». La voce era severa, ma gli occhi ridenti lo tradivano.

Jacks rise di lui, piantato lì in mezzo al prato con le maniche della camicia arrotolate a scoprire i gomiti, appoggiato all'impugnatura del tosaerba e con il viso atteggiato nella sua espressione più seria. L'odore dell'erba appena falciata era ubriacante, e le faceva venire in mente il sole e la pigrizia dei giorni in cui non doveva andare a scuola. Il prato era perfetto come sempre, con i bordi dritti e privi di erbacce. Suo padre non si stancava mai di ripeterle che, come un buon taglio di capelli, anche quello richiedeva attenzioni costanti.

Le vacanze estive erano appena dietro l'angolo e lei non vedeva l'ora! Sei intere settimane in cui sarebbe stata sempre in pantaloncini e non avrebbe dovuto temere il suono della sveglia. Era il momento in cui Weston-super-Mare tornava in vita, quando i B&B si riempivano di turisti e volti nuovi aggiungevano varietà ed eccitazione alle passeggiate lungo la Marine Parade. In quel periodo dell'anno sembravano tirare tutti un sospiro di sollievo. I soldi arrivavano mentre la gente si metteva in coda per gelati, patatine e giri sugli asini. Le risate e il profumo dell'olio abbronzante si addensavano in una nuvola pungente che andava a posarsi anche negli angoli più tristi, ravvivando ovunque l'umore.

Lei guardò l'orologio. «Quasi le diciassette e trenta!».

«Bella giornata a scuola?», le chiese lui mentre si accendeva una sigaretta e prendeva una grossa boccata, inalando profondamente come se fosse aria fresca e scuotendo il fiammifero due volte per assicurarsi che fosse spento, come da abitudine.

Lei annuì; in effetti, era stata una giornata eccezionale. Una bolla di eccitazione le risalì dallo stomaco fin nella gola.

«Netball com'è andato?»

«Abbiamo vinto! Anche se l'arbitro faceva davvero schifo. Era totalmente dalla loro parte. Mentre cercavo di segnare, la loro attaccante faceva fallo, un sacco di volte! E l'arbitro faceva finta di niente! E succedeva proprio sotto il suo naso. Volevo arrabbiarmi ma sapevo che sarei finita nei guai, così non ho detto niente».

«Ma avete vinto lo stesso?»

«Sì».

«Be', è una bella lezione allora». Annuì saggiamente.

«Che lezione?». Jacks si tirò su le maniche del cardigan.

Suo padre si grattò il mento. «Magari lo sapessi! Probabilmente qualcosa come: "È bene pensare prima di agire", "tenere la testa a posto", cose del genere. Ma avete vinto lo stesso, quindi chi se ne frega!».

Avvicinandosi e passandole la mano senza sigaretta intorno alle spalle, la attirò a sé e le baciò la testa. Poi le rovesciò addosso una manciata d'erba tagliata che aveva raccolto per quell'espresso proposito.

Jacks strillò e fece un salto all'indietro, scuotendo i lunghi capelli e spolverandosi la camicetta e la gonna. «Papà!».

Istintivamente lanciò uno sguardo verso la finestra della cucina, dove sua madre stava davanti al lavandino con le labbra tese e la schiena dritta. Jacks sentiva la sua disapprovazione trasudare.

«Oh, guarda, la polizia antidivertimento è di pattuglia». Sorridendo, suo padre indicò la casa con uno scatto della testa. «Niente risate spontanee, sei stata avvertita!». Le fece l'occhiolino.

Lei voleva ridere, rispondere a tono, ma la sensazione che sarebbe stata una slealtà nei confronti della madre la trattenne. Era così da sempre. Essere figlia unica la faceva sentire spesso come un arbitro, nel mezzo di una battaglia quotidiana che si protraeva nel tempo.

«Hai compiti?», chiese lui.

«Pochi. Devo leggere una scena di *Un marito ideale* di Oscar Wilde. E devo tracciare un grafico per Economia aziendale».

«*Un marito ideale*? Be', con quello posso aiutarti io. Probabilmente è stato scritto su di me!». Si appoggiò all'indietro e rise forte.

«Non sono sicura che mamma sarebbe d'accordo». Issandosi la borsa sulla spalla, Jacks s'incamminò verso casa.

«Tesoro, se io dicessi nero, tua madre direbbe bianco. Posso dire qualunque cosa e lei non è mai d'accordo».

Ignorandolo, Jacks aprì con una spinta la porta sul retro. Non voleva che l'altalena di emozioni rovinasse quella giornata bellissima.

«La cena è quasi pronta». Sua madre parlò a voce bassa mentre spargeva un flusso costante di sale nella pentola d'acqua bollente in cui avrebbe rovesciato le carote che aveva sbucciato e tagliato a fette. «Hai qualche minuto, se vuoi portare su le tue cose e sistemarti. Io apparecchierò la tavola».

Jacks annuì, lasciando scorrere gli occhi sul disastro che sua madre faceva ogni volta che preparava la cena.

«Di cosa stavate ridendo tu e papà? Vi ho visti scherzare in giardino». Ida sorrise per un secondo, prendendo forchette e coltelli e la bottiglia di salsa di pomodoro.

«Niente». Jacks scrollò le spalle, sentendo le guance andare in fiamme come se ridere con suo padre fosse qualcosa di proibito.

Salì le scale, calciò via le scarpe e si abbassò le calze, massaggiando il punto in cui l'elastico stretto le aveva segnato le cosce, prima di lasciarsi cadere sul letto. Sollevò lo sguardo sul poster dei Take That, poi prese il quaderno degli appunti dalla borsa. Scrisse una parola per la prima volta, circondandola con un cuore. *Sven. Sven.* Era quella la parola che le danzava nella mente e riposava sulla lingua. Sven. Frequentava la sua scuola da sei mesi, ma a parte notare la sua zazzera di capelli biondi e i suoi graziosi maglioni fatti a mano, i contatti tra loro erano stati scarsi. Lui era uno degli studenti più bravi e seguivano alcuni corsi in comune, e lei aveva riso con gli amici del suo modo di pronunciare certe parole, con un accento che spesso lasciava molto a desiderare. In fila alla mensa, lo aveva guardato mentre alcuni ragazzi della squadra di calcio gli chiedevano se era un membro degli Abba e se sua madre e suo padre possedevano una Volvo. Lui aveva risposto in fretta che stavano facendo i ridicoli, che chiaramente i suoi genitori non possedevano una Volvo, ma che sì, in effetti lui era Agnetha degli Abba. *Sven.* Lo scrisse di nuovo, per poi aggiungervi *Jackie Lundgren* di fianco.

«La cena è pronta!», urlò sua madre dalle scale. Jacks chiuse il quaderno e lo infilò sotto il cuscino, pronto per altri scarabocchi futuri.

Scese le scale furtivamente, fermandosi davanti allo specchio del corridoio per spingersi in alto le tette, che avrebbe voluto più grandi. La sua amica Gina aveva delle tette enormi, anche se con ogni probabilità il paragone era stupido dato che, fisicamente, lei e Gina erano l'una l'opposto dell'altra. Di profilo il suo seno formava un lieve bitorzolo sotto la maglietta, ma vista di fronte sembrava piatta.

«Che è quella faccia cupa, signorina?».

Lei sollevò lo sguardo verso sua madre. «Niente. Vorrei solo somigliare un po' di più a Gina».

«Gina?». Suo padre rise. «Stai scherzando! Non per essere cattivi, ma se c'è mai stata una ragazza che deve fare affidamento sul cervello è proprio lei. Tu, invece, puoi fare come il resto della famiglia e approfittare del tuo bell'aspetto per andare lontano». Batté le ciglia.

«Non darti tante arie. Il tuo lato della famiglia, forse, ma mio padre era molto intelligente», borbottò Ida posando il piatto davanti alla figlia. «Aveva una buona posizione nella compagnia del gas. Un uomo molto avveduto, con una piccola fortuna in obbligazioni a premio».

Il padre di Jacks fece una faccia strana. «Oh, sì, le sue misteriose obbligazioni a premio! Sai che ti dico, Ida, se esistessero davvero le avremmo riscosse anni fa e ci saremmo fatti un paio di settimane a Tenerife! Ma finché non vedrò una prova della loro esistenza, ci toccherà la solita settimana in campeggio». Rise.

Jacks studiò le carote, i piselli, le patate bollite e la monoporzione di pasticcio di pollo con la crosta gonfia, proprio come piaceva a lei.

«Santo cielo, è delizioso!». Vide suo padre, a bocca piena, fare l'occhiolino alla moglie e il viso di sua madre che si illuminava di gioia al complimento. Come se non potesse evitarlo. Jacks inseguì i piselli nel piatto e si chiese cosa mangiassero per cena gli svedesi.

«Un penny per i tuoi pensieri, Sonia Sognatrice?». Suo padre caricò sulla forchetta qualche altra carota e il pasticcio grondante di sugo.

«Eh?». Jacks non lo stava ascoltando.

«Sei a chilometri di distanza, non starai ancora rimuginando sul tuo arbitro venduto?».

Lei scosse la testa. «No. Mi stavo solo chiedendo cosa mangiano gli svedesi per cena».

«Cracker Ryvita, probabilmente. Sono svedesi». Sua madre annuì, sicura della cosa.

«E aringhe fermentate», aggiunse suo padre. «Ricordo che me ne parlava un tizio con cui lavoravo sulle trivelle. Lasciano il pesce a marcire in una latta e lo mangiano l'anno dopo, o qualcosa del genere».

«Dio, sembra terribile!». Jacks fece una smorfia.

«Perché questo interesse per il cibo svedese, tutto d'un colpo?». Suo padre aveva parlato con la bocca piena e un paio di piselli gli scapparono quasi; lui se li rispinse dentro con la lingua.

«Niente, è solo che un ragazzo del mio anno è svedese, si chiama Sven». Era deliziata della possibilità di nominarlo, di pronunciare il suo nome ad alta voce.

«Sven, eh? Non è uno di quei tizi degli Abba?». Don le sorrise.

Jacks rise fragorosamente. «No! È molto sveglio e divertente e...». Tornò a raffigurarsi il suo viso, i suoi capelli folti, il suo sguardo intenso. «Suo padre fa l'architetto, lavora a Bristol, un sacco di ragazzi lo prendono per il... i fondelli, ma io penso che sia solo particolare, un po' diverso».

Notò lo sguardo che si scambiarono i suoi genitori. «Pensavo che ti piacesse Peter Davies», disse sua madre mentre schiacciava i piselli con il dorso della forchetta.

«E mi piace. Ma siamo solo amici». Jacks si concentrò sul suo piatto, cercando di cancellare il ricordo della loro pomiciata sulla pista da ballo del night club Mr B's.

«Sua madre pensa che siate più che amici, mi ha detto

che stavate uscendo insieme. E lui è proprio cotto, a quanto pare», commentò Ida in tono innocente.

Jacks fece una smorfia. Si era lasciata Pete alle spalle e la irritava che qualcuno le facesse tornare in mente la loro relazione. «Pete è un idiota. Si comporta come se fosse Gary Lineker».

«Ha un provino con il Bristol City», aggiunse sua mamma, fornendo altri pettegolezzi.

«Sì, come se non lo sapessimo, non parla d'altro. Sven non è tipo da sport, andrà all'università».

«Sven, Sven, Sven! Penso che anche qualcun altro sia un po' cotto, qui», disse sua madre a Don, parlando dall'altro capo del tavolo come se lei non fosse presente.

«Non è vero!», urlò Jacks. «È solo un ragazzo del mio anno, ecco tutto!».

«Bene», disse suo padre. «Peter è un bravo ragazzo e conosciamo sua madre».

«E questo cosa c'entra?», gridò di rimando Jacks.

«Smettila di gridare!», disse Ida. «Non c'è bisogno di essere drammatici».

«Drammatici? Non penso di essere drammatica, è che mi state dicendo che in pratica devo sposare Peter Davies solo perché conoscete sua mamma!».

«Non abbiamo mai detto niente del genere», la corresse Ida. «Davvero, Jackie!».

«Bene, perché penso di poter mirare un po' più in alto di un calciatore che finirà la scuola con dei voti appena sufficienti a lavorare da McDonald's».

«Non essere cattiva», disse Ida.

«Non sono cattiva, è la verità. Pete è a posto, ma non è proprio il mio tipo. Resterà a Weston, vicino a un campo da calcio, mentre io voglio andare al college e viaggiare».

«In Svezia?», chiese sua madre.

«Può andare dove le pare, non è vero, tesoro?». Suo padre, come sempre d'aiuto, le sorrise.

Ida posò le posate sul piatto. «Certo che può. Non ho detto che non poteva!».

«No, ma la tua faccia lo lasciava implicito». Don scosse la testa.

«Be', sappiamo tutti che preferiresti non doverla proprio guardare, la mia faccia».

«Oh, ecco che ricominciamo...».

Jacks scivolò via dalla tavola e salì le scale. Sdraiata sul letto, poteva sentire il borbottare del loro litigio filtrare attraverso il pavimento. Aprendo il quaderno, tracciò con la punta della penna il cuore che conteneva il nome dell'oggetto del suo desiderio. *Sven*.

Tre

Jacks aprì l'armadietto del sottoscala, tolse dal gancio dell'anta lo spolverino di lino chiaro con i bottoni grandi di legno e vi fece scivolare dentro la sua figura snella. Si infilò i malconci stivali da cowboy e poi prese le chiavi dell'auto e la scatola di materiale riciclato che Pete aveva messo da parte per Jonty.

«Oh, Jacks, puoi comprare qualche lametta per il rasoio? E ci servono i cornflakes, i ragazzi si sono appena spazzolati gli ultimi», urlò Pete sporgendosi dalla ringhiera del piano di sopra.

Jacks annuì. «Lo farò. Ci vediamo dopo. Forza, ragazzi! Stiamo per partire!».

Uscita sul marciapiede di Sunnyside Road, spinse la scatola nel bagagliaio.

«'Giorno, Ivor!». Sollevando la mano, salutò il giovane che viveva con la moglie nella casa accanto; stava caricando il furgoncino per la giornata.

«Buongiorno, Jacks! Aria frizzante, eh?». Si sfregò le mani grandi; era un lavoratore come Pete.

La cosa la fece sorridere. Come suo marito, anche lui sembrava costantemente colto di sorpresa dal freddo. Avrebbe voluto ricordargli che era settembre e che vivevano a Weston-super-Mare, non alle Bahamas. «Il piccolo sta bene?», urlò di rimando, dirigendosi verso il lato del conducente. Ivor e Angela avevano un bimbo di otto settimane, Jayden.

«Sano come un pesce!». Lui fece un sorrisone. «Ci tiene svegli di continuo, strilla come un matto per farsi dare da mangiare». Fece un verso di disapprovazione.

«Ah, proprio come la mia, solo che lei di anni ne ha ottantuno».

«Potrebbe andare peggio, Jacks». Ivor rise e lei lo imitò, senza sapere bene per quale motivo. «Spero che il bimbo non vi tenga svegli», disse lui, un po' impacciato.

«Tranquillo, ricorda che ho due figli, ci sono passata anche io. Non devi preoccuparti per lui, fa parte del nostro vicinato ed è il suo modo di farci sapere che è qui. Sta solo chiacchierando».

Ivor prese la cassetta degli attrezzi e la caricò sul retro. Jacks notò una bottiglietta e un contenitore per i sandwich e pensò a quanto fosse adorabile che Angela trovasse il tempo di preparare il pranzo al suo uomo. Povero vecchio Pete, che ormai doveva accontentarsi di fare un salto al drive-in quando aveva tempo.

«Vorrei solo che chiacchierasse tra le nove di mattina e le cinque di pomeriggio e passasse il resto del tempo tranquillo!». Ivor ridacchiò.

«Ah, se solo fosse così semplice». Jacks sorrise mentre i figli uscivano di casa correndo e salivano in auto, lasciando che fosse il padre a chiudere la porta dietro di loro.

«*Io* l'ho sentito il bambino, stanotte. Mi ha fatto ammattire», disse Martha infastidita.

«Oh, ma se è una creaturina tanto dolce», replicò Jacks.

«È una creaturina rosa e tutta contorta che strilla fortissimo. Non fa altro che dormire, strillare e fare la cacca. Non vedo cosa ci sia di dolce, in tutto questo».

«Quando è tuo è diverso, te ne accorgerai». Jacks rise.

«Sarà meglio».

«Avete allacciato tutti le cinture?», chiese Jacks.

I figli la ignorarono come al solito, neanche non fossero mai stati sfiorati dall'idea di non farlo.

Jacks si fermò nella piazzola di sosta e salutò Jonty e Martha che, una dopo l'altro, entrarono nelle loro scuole confinanti. Guardò il figlio combattere con lo zaino e la scatola piena di lattine di birra, i movimenti un po' intralciati dalle maniche, come al solito almeno cinque centimetri troppo lunghe, della felpa abbondante che doveva durargli tutto l'anno.

«Che Dio lo benedica. Lui e il suo cavolo di ponte sospeso di Clifton!». E rise, prima di abbassare di qualche millimetro il finestrino e respirare profondamente.

C'era un autobus scolastico che percorreva i quasi sette chilometri di tragitto tra andata e ritorno, fermandosi praticamente di casa in casa. E in effetti, Jacks permetteva ai figli di tornare da soli purché fossero insieme o con degli amici. Pete si era offerto in più di un'occasione di accompagnarli lui, ma Jacks aveva sempre rifiutato il suo aiuto. Quel quotidiano viaggio in auto rappresentava per lei qualcosa di molto più importante del semplice portare i figli a scuola. Erano gli unici venti minuti della giornata in cui era completamente sola, dove nessuno poteva raggiungerla, e ne aveva bisogno.

Appoggiandosi allo schienale del sedile, con la testa abbandonata contro il poggiatesta, fece un altro respiro profondo. Sulla stoffa era rimasta ancora una traccia del profumo di suo padre, leggerissimo, e lei lo accolse con gioia, lasciando che quel piccolo frammento di lui l'avvolgesse in un abbraccio. Un grosso 4x4 nero si fermò dietro di lei, fece uscire dal retro tre bambini biondi di età varie e ripartì in fretta. Jacks guardò all'interno dell'auto mentre questa la superava e intravide gli occupanti: la donna sul sedile del passeggero portava un paio di grandi occhiali da sole, nonostante la mattinata gelida, e si imbronciava nello specchietto dell'aletta parasole per applicarsi uno strato di rossetto, premendo poi le labbra contro un fazzolettino per rimuovere il trucco in eccesso e distenderlo.

Jacks chiuse gli occhi e si immaginò seduta in una di quelle auto enormi e appariscenti. La sua mente si spinse ancora oltre e di colpo non era più sola. Al posto del conducente c'era Sven. «Dove andiamo?», chiedeva. «La mia riunione è stata cancellata e abbiamo tutto il giorno per noi».

Lei gettava la testa all'indietro e sospirava, passandosi la mano sui jeans di alta sartoria. «A me basta stare con te, il resto non importa. Che ne dici di pranzare a Bristol? Da qualche parte con una bella vista».

«Conosco proprio il posto giusto». Sven le prendeva la mano e se la portava alle labbra, sfiorandole le nocche con un bacio. «Stavo pensando a una bella passeggiata e poi pranzo, con champagne».

«Cosa festeggiamo?»

«Un altro giorno insieme». Lui sorrideva.

«Tu mi vizi», faceva lei, con falsa ritrosia, posandogli la mano sulla coscia.

«È perché ti amo». Sven sorrideva ancora, mentre abbassava il piede sull'acceleratore e si dirigeva verso l'autostrada. Jacks immaginò di sfrecciare insieme a lui, con i finestrini abbassati e il vento che le spettinava i capelli. Non avrebbero avuto responsabilità né orari da rispettare per tutto il giorno. Jacks ridacchiò e mise la freccia per uscire dalla piazzola di sosta. Il sogno si dissolse ma, per quanto fosse stato fuggevole, le aveva risollevato l'umore.

Ferma nel traffico, sorrise raggiante mentre puliva il cruscotto con un pezzetto di stoffa che si era trovata in tasca. L'auto di fronte a lei avanzò di qualche metro e Jacks fece lo stesso con la vecchia Skoda Fabia di suo padre, salutando e sorridendo ai suoi vari vicini, che conosceva di vista se non di nome.

Svoltando sulla Marine Parade, con il lungomare a sinistra, la sua attenzione venne attratta come sempre dalla ruota panoramica di Weston. «Come il London Eye», diceva sempre Pete, «ma meglio, perché è nella West Country!». Sorrise al cielo immenso e alla sagoma del molo stagliata contro l'orizzonte, una vista stupenda che in quella giornata limpidissima d'autunno avrebbe rallegrato ogni cuore. Ignorò i drogati e i senzatetto rifugiati nelle cabine che punteggiavano il lungomare. La stagione era finita, quindi potevano passare il tempo sdraiati sulle panchine senza che nessuno li disturbasse, lasciando che i giorni si susseguissero senza niente per cui lottare. Oltrepassò la fila di negozi, prestando attenzione soltanto a quelli che avevano cambiato proprietario o che erano stati sbarrati con i cartoni, il che a Weston capitava regolarmente, soprattutto quando si toccava con mano quale fosse la dura realtà dell'inverno in una cittadina di mare.

Mentre pensava a cosa avrebbe potuto preparare per cena, Jacks notò gli studenti che aspettavano l'autobus stringendosi al petto i documenti formato A4, vestiti con jeans attillati e stupidi berretti di lana che davano l'impressione avessero in testa animali o budini. A fianco a loro, i giovani professionisti che facevano i pendolari con Bristol e Portishead e che stavano rapidamente comprando le grandi ville vittoriane di Weston, ampliandole, migliorandole e aumentandone i prezzi. Lei ammirava quelle case da che aveva memoria: palazzi bellissimi e spaziosi con camini enormi, ampie scalinate, pavimenti piastrellati, puliscistivali posti accanto alle pesanti porte d'ingresso e l'occasionale torretta capricciosamente appollaiata in un angolo dell'attico. Da piccola sognava di dormire in una di quelle stanze rotonde, come una principessa. Allora come in quel momento, erano sempre state il suo sogno più sfrenato.

Sven e la sua famiglia avevano vissuto in una di quelle ville, e con il senno di poi doveva ammettere che quello poteva aver contribuito al suo fascino. Finché non aveva conosciuto Sven, Jacks aveva creduto che la sua famiglia fosse piuttosto cosmopolita: a differenza dei genitori dei suoi amici, sua madre e suo padre la portavano al pub, dove mangiavano scampi e patatine o, in estate, seduti all'aperto, le davano la possibilità di scegliere tra le patatine cipolla e formaggio della KP o le noccioline. Suo padre ordinava sempre un boccale di birra, sua madre un Martini al limone con una fettina di limone sull'orlo del bicchiere, e lei prendeva una Pepsi in bottiglia, che beveva con la cannuccia. Ai suoi occhi, Pepsi significava America, e lei adorava qualunque cosa fosse americana. Ma Sven le aveva fatto capire che la sua famiglia era tutto tranne che cosmopolita. Qualche vacanza occasionale in un campeggio di Devon e un paio di gite a Londra non erano niente in confronto alla sua infanzia giramondo. A bocca aperta, lei lo ascoltava raccontare di aeroplani, montagne, deserti e spiagge tropicali circondate di palme. Un altro mondo. Quanto più scopriva l'esistenza di innumerevoli destinazioni esotiche, tanto più sbiadiva il suo innamoramento per le strade familiari di Weston-super-Mare.

«Ah, Sven...».

Immaginò lo sguardo di disapprovazione di suo padre. «Non guardarmi così! Potrò pur ripensare a lui, no? Non c'è niente di male in tutto questo, papà».

Fin dalla sua scomparsa, conservava come una piccola immagine di lui dentro di sé. Non il tipo di istantanea che si materializzava quando vedeva un posto dove andavano sempre insieme o ascoltava un brano musicale che gli piaceva. No, quella era letteralmente una sua rappresentazione in miniatura, una versione più giovane e felice, con i capelli ancora scuri e splendenti, gli occhi scintillanti di umorismo e la bocca storta, come se fosse sul punto di scoppiare a ridere. Un'immagine di com'era prima che la garza della malattia smorzasse tutto ciò che lo caratterizzava. E quella miniatura stava sempre lì, seduta nel centro della sua mente. Tanto che se lei voleva leggere la pagina di un libro o guardare una foto, doveva quasi sporgersi per vedere oltre.

In centro i semafori erano tutti a suo favore e Jacks percorse la strada a senso unico in un vortice di verde. Pensò che doveva essere l'unica persona al mondo che sperava in un semaforo rosso, soltanto per potersi godere ancora un po' la solitudine.

Girando la chiave nella porta d'ingresso, urlò: «Mamma, sono tornata!». Salì le scale, aprì la porta della camera e non fu sorpresa di trovare sua madre seduta, le dita che giocherellavano con il fiocco della vestaglia.

«Hai la mia lettera?», chiese Ida in tono ansioso. «Ne ho bisogno».

«No. Il postino non è ancora passato». Jacks raggiunse la finestra aperta e la chiuse leggermente. L'odore nella stanza era più fresco, più buono dopo che aveva cambiato le lenzuola e l'aria aveva avuto tempo di circolare. «Che ne dici se ti preparo un po' di budino? Oppure oggi preferiresti del pane tostato?»

«Quando arriva Don?», domandò lei.

«Non ne sono sicura». Jacks sorrise, senza sapere ancora bene quale fosse il modo migliore di rispondere alle domande su suo padre.

«Non volevo che restasse scritto e adesso non so dove sia finita la lettera».

Jacks sospirò e sedette sul bordo del letto. Sollevò più in

alto la manica della vestaglia della madre, guardandola raccogliersi in piccole pieghe sotto il gomito. Poi fece uscire dal tubetto un po' di crema per le mani e gliela massaggiò sulle dita ossute, sui polsi snelli e sui palmi pallidi.

«Senti questo profumo, mamma, è lavanda. Non è buonissimo?». Sollevò la mano di sua madre e gliela mise sotto il naso.

«Profuma di Francia». Ed eccolo, come se niente fosse, un attimo di comprensione, il ricordo di un tempo e luogo diversi che scivolava limpido e sottile sopra la nebbia offuscata dei suoi pensieri.

«Esatto! Tu e papà avevate fatto un bel viaggio in Francia, non è vero? Ricordi quando sei andata nei campi di lavanda? Sei salita in carrozza e mi hai portato a casa un mazzolino di fiori secchi. Ha conservato il profumo per secoli. L'avevo appeso in cucina, era bellissimo. Lo dicevano tutti». Sorrise, ricordando la grande avventura con cui i suoi genitori avevano festeggiato le loro nozze d'oro. Suo padre aveva messo in valigia tre pacchetti di biscotti Rich Tea e tramezzini al paté di pesce sufficienti a sfamarli per tutti e quattro i giorni, nel caso in cui il cibo non fosse stato di loro gradimento.

«Ho bisogno della mia lettera». E come se niente fosse, rieccole al punto di partenza.

Jacks annuì. «Ti vado a prendere la colazione».

Rimboccò la coperta sotto le gambe della madre e si chiuse la porta alle spalle. Dopo aver recuperato il mucchio di biancheria sporca da dietro la porta del bagno, annaffiò la doccia con una bella dose di candeggina e poi scese di sotto. Quando il suono della campanella la fermò a metà strada, Jacks sospirò. Ripensò a suo padre e a quanto bene gli aveva voluto.

L'ultimo giorno della sua vita le si dipanò nella testa come un film. I suoi occhi sgranati mentre afferrava a fatica la mascherina per l'ossigeno, le dita che scivolavano e perdevano la presa lottando con il fragile elastico che gliela teneva ferma sul naso e sulla bocca. Lei non l'aveva aiutato, non volendo riconoscere la sua debolezza, sforzandosi di tenere in piedi la recita. Aveva sorriso, invece, come se lui potesse farcela e fosse ancora l'uomo forte e capace che guidava l'auto e tagliava l'erba. Si era tormentata le unghie, le aveva mordicchiate, qualunque cosa pur di non trasformarsi nella sua badante, andando in soccorso delle sue nocche nodose che rifiutavano la resa. Aveva cercato di mostrarsi indifferente. «Prenditi il tempo che ti serve... Il parcheggio è pagato per tre ore». Il suo pragmatismo impertinente nascondeva un cuore sul punto di spaccarsi come un pomodoro maturo, aprendosi e lasciando uscire un dolore disperato. *Non lasciarmi, papà, ti prego non lasciarmi, non sono pronta...* La verità era che pronta non lo sarebbe mai stata.

«Ho bisogno che tu mi prometta una cosa». Le sue parole correvano su respiri balbettanti, la voce era un respiro fievole. «Promettimi...».

«Prometterti cosa, papà?». Lei aveva tentato un tono gioviale attraverso il flusso costante di lacrime.

«Promettimi... che ti prenderai cura di tua madre. Ti prego... Cerca...». Lui aveva sostenuto il suo sguardo, cercando di resistere, in attesa di una rassicurazione.

Lei aveva annuito. «Lo prometto». E non appena quelle parole avevano lasciato la sua bocca, lui aveva emesso un lungo respiro affaticato e le sue dita avevano rilasciato la presa.

Le capitava spesso di ripensare a quegli ultimi minuti. Il viso di suo padre, a pochi centimetri dal proprio, mentre esalava l'ultimo respiro, condividendo con lei lo spazio minuscolo in cui la vita indugiava verso la fine. Lei aveva baciato la sua fragile testa e accarezzato le sue guance raggrinzite e lui glielo aveva permesso. Poi, lentamente, l'aveva lasciata sola in quella stanza e lei aveva sentito che con lui se ne andava una grande parte della propria capacità di provare gioia. Suo padre era morto. Suo padre! Doveva continuare a ripeterselo perché anche dopo un mese, un anno, diciotto mesi, ancora sembrava una menzogna. Come aveva potuto lasciarla? Lei aveva bisogno di lui. Ma non poteva dirlo, certo. Jacks era una donna adulta con una propria famiglia e come tutti le ripetevano: «È l'ordine naturale delle cose... Ha avuto una bella vita... È la fine delle sue sofferenze...». Poteva anche essere vero, ma era lo stesso una sensazione schifosa. Lui ripeteva sempre che un uomo solo non poteva cambiare il mondo, ma si sbagliava, perché lui aveva cambiato il mondo di sua figlia, l'aveva reso un posto migliore. E lei lo aveva amato tantissimo. Per questo gli aveva fatto quella promessa. Lui non le aveva mai chiesto niente prima di quel momento, e lei voleva farlo felice. Il problema era che volere bene a sua madre le risultava molto difficile. In effetti, per quanto facesse male ammetterlo, Ida non sempre le piaceva.

Quattro

Diciannove anni prima

«Questo posto è occupato?».

Jacks rise. Sven parlava come un vecchietto, neanche si trovassero in un ristorante lussuoso invece che sulla panchina di una mensa scolastica.

«Accomodati». Indicò lo spazio vuoto dall'altra parte del tavolo, odiando il fatto che le veniva da guardarsi alle spalle per controllare se li stava osservando qualcuno. Lui le piaceva ma non voleva che le amiche le ridessero dietro mentre pranzava con il ragazzo straniero.

«In Svezia che cosa mangiate?», chiese.

«Cosa?». Lui sorrise.

«Che cibo? Me lo stavo chiedendo».

«Lo stesso che mangiate qui: carne, patate, verdura. Probabilmente un po' più pesce di voi... pesce stagionato, tipo il salmone affumicato, il mio preferito. Le cose di sempre». Sven si concentrò sul rimuovere lo strato superiore del sandwich per grattare via la maionese dalla lattuga.

Lei sorrise. Non aveva mai mangiato salmone affumicato. Il suo pesce arrivava impanato e a forma di bastoncino, oppure era privo di pangrattato e coperto di salsa di prezzemolo e andava bollito in un sacchettino.

«Quindi qual è la cosa più buona che prepara tua mamma?». Jacks diede un morso delicato al suo panino, cercando di apparire femminile e sentendosi di colpo a disagio all'idea di mangiare di fronte a lui.

Sven rimise il pane al suo posto e si pulì le dita sui pantaloni, riflettendo. «La pizza. Non è esattamente una cuoca fantastica! Ma se parliamo di cibo tradizionale, direi polpette, purè di patate e cetriolini sottaceto con marmellata dolce a parte. E tua madre?»

«Oh…». La domanda la prese alla sprovvista, non è che la sua famiglia facesse mai qualcosa di interessante. «I miei sono vecchi, sul serio, noiosi, be', non tanto mio padre, ma mia madre sì. Ma da mangiare…». Deglutì, rendendosi conto che stava parlando a vanvera. «Cose come arrosti della domenica, pasticci, robe noiose». Prese un sorso del suo succo concentrato.

«Hai sempre vissuto a Weston?». Lui aveva appoggiato il mento sulla mano come se fosse immerso in pensieri profondi, aspettando la sua risposta.

«Sì, per sfortuna. Ma non ho intenzione di restarci. È un paese di merda. Io voglio viaggiare, andare a New York, probabilmente lavorare lì per un po'». Arrossì, sperando che l'ammissione suonasse sincera come nelle sue intenzioni.

«New York mi piace». Lui sorrise.

«Ci sei stato?». Lei si sporse in avanti, mentre le domande le si affollavano nella testa. *Hai camminato per la Quinta Strada? Sei andato a Times Square? È vero che vanno avanti a hot dog?*

«Sì. Abbiamo vissuto lì per un po'. Mio padre fa l'architetto, è il motivo per cui siamo qui. Sta lavorando a un progetto a Bristol».

«Interessante». Lei si morse il labbro, desiderando poter riavvolgere il tempo e fare le sue domande; poi d'impulso aggiunse: «Non so perché l'ho detto, "interessante" lo dici quando non hai voglia di pensare una risposta decente o non sai dire qualcosa senza fare figuracce».

Sven la guardò dall'altro lato del tavolo. «Ti piace l'astronomia?»

«Non lo so». Confondeva sempre l'astronomia con l'astrologia, ma non aveva intenzione di dirglielo.

«Non lo sai?». Lui si fermò con il sandwich sospeso a mezz'aria. «È come dire che non sai se ti piace l'arte o la poesia. Devi saperlo!». Rise, nella sua maniera disinvolta.

Jacks fissò quel ragazzo, diverso da tutti gli altri ragazzi della scuola; in effetti, era diverso da tutti i ragazzi che avesse mai conosciuto. Era sicuro di sé e sembrava ben poco interessato all'opinione altrui. Indossava maglioni fatti a mano per cui gli altri lo prendevano in giro, ma quando gli rivolgevano i loro complimenti finti, lui sorrideva come se fossero amici.

«Quindi, la poesia è uno dei tuoi interessi?»

«Be', eccoci qua». Jacks non aveva visto arrivare Pete e i suoi amici, non finché non presero posto sulla panca di fronte a lei, sedendosi a entrambi i lati di Sven. «Come va, Abba?»

«Bene, grazie». Sven sorrise, raggiante, come se la domanda fosse stata formulata senza alcun sarcasmo. «E tu?»

«Ah, sai». Pete intrecciò le mani di fronte a sé e fece scrocchiare le nocche. «Impegnato con gli allenamenti. Farò un provino con il Bristol City».

«Interessante». Sven incontrò lo sguardo di Jacks, con un luccichio negli occhi, e rivolse un cenno del mento a Pete. «Qual è la tua posizione?», chiese.

Un paio di amici di Pete risero. «*Kual è la tua pozizione?*», ripeterono, con accento germanico.

Sven alzò i palmi. «Oh, scusate. So che la mia cadenza è ben lontana dall'essere perfetta. Vi risulterebbe più semplice se passassimo allo svedese o al francese? Me la cavo anche con il tedesco, ma vi avverto, è peggio del mio terribile inglese!». Rise.

Gli amici di Pete si zittirono.

«Vieni al molo questa sera, Jacks?», chiese Pete, andando dritto al punto.

Lei sentì le guance andare a fuoco. «No».

Pete la fissò per un istante, senza sapere bene come proseguire. «Farò meglio a salutarvi. Devo andare in palestra, fare un po' di sollevamento pesi».

«Divertiti!». Lei fece ciao con la mano prima che andasse via.

«Dovrai pur sapere se ti piace la poesia?», insistette Sven, proseguendo come se non fossero mai stati interrotti, e lei gliene fu grata, perché non aveva voglia di commentare il pettegolezzo che suggeriva avesse pomiciato con Peter Davies al Mr B's.

«Me ne piacciono alcune», bisbigliò.

«Come risposta, "alcune" va bene». Lui sorrise.

«Jacks!», urlò Gina dalla parte opposta della mensa. «Andiamo! Ti ho cercato dappertutto. Ho bisogno di una sigaretta». Sollevando le dita, fece il gesto di fumare.

Due insegnanti seduti al centro della sala si voltarono a guardarla con aria di disapprovazione. Gina si mise la mano sulla bocca con fare teatrale, come se avesse parlato per sbaglio. La adoravano tutti; era piccolina, tutta curve, irriverente e sicura di sé. Una ribelle senza ritegno, ma la sua mancanza di malizia la rendeva incredibilmente accattivante. Era anche la migliore amica di Jacks.

«Farò meglio ad andare». Jacks impilò il piatto e il cartone vuoto del succo sul vassoio di plastica marrone.

Sven mise la mano sulle sue. «Alcuni dicono che l'inizio è il momento più eccitante».

Lei deglutì e rimase a fissarlo, il corpo tremante, gli occhi sgranati.

«Jacks! Andiamo, scema, stai sprecando la mia ora di fumo!». Le parole di Gina la colpirono come schegge di vetro e ruppero l'incantesimo.

Cinque

Jacks sentì il tonfo pesante degli stivali da lavoro che cadevano sul pavimento e poi l'affossarsi del materasso mentre Pete, fresco fresco dalla partita del suo amato Bristol City, scivolava al suo fianco sotto il copriletto. Restarono lì sdraiati, schiena contro schiena. Lanciò un'occhiata alla sveglia; erano le 23:15. Lui portava con sé un debole odore di birra e fritture.

«Abbiamo vinto?», borbottò lei attraverso la nebbia del sonno.

«Certo che abbiamo vinto!». Pete ridacchiò, deliziato. «I ragazzi erano in forma, oggi».

Lei chiuse gli occhi e si lasciò rapire di nuovo dal sonno, pronta per affrontare domani un'altra giornata piena di impegni.

«Due a zero! Due a zero! Forza, possente Esercito del Sidro!». Pete scandì un ritmo con le mani e cantò a voce alta dal pianerottolo.

Jacks riempì il bollitore per la sua prima tazza di tè e si legò i capelli biondi in una coda di cavallo. Lo faceva ogni due giorni, per evitare di doverseli lavare. In questo modo guadagnava una ventina di minuti che non doveva trascorrere in cucina con la testa china sul lavello, a sciacquarsi i capelli con una caraffa di plastica per non erodere subito il preziosissimo tempo riservato alla doccia.

«Gli altri quanto hanno fatto?», urlò Jonty dalla camera.

«Quali altri?». Pete rise.

«Quelli contro cui giocava il possente Esercito del Sidro».

La porta del bagno si aprì e Martha tirò fuori la testa. «"A zero" significa questo, idiota! Nulla. È quello che hanno segnato gli altri, niente, nada!».

«Non dare a tuo fratello dell'idiota, Martha», urlò Jacks verso le scale. Ed eccolo, il suono limpido della campanella.

«La nonna chiama!», urlarono i ragazzi.

«Sto andando!». In fondo alle scale Jacks raccolse la giacca di Pete e la sciarpa della sua squadra. Mai sprecare un viaggio – era quello il suo motto.

«È una bellissima nuova giornata!», disse raggiante, spalancando le tende di Ida.

«Ho fatto il liquido», annunciò sua madre con un sorriso.

«Sì, mamma, va bene. Adesso ti diamo una ripulita e poi pensavo che, quando torno da scuola, potremmo andare in città a fare una passeggiata, tu puoi usare la tua sedia. Potremmo prendere qualcosa di buono per cena e fare un giro sul lungomare. Ti andrebbe?». Socchiuse la finestra.

«Sto aspettando una lettera».

Jacks deglutì e si voltò verso la madre, pronta a rassicurarla che, quando fosse arrivata, gliel'avrebbe portata immediatamente.

«Hai preso i miei rasoi, Jacks?», urlò Pete.

«Sì, nel pensile del bagno».

«Non li trovo!», strillò lui.

«Arrivo». Si precipitò fuori dalla stanza.

Sul pianerottolo Martha l'afferrò per il braccio e le fece fare una piroetta, come se fossero coinvolte in una danza elaborata. «Ce l'ho una camicetta?»

«Sì, stirata e nel guardaroba».

«Fantastico».

Jacks sorrise, era quasi un ringraziamento.

«Mamma?»

«Sì, Jonty?»

«Come fai a sapere che non stiamo vivendo tutti dentro un gioco del computer con qualcuno che ci comanda con un controller?».

Jacks si fermò e guardò il figlio, magrissimo, nudo fino alla cintola e con addosso ancora i pantaloni del pigiama dell'Uomo Ragno. «È una bella domanda, e non so rispondere, ma l'unica cosa che posso dirti è che se così fosse, Jonty, vorrei ci fosse un cacchio di modo per staccare la corrente, così potrei riposarmi un po'».

«Mamma ha detto "cacchio"!», ridacchiò Jonty.

I semafori erano rossi; Jacks tirò il freno a mano e attese. Jonty era immerso in un fumetto che teneva a pochi centimetri dal viso. Martha premette un pulsante sulla radio e l'auto si riempì di un suono rimbombante privo di qualunque ritmo riconoscibile. Lei mosse il capo a tempo.

«Non so come fai ad ascoltare questa roba».

Martha rise. «Lo dici sempre! Odi quasi tutta la mia musica».

«A parte gli One Direction». Jacks le fece l'occhiolino.

«Sono loro che ti piacciono, non la loro musica. Si tratta di due cose completamente diverse».

Jacks rise. «Non è che mi piacciono, per l'amor del cielo. Sono abbastanza vecchia che potrei essere la loro mamma! Penso solo che sono carini. Sembrano dei bravi ragazzi. Non mi dispiacerebbe se uscissi con uno di loro».

Martha la guardò. «Be', grazie per la tua benedizione. Ed è molto probabile che io esca con uno di loro. Voglio dire, me li trovo spesso davanti mentre sono in fila con gli amici per il *fish and chips* o in giro per il centro commerciale!».

«Mi piace la musica che fanno perché posso cantare anche

io con loro, riesco a distinguere le parole, non come questa».
Jacks indicò lo stereo. «Questo *bum bum bum* mi fa venire
solo mal di testa!».

«È perché sei vecchia. E sfigata».

Jacks soffocò la sua risata. «Dio! Non sono sfigata! Sono
una mamma fighissima. Tu non hai idea. Tua nonna non si
sarebbe mai offerta di prestarmi i vestiti o di lasciarmi i suoi
trucchi... Non che io lo desiderassi, ha sempre indossato
abiti da nonna, a differenza di me che sono molto alla moda.
Ho sempre pensato che fosse un po' una vecchia bacucca».

«Sì, esatto, mamma, per i miei amici sei praticamente la
nuova Alexa Chung, una vera trendsetter!».

«Chi?».

Per tutta risposta, Martha fece una risata derisoria. Jacks
aprì la bocca per rispondere ma non le venne nulla da dire.
Non voleva dare alla figlia un'altra occasione di inarcare le
sopracciglia e ricordarle per l'ennesima volta che era appena
atterrata dal Pianeta degli Stupidi. Ricordava di aver avuto
una conversazione simile con suo padre, da ragazzina, ma
nel suo caso era vero. Quando era nata lei, i suoi genitori avevano quarantacinque anni. Al giorno d'oggi non era
un'età eccezionale per avere il primo figlio, ma nel 1979 non
si era praticamente mai sentito. Da quanto Jacks era riuscita
a scoprire, avevano creduto di essere infertili. La gravidanza aveva rappresentato per sua madre uno shock assoluto
e aveva portato con sé un enorme senso di imbarazzo, ma
per suo padre era stato solo motivo di festa. Ed era così che
l'aveva fatta sentire per tutta la vita, come se fosse un dono
prezioso da apprezzare.

«Non sono poi così vecchia, Martha. Ho trentasei anni, il
che significa che non sono neanche a metà della mia vita!».

«Questo è quello che speri!», scherzò sua figlia.

«Sì, hai ragione». Jacks rise.

«Qual è la cosa peggiore del diventare vecchi, mamma?».
Martha si arrotolò intorno al dito la punta della treccia sco-
lorita.

Jacks ridacchiò, ricordando che anche lei a diciassette anni
considerava anziano chiunque ne avesse più di venticinque.
Jonty si ritrovava una mamma un po' più vecchia, questo
era vero. Quasi dieci anni di differenza non erano pochi.
Era ironico che, non appena lei e Pete avevano smesso di
cercare di concepire un figlio, gettando la spugna dopo anni
di tentativi falliti, compreso uno di fecondazione in vitro, lei
era rimasta quasi subito incita del loro adorato bambino, il
loro piccolo regalo.

«Be', come dicevo, in realtà io sono piuttosto giovane e un
giorno te ne accorgerai. Ma immagino che la cosa peggiore
del diventare vecchi sia dover ascoltare l'orribile *bum bum*
di questa musica!». Fece una smorfia. «Questo, e non poter
più mangiare come un tempo. Quando ero giovane, potevo
rimpinzarmi di patatine e cioccolato e non mettevo su un
chilo. Adesso mi si gonfiano i fianchi anche solo a guardare
un po' di formaggio». Fece l'occhiolino alla figlia.

«Sembra terribile!». Martha si agitò sul sedile.

Jacks rise. Era la cosa migliore, questa. Tenere un tono leggero. Che alternativa aveva? Dirle la verità? Impossibile.

Martha prese a cantare ad alta voce, seguendo quell'impe-
nitente frastuono.

Jacks spinse la sedia a rotelle di Ida lungo la Marine Parade, fermandosi di tanto in tanto per chinarsi a controllare che sua madre fosse abbastanza coperta o per voltare
la sedia in direzione del mare. In quel periodo dell'anno,
tuttavia, il mare non era altro che una schiuma grigia che
fremeva in lontananza sulla sterminata distesa di fango che
i turisti definivano ottimisticamente spiaggia. Alti in cielo,

lasciandosi trasportare dalla brezza, i gabbiani piroettavano e scendevano in picchiata, gracchiando, a caccia di patatine abbandonate e pezzetti di panini disseminati a terra in tracce ipnotiche, come se dei moderni Hänsel e Gretel avessero avuto bisogno di ritrovare la strada per il McDonald's.

Lei si fermava per salutare con un cenno gli altri passanti usciti a prendere una boccata d'aria, sia a piedi che sulle sedie a rotelle. Si chiedeva se stavano scappando anche loro da case troppo piccole per tutte le persone e le cose che dovevano contenere. Se anche loro avevano mobiletti strapieni di oggetti che non potevano gettare perché erano troppo preziosi e se anche loro sentivano il lento soffocamento di una vita trascorsa in una casa che trasudava delusione, una casa temporanea, soltanto finché... Sunnyside Road era stata temporanea fin da quando si erano sposati, diciotto anni prima. I miglioramenti che si erano ripromessi erano diventati semplici sogni: la veranda, la riconversione del sottotetto, la scintillante cucina su misura. Pensò ai soldi nel loro conto di deposito, che per la prima volta si trovava in attivo. Soldi per i tempi difficili, una sensazione piacevole.

Aveva mentito a Martha, prima. Dover ascoltare musica del cavolo? Ah! Non era quella la cosa peggiore del diventare vecchi, oh, no. La cosa peggiore era sapere che non avresti mai ottenuto tutto quello che un tempo credevi possibile. Di fronte a sé Jacks non vedeva più una luminosa finestra di opportunità dentro cui saltare. Era bloccata lì. Era la moglie di Pete, la mamma dei ragazzi e la badante di Ida. A quello ammontava la sua vita. Era ormai un prodotto finito e quando si guardava nello specchio non vedeva neanche lontanamente ciò che aveva immaginato. «La cosa peggiore del diventare vecchi è sapere di avere una vita ordinaria e desiderare tantissimo di poterla rendere straordinaria, ma renderti conto che il tempo per i cambiamenti sta finendo». Questo bisbigliò nell'aria sopra la testa di sua madre.

«Il tempo passa. Puoi sfruttare al massimo soltanto quello che hai. Non è un trucco, è la verità. Accontentarsi di ciò che si ha. Solo questo». La voce di Ida suonò forte e chiara.

Jacks si chinò e la guardò in faccia, riconoscendo la verità di ciò che aveva detto. Ida fissava il mare, di nuovo silenziosa, come guardando un quadro. Era come se Jacks avesse immaginato le sue parole.

«Per l'amore del cielo, Polly, tienilo!». La voce dell'uomo echeggiò sul marciapiede mentre sua moglie si avvicinava di corsa verso di loro, inseguendo un border terrier tutto arruffato interessato alla sedia a rotelle di Ida.

«Ci sto provando, Paz! Dio, pensi che l'abbia lasciato andare di proposito?». Ridacchiando, la donna cercava di riprendere fiato mentre correva lungo la Marine Parade su tacchi assurdamente inappropriati. «Dio! Scusatemi tantissimo! È con noi da poco, e stiamo ancora imparando a essere dei bravi "genitori canini". Penso che i bambini veri siano più facili, ma forse sono meno carini!». Sorrise.

Ida abbassò la mano. «Ciao, Rexy!», mormorò, in tono dolce. «Bravo, ragazzo». Per lei, quello era il cane della sua infanzia, sebbene fosse morto quando Ida aveva sei anni. Se fosse vivo oggi, pensò Jacks, avrebbe più di settant'anni, un'età incommensurabile in anni canini! Non li portava per niente male.

«Forza, Bert! Scusateci davvero, siamo qui in vacanza solo per qualche giorno, lui è un cane londinese, non è abituato all'aria di mare. Tra quella e tutti questi uccelli, sta un po' ammattendo!». La donna mosse la mano in un gesto di scuse mentre correva in direzione del marito dai capelli lunghi, che rideva allegramente della sua inettitudine.

Jacks riprese a camminare, guardando con un sorriso triste la donna che si lasciava cadere tra le braccia del marito. Non aveva voluto preoccupare Martha con la banale realtà della propria vita. Sua figlia avrebbe conquistato il mondo; era una ragazza sveglia che lavorava duro e piaceva a tutti. Jacks la immaginò cresciuta, un'avvocato, seduta nell'appartamento lussuoso di qualche città lontana, come Parigi o New York! Avrebbe fatto tutto quello che voleva. E Jacks non vedeva l'ora! Le sarebbe mancata, certo, ma aveva deciso che le avrebbe fatto visita a ogni compleanno e sarebbero andate a pranzo in qualche posto elegante e avrebbero preso un budino e poi il caffè dopo la portata principale. Cos'aveva detto il suo tutore? «Per una ragazza come Martha, è il cielo il limite. Se si impegna e lavora duro, potrà scegliere lei la sua strada». Fu pervasa da un senso di eccitazione. *Scegliere lei la sua strada… Che meraviglia. E puoi farlo per tutte e due, Martha. Puoi sfruttare al massimo le occasioni che io non ho avuto.*

Jacks ascoltava le storie che Gina e le altre compagne di scuola raccontavano regolarmente sulle ragazze che erano riuscite ad andarsene, le ragazze che erano scappate da Weston-super-Mare per diventare qualcuno. C'era Rosie Barnes, che aveva sposato un banchiere e adesso viveva a Monaco con una piscina nel seminterrato e un campo da tennis sul tetto. Cosa che a Jacks sembrava ridicola: recuperare le palline perdute doveva essere una bella fatica. E poi c'era Martine Braithwaite, che era andata a Oxford; impossibile dimenticarlo, con sua madre che lo ripeteva a chiunque la stesse a sentire ogni qual volta la si incrociasse per strada, fosse o meno rilevante.

«Salve, signora Braithwaite. C'è un po' di vento, oggi!».

«Ah, sì, probabilmente c'è vento anche a Oxford, dove ha studiato la mia Martine!».

«Mi dica, signora Braithwaite, come vanno le sue emorroidi?»

«Oh, bene. Sono andata dal farmacista, un uomo intelligente, ma non intelligente quanto la mia Martine, che è andata a Oxford, sapete!».

Jacks ridacchiò di quello scambio immaginario. Martine adesso era una dottoressa di successo che lavorava a Londra e rilasciava interviste saltuarie alla BBC sui suoi vari trionfi. Non è che fosse davvero gelosa di ragazze come Rosie e Martine – sarebbe ridicolo, sapendo che Martha era destinata a diventare la Martine del suo anno –, ma doveva ammettere di essere un po' suscettibile, a volte, come se in certi momenti le si accendesse dentro una scintilla di rabbia che era costretta a inghiottire. Non voleva *essere* loro, per nulla, ma desiderava qualcosa di più dalla propria vita. Ogni tanto, negli attimi in cui si sentiva più esausta e infelice, pensava a Rosie che viveva al sole, lontana dai genitori, dal lungomare, dalla monotonia e dall'incessante richiamo del dovere. Con le braccia immerse nell'acqua tiepida e maleodorante, mentre cercava di lavare via le prove della vecchiaia e della disabilità di sua madre, la immaginava svegliarsi tardi tutte le mattine e scendere un'ampia scalinata interna per andare a recuperare le palline di tennis dalla strada. Altre volte, mentre rispondeva per l'ennesima volta al suono della campanella – portando qualcosa da bere, un altro cuscino, un cambio di lenzuola – pensava alla vita di Martine e a come, dopo aver passato la giornata a curare le persone, doveva trascorrere le serate a ridere e divertirsi nella capitale.

Alcune notti, Jacks si svegliava di soprassalto da un sonno profondo, convinta di aver udito la campanella. Incespicando verso la stanza di sua madre, la trovava addormentata pacificamente, la bocca rilassata, a russare beata e ignara di tutto. Era come se qualche perfido mattacchione si divertisse ad aspettare le quattro del mattino per farle lo scherzetto di svegliarla, sapendo che dopo essersi alzata non avrebbe potuto riprende sonno.

Lasciando scorrere lo sguardo sui giardini di Beach Lawns, osservò in direzione della casa in cui avevano vissuto Sven e la sua famiglia, rivedendosi adolescente, i capelli ricci di permanente e la frangia pettinata all'indietro, mentre percorreva il vialetto con il ventre pieno di ansia e il cuore che fremeva. Le era piaciuto abbastanza. Si chiese come sarebbe adesso la sua vita se Sven fosse rimasto, se si fossero trasferiti entrambi in una di quelle case lussuose. Immaginò di svegliarsi e poter guardare la sua figura addormentata su un lenzuolo bianco e immacolato. Mentre la luce si riversava nella stanza filtrando da una grande finestra a ghigliottina, lei si sarebbe tirata a sedere, stiracchiandosi, e avrebbe lasciato spaziare lo sguardo per l'ampia stanza con la sua moquette bianca, la sua specchiera ordinata e le foto delle loro vacanze esotiche accuratamente disposte nelle cornici d'argento.

«Ho fatto il liquido». Sua madre allungò la mano all'indietro, afferrandole il braccio e strappandola ai sogni.

«Oh, okay, mamma. Nessun problema. Meglio che torniamo indietro, quindi?». Jacks sorrise e girò lentamente la sedia a rotelle in direzione di casa.

A volte si chiedeva come avesse finito per avere quella vita. Cos'è che aveva detto Sven? «Tu non sei come quelle pecorone. Tu sei diversa. Ti aspetta un viaggio meraviglioso». E dove l'aveva portata quella meravigliosa strada? A tre isolati di distanza da dove lui aveva pronunciato quelle parole mentre stavano distesi al buio sull'erba. Che viaggio! Meno male che non si era presa il disturbo di comprare un biglietto di ritorno. Accelerò il passo. Avrebbero dovuto saltare la fermata al supermercato; per cena avrebbe tirato fuori qualcosa dal congelatore. Fu grata per il vento piuttosto forte, che allontanò la puzza soffiandola verso il mare.

Sei

Diciannove anni prima

Era il primo giorno del semestre, un anno scolastico tutto nuovo e per lei l'ultimissimo. Era all'ultimo anno! Seduta al tavolo della colazione, mangiò la sua tazza di Frosties. Alla radio il programma di Steve Wright stava mandando *Saturday Night* di Whigfield. Il cartoccio unto del *fish and chips* mangiato la sera prima era appallottolato sul gocciolatoio. Jacks picchiettava le dita a tempo con la musica.

Sua mamma era in piedi accanto al tavolo. «Hai tutto quello che ti serve, Jacks?»

«Sì, grazie».

Ida rimase dov'era, torcendosi lo strofinaccio tra le mani. «Hai... sentito rientrare tuo padre questa notte?»

«Dal lavoro? No. Stavo dormendo, e in più avevo il walkman». Suo padre ultimamente lavorava sempre fino a tardi, e lei lo amava per questo. Non ringiovaniva di certo, eppure era ancora un gran lavoratore.

«L'ultimo anno, ci credi? Stai crescendo così in fretta». Ida sembrava sul punto di piangere.

«Non me ne sto andando di casa, mamma, vado solo a scuola. Per le sedici sarò tornata».

Ida le diede una pacca sul braccio. «Lo so, tesoro. Lo so». Tornò in cucina per mettersi a lavorare intorno al lavello.

Jacks si incamminò verso la scuola con aria di superiorità, iniziando a recepire il fatto che si trovava ormai in cima alla gerarchia scolastica. Una volta arrivata, fu questione di pochi minuti perché cominciasse a sentire l'assenza di Gina, che aveva optato per materie diverse e avrebbe frequentato con lei meno corsi degli anni precedenti. Organizzando il suo nuovo armadietto, considerò le lezioni di quella mattina: Inglese ed Economia aziendale. Adorava l'aspetto e la sensazione delle cartelline nuove, delle matite con la punta appena fatta e dei blocchi per gli appunti intonsi, tutto pronto per cominciare, e sentiva nell'aria l'eccitazione di un nuovo semestre. Ancora un anno soltanto, un altro anno di scuola e poi suo padre aveva acconsentito a mandarla al college. Era il trampolino di lancio per andarsene. Sarebbe andata in un posto più eccitante, un posto che non fosse Weston-super-Mare, dovunque!

E di colpo lui era lì, veniva verso di lei. Jacks sentì le guance arrossarsi di tepore, come se il profumo dell'estate lo avesse seguito, indugiante, in quella mattinata gelida. Il cuore le batteva così veloce che le sembrava di svenire. *Ti amo. Ti amo!* Le parole le danzarono in gola prima di sfrecciarle su per il naso ed esploderle in testa come fuochi d'artificio. Era sicura che se lui l'avesse guardata negli occhi avrebbe visto una cascata di brillantini piovere su tutto ciò che lei sfiorava con lo sguardo. Non gliel'avrebbe mai detto, perché se lui non avesse ricambiato era certa che sarebbe morta. Morta sul serio.

Le era bastato intravederlo dall'altra parte del corridoio per ritrovarsi incapace di parlare e respirare. L'amore che provava per il suo bellissimo svedese biondo era intenso come quando avevano iniziato a frequentarsi, e ogni volta che lui la cercava, lei, la normalissima Jackie Morgan, si sentiva specialissima. Le sembrava di essere una delle ragazze intelligenti, quelle che parlavano delle loro carriere future sapendo che sarebbero andate all'università, o quelle che durante le vacanze soggiornavano all'estero per fare pratica con la seconda lingua. In qualunque altro momento era il loro esatto opposto, in agguato nelle retrovie, gli occhi puntati a una posizione di impiegata amministrativa in qualche impresa poco distante da casa – questo, finché non avesse trovato la sua strada, e a quel punto *vrooom*! Fermarla sarebbe stato impossibile. E doveva ammetterlo, essere una di quelle ragazze le piaceva, anche se era solo per i pochi minuti che passava in compagnia di Sven.

Gina lo considerava un nerd. «Hai visto Cervellone?», chiedeva e Jacks sorrideva perché anche se l'amica lo stava insultando disgustata, incapace di vederne l'attrattiva, almeno parlavano di lui e quello era il suo argomento preferito.

Durante le sei settimane di vacanza l'aveva visto otto volte. Avevano camminato scalzi lungo la riva gelida del mare e quando i loro piedi si erano quasi toccati, sul bagnasciuga, lei aveva sentito un brivido come se un fulmine improvviso l'avesse trafitta. Non se lo sarebbe mai dimenticato. Succedeva lo stesso quando la teneva per mano. Erano andati a fare delle meravigliose scampagnate in bici lungo la Passeggiata dei poeti e si erano fermati per un picnic al Sugar Lookout con una vista meravigliosa sul canale di Bristol. Era stato mentre guardavano il cielo sdraiati, con le braccia dietro la testa, che Jacks aveva scoperto che la madre di Sven si chiamava Stina e veniva da Stoccolma. Prima di addormentarsi, aveva passato ore a interrogarsi su di lei e sulla sua condizione di straniera. Era cresciuta nella neve? Festeggiavano il Natale? Da persona che sognava di viaggiare e si svegliava con il desiderio profondo di saltare su di un aereo, mangiare sotto un sole straniero e sguazzare in un mare caldo, la famiglia di Sven l'affascinava. Stina aveva una folta treccia di capelli biondi poggiata sulla spalla sinistra e occhi azzurro chiaro in un viso a forma di cuore. Stranamente, sebbene fosse bionda e slanciata, quegli elementi perfetti non si sommavano in un intero bellissimo; in effetti era piuttosto mascolina, banale e squadrata, con guance e mento coperte di una peluria morbida.

Jacks una volta l'aveva sentita parlare, parcheggiata in auto fuori dalla scuola. Aveva abbassato i finestrini della loro Volvo massiccia e aveva urlato a Sven qualcosa in svedese. Chiaramente Jacks non aveva idea di cosa stesse dicendo – non erano che una serie di V e Y seguite da una raffica di O lunghissime. Ma a giudicare dalla faccia di Sven e dall'abbassarsi delle sue spalle, erano le stesse cose che si urlavano anche nella sua lingua: "Sbrigati, Sven! Non ho tutto il giorno! Tuo fratello deve andare ai Lupetti e io devo preparare la cena a tuo padre!". Almeno, questo era quello che immaginava Jacks.

In quel momento, il primo giorno di scuola, Sven le si stava avvicinando fissandola, concentrato solo su di lei, com'era sua abitudine, e le parlava senza imbarazzo come se intorno non ci fosse nessuno. «Ieri notte ti ho sognata».

«Davvero?». Tirandosi indietro, lei guardò da una parte e dall'altra per assicurarsi che nessuno stesse ascoltando.

Lui annuì. «Correvamo sulla sabbia, in una grande spiaggia chiara piena di palme, e il sole era caldo. Era bellissimo. Io mi fermavo e ti chiedevo: "Adesso dove andiamo?", e tu dicevi: "Dove vuoi, basta che stiamo insieme"». Avanzando ulteriormente, le si avvicinò fin quasi a toccarla. «Ed è proprio quello che diresti, vero?».

Le sue labbra le sfiorarono la guancia. Lei annuì e lo fissò. Sì. Sì, è quello che avrebbe detto.

Sette

Jacks usò la forchetta per controllare il livello di cottura del riso. Ancora incerta, immerse le dita nell'acqua torbida e bollente, scottandosi, poi tirò fuori un paio di chicchi e li addentò; erano ancora duri e crudi.

Ascoltava Martha chiacchierare con la sua amica Stephanie nel corridoio fuori dal soggiorno, stanza in cui Jacks non metteva quasi mai piede, non perché la casa fosse troppo grande, ma perché la famiglia vi si riuniva per socializzare e guardare la TV, due cose per cui lei non aveva tempo. Tra il divano cadente e due vecchie poltrone comode, la stanza era strapiena di mobili spaiati già prima che sua madre si trasferisse da loro, e che alcune delle sue cose, oggetti troppo preziosi per venire messi da parte o abbandonati nel garage di Gina, venissero incorporate all'insieme. Sullo scaffale sopra la stufa a gas c'era una nidiata di soprammobili, tra cui alcuni uccellini di porcellana che suo padre aveva amorevolmente collezionato per anni e un paio di figurine di Harry Potter che Martha aveva dipinto goffamente alle elementari.

A volte, mentre stava in coda alla cassa del supermercato, Jacks scorreva le foto delle riviste di arredamento. Sfogliando le pagine patinate, si meravigliava dell'elegante coordinazione di stoffe abbinate e scintillanti superfici prive di polvere senza neanche uno scatolone in vista. Si chiedeva come fosse possibile avere una casa del genere, e decideva che la risposta doveva essere non avere figli e non permettere che i propri gusti in fatto di design venissero in alcun modo influenzati da tutte le cose che potevano attrarre l'occhio di Pete in un cassonetto dei rifiuti, a cui bisognava aggiungere un paio di gite all'Ikea all'anno.

«Forza, Martha! Non essere noiosa! È quasi Halloween, sarà uno spasso! Usciamo, passiamo un po' di tempo sul molo e se li vediamo, fantastico, e se non li vediamo, torniamo a casa e ci rilassiamo qui».

«Non posso, Steph. Devo sistemare gli appunti per il tema della signora Greene».

«Che secchiona. Per una sera non puoi lasciar perdere?», chiese Steph, in tono di disapprovazione.

«Non se voglio ottenere il massimo dei voti per entrare a Warwick».

Jacks sorrise.

«Non importa quale università frequenti. Una vale l'altra e non potrebbe fregarmene di meno di dove entro, se questo significa dover passare a studiare ogni singolo minuto di ogni giorno».

Martha fece una risata leggera. «Io penso sia importante. Voglio cominciare bene, prendere i voti giusti, andare avanti per la mia strada, studiare Economia e Legge e diventare milionaria prima dei trent'anni».

«I soldi non sono tutto, Martha!». Stephanie aveva un tono indignato.

«Vero. Ma immagina di guadagnare così tanto da poter fare qualunque cosa vuoi. Qualunque cosa! I soldi ti permettono di scegliere e questa è libertà, no? Sai, cose tipo: "Oh, ho un po' freddo, penso che andrò a prendere il sole", così fai una telefonata e salti su un aereo. O ti invitano a una festa elegante e tu entri nella tua enorme cabina armadio e ci trovi tre o quattro cose da indossare, perché hai vestiti per ogni occasione. O sapere che non sei costretta a fare qualcosa che non vuoi perché puoi permetterti di non farla. E non dover dividere la stanza con nessuno, mai più... a meno di non volerlo fare, certo!». Martha ridacchiò.

«Certo!», rispose Stephanie.

Avevano l'aria eccitata delle ragazze che devono ancora sperimentare tantissime cose e Jacks sentì un'ombra di invidia.

«Non sarebbe incredibile, però, avere tutto quel controllo sulla tua vita, essere così tranquilla e che ogni cosa fosse tanto semplice?».

Jacks si appoggiò al lavello con le mani e guardò fuori dalla finestra il giardino lungo e stretto, invaso in certi punti dalle piante che Angela e Ivor avevano piantato con troppo zelo. Ricordò quando avevano parlato della possibilità di vivere in un posto tanto grande da non riuscire a vederne la fine. Che esperienza sarebbe stata. Le parole di sua figlia le fluttuarono nella testa, danzandole sulla lingua come una preghiera dolce che lei indirizzò verso il cielo. *Hai sentito, papà? Quella è la mia bambina!*

«Be', io vado a vedere se riesco a trovare i ragazzi. Sicura di non voler venire?», la implorò Stephanie.

«No, io resto qui. Scrivimi più tardi, però, così mi dici com'è andata!».

«Certo. Ciao, Jacks!», urlò Stephanie dalla porta d'ingresso.

«Ciao, tesoro. Fai attenzione!». Jacks entrò in soggiorno e si appoggiò allo stipite della porta, asciugandosi le mani bagnate su uno strofinaccio e guardando Martha che si lasciava sprofondare nel divano e apriva il quaderno per poi prendere una delle penne che conservava nella tasca anteriore dello zaino. «Quando sei diventata così intelligente?». Sorrise alla sua bellissima figlia.

Lei si strinse nelle spalle. «Non lo so. Avrò preso da mia madre».

Jacks raddrizzò la schiena. «Non ne sarei così sicura».

Dal piano di sopra arrivò il suono della campanella, seguito dal grido di Ida: «Che venga qualcuno, per favore! Ho bisogno di aiuto!».

«Sembra che ci sia bisogno di te», disse Martha, in tono comprensivo.

Jacks sospirò e si diresse verso le scale.

«Che venga qualcuno! Toto?». Adesso la sua voce era più forte.

«Arrivo, mamma!», urlò Jacks salendo le scale due gradini per volta.

In fretta spalancò la porta e trovò Ida che piangeva. Grandi lacrimoni le scendevano lungo le guance, arrossandole gli occhi e facendole colare il naso.

«Oh, mamma!». Jacks si sedette sul lato del letto e prese un fazzoletto dalla scatola formato famiglia appoggiata sul davanzale. «Che cosa succede? Forza, vediamo di asciugare queste lacrime». Le scostò le ciocche di capelli grigi e sottili dalla fronte e le tamponò delicatamente il viso. «Ecco, ecco, tutto a posto. Non ci può essere niente di tanto grave!». Sorrise, leggermente disgustata dalla prossimità del viso della madre al proprio, per poi sentirsi in colpa di quel pensiero l'istante successivo.

«Ho bisogno della mia lettera», si lamentò Ida. «Ne ho bisogno. Me l'ha promesso. Stare qui da sola non è divertente, per nulla, e lui me l'ha promesso! Non so dov'è. È andato a trivellare petrolio».

«Le lettere ci mettono un sacco di tempo ad arrivare. E se lui te l'ha promesso, sono sicura che starà arrivando». Jacks inghiottì il groppo in gola, desiderando che suo padre fosse *davvero* l'uomo che era stato da giovane. Prima che lei arrivasse, aveva lavorato da qualche parte all'estero in un impianto di trivellazione, percorrendo tutta l'Europa e scrivendo di tanto in tanto lettere a casa.

«Mi manca». Sua madre singhiozzò di nuovo.

Anche a me... Esitando, Jacks passò le braccia intorno alle sue spalle sottili e la attirò a sé. Abbracciare quella donna, anche nel momento del bisogno, continuava a essere strano e la faceva sentire a disagio, risultando in qualche modo più difficile che darle attenzioni pratiche, pulendola e prestandole cure che si sarebbero potute classificate come mediche, se necessario. «Ssh...», sussurrò dolcemente, mentre sua madre si aggrappava al suo braccio. Avrebbe straziato il cuore a chiunque, la vista di quella signora fragile così confusa e distrutta. Ma per Jacks era diverso. Aveva un filtro di ricordi da sobbarcarsi, ricordi difficili da mettere da parte e che complicavano qualunque loro interazione.

Si ricordava di quando, da bambina, sentiva i rumori di suo padre che tornava dal lavoro, seguiti dalle urla e dai pianti di sua madre. A lei si stringeva il pancino, perché non voleva che sua madre piangesse, non voleva avere tanta paura poco prima di addormentarsi. Poi suo padre entrava in camera per rimboccarle come sempre le coperte, dando la precedenza a lei, ogni volta. Si chinava per baciarle la fronte e Jacks sentiva il suo odore familiare di birra, sigarette e del suo dopobarba preferito a base di muschio.

«Sogni d'oro, mia piccola Sonia Sognatrice». A quel punto, indietreggiava furtivamente per uscire dalla stanza e lei sentiva lo scricchiolio delle scale mentre scendeva al piano di sotto.

Di tanto in tanto, qualche parola della lite dei suoi genitori arrivava fino a lei. «Tutto questo è insopportabile... Non ce la faccio... Sei stato tu a creare questa situazione e non è giusto. Non ho mai incontrato nessuno di tanto egoista!». Lei voleva solo che la smettessero.

Cullando Ida avanti e indietro, Jacks cercò di scacciare quei ricordi. Si chiedeva spesso perché sua madre avesse sentito il bisogno di essere così aspra, così severa. La sua rabbia sembrava arrivare a scoppi, a cui facevano spesso seguito sorrisi brillanti e gesti gentili, mirati a cancellare tutto con un colpo di spugna. La risata di scherno con cui accoglieva un successo del marito che lei considerava insignificante poteva venire controbilanciata da una torta di mele appena sfornata per cena. Per farsi perdonare della gomitata nelle costole rifilata quando Don si era chinato per darle un bacio o abbracciarla, gli faceva a maglia una sciarpa e un cappello coordinati, che gli regalava con un gran sorriso. E da quanto Jacks poteva vedere, quelle offerte di pace servivano al loro scopo. Suo padre sorrideva e annuiva, come se fosse grato per la benevolenza della moglie, e lo status quo veniva ripristinato. Se solo Jacks avesse potuto dimenticare con altrettanta facilità.

Il campanello d'ingresso suonò. «Torno subito, mamma. C'è qualcuno alla porta».

Jacks la lasciò andare delicatamente e scese le scale, solo per scoprire che Martha aveva abbandonato il suo studio e l'aveva preceduta. Era in piedi davanti alla porta aperta. Jacks si fermò a metà scala e fissò la figlia, studiandone il profilo. Sentì un vuoto allo stomaco. Si trattava di intuito materno, forse, ma le bastò osservarla per non più di cinque secondi perché la paura la invadesse.

«Steph ha detto che non saresti uscita». Il ragazzo aveva un forte accento di Weston. In una mano stringeva il casco della moto che si faceva rimbalzare contro la coscia. Aveva il petto ampio ed era alto, più alto di Pete, magro, con indosso i jeans e una t-shirt grigia attillata che sottolineava il suo fisico tonico. I capelli lisci e luminosi gli sfioravano le spalle e la frangia gli oscurava l'occhio destro. Sembrava sicuro di sé, a proprio agio. Evidentemente, questa non era la prima volta che si incontravano.

«Esatto». Incrociando una gamba sull'altra, Martha annuì

con la testa chinata di lato e un sorriso. Durante un attimo di silenzio, entrambi si fissarono come se avessero un segreto.

Jacks sentì la risata disinvolta del ragazzo dall'altra parte del gradino, una risata piena di sottintesi, gioia e trepidazione. Non sapeva chi fosse, ma odiò istantaneamente il modo in cui Martha lo guardava, la maniera timida e civettuola con cui inclinava la testa per osservarlo dal basso attraverso le ciglia voluminose, con le labbra curvate in un broncio e un rossore leggero che urlava: "Guardami! Amami!". Jacks voleva chiudere la porta con uno scatto, prendere il viso della figlia tra le mani e voltarle la testa con forza urlando: "No! Lui no! Nessuno di qui! Devi aspettare! Aspetta il ragazzo che conoscerai all'università e che sarà intelligente e colto, un ragazzo che diventerà un professionista e ti porterà in vacanza in campeggio nel Sud della Francia e ti comprerà una veranda!". Invece sorrise, scese le scale e fissò il ragazzo in piedi sullo zerbino, con la sua giacca di pelle, i capelli lunghi e la dentatura perfetta.

«Buongiorno!».

Lui sollevò la mano in un tranquillo cenno di saluto e Martha alzò gli occhi al cielo come per chiedergli scusa.

Ignorando la figlia, Jacks si avvicinò. «Piacere di conoscerti, ma purtroppo temo che stavamo per cenare, altrimenti ti avrei invitato a entrare».

«Oh, non si preoccupi, signora D, stavo andando via in ogni caso, volevo solo vedere Martha».

«E adesso l'hai vista».

Martha sorrise, mordicchiandosi il labbro inferiore.

Jacks non era sicura che venire chiamata signora D le piacesse, ma doveva ammettere che il ragazzo sapeva essere affascinante.

«A dopo», mormorò Martha mentre un rossore le risaliva le guance. Quando la porta si chiuse alle sue spalle, lanciò alla madre un'occhiata eloquente, come sfidandola a dire qualunque cosa, e poi salì le scale di corsa, con un sorriso leggero che giocava intorno alla bocca.

Jacks posò la ciotola di chili al centro del tavolo e lì accanto la pentola di riso schifosamente scotto.

«Lascia che te ne metta un po'». Prese il piatto di Ida e vi depositò sopra una piccola quantità di riso accompagnato da un cucchiaino di chili, non troppo. «Ecco, mamma. Non preoccuparti, non è troppo caldo». Sorrise, cercando di prevenire le sue lamentele.

«Vuoi sentire la mia barzelletta?». Jonty raddrizzò la schiena, muovendo il sedere sulla sedia per l'impazienza.

«Oh, sì, adoro le barzellette!». Jacks annuì mentre riempiva il piatto di Pete.

«A me i fagioli rossi non piacciono!», commentò Martha afferrando la forchetta.

«Allora toglili». Jacks sospirò e mise il piatto di chili davanti alla figlia.

«Sei pronta per la mia barzelletta, mamma?»

«Sì, scusa, Jonty. Racconta pure. Sto ascoltando». Riempì il cucchiaio di sua madre e la aiutò a portarselo alla bocca.

«Ce ne sono troppi da togliere, mi fanno venire da vomitare. Posso mangiare solo il riso?». Arricciando le labbra, Martha punzecchiò la massa gelatinosa.

«Per l'amor del cielo, Martha!», urlò Pete con chicchi di riso che gli cadevano dalle labbra. «Per prima cosa, tua madre l'ha cucinato per te, quindi mangialo e basta. E secondo, tuo fratello sta cercando di parlare!».

«Non posso avere del pane tostato?», si lamentò Martha.

«No!», urlarono Jacks e Pete all'unisono.

«Posso diventare vegetariana? Se lo fossi non mi potreste costringere a mangiare questa roba!».

Loro la ignorarono.

«Vai avanti, Jont». Jacks annuì. Guardò il figlio prendere fiato.

«Qual è il colmo per un astronauta?». Sorrise, raggiante.

«Non lo so!», dissero in coro lei e Pete.

«Avere la luna storta!», urlò lui.

«Ah, che bella!». Jacks ridacchiò.

Martha fece una smorfia e si mise la testa nelle mani. «È terribile, Jonty. Sembra uscita dal tuo ur-ano!». Sogghignò.

«Oh, ti prego». Pete sospirò. «Mangia il tuo chili, Martha. Si capisce che la luna questa sera ha esagerato con la cena perché è piena!».

«Oh, papà!». Entrambi i figli gemettero.

«Tu di certo non avrai il budino», aggiunse severamente Jacks. «Ma se fai il bravo, forse andrò a prenderti una barretta di Mars!».

Tutti e quattro risero, cercando di pensare con entusiasmo alla battuta successiva.

Alla fine fu Martha ad averla vinta, mentre Jacks imboccava sua madre con un'altra forchettata. «In realtà, forse non lo mangio proprio il mio chili. In effetti stavo pensando di andare a provare quel nuovo ristorante che hanno costruito sulla luna, ma ho sentito dire che ha poca atmosfera!».

Jonty si piegò in due dalle risate e Pete fece lo stesso nel vederlo tanto felice.

«Esilarante!», rise fragorosamente Jacks. «Siete tutti geniali!».

Un singhiozzo rumoroso di Ida li riportò tutti e quattro sulla terra. Il suo turbamento era evidente.

«Oh, nonna! Cosa succede?». Martha era dolce, chinata verso di lei, la voce morbida.

«Che c'è, mamma?». Jacks le mise la mano sul braccio.

«Devo trovare una cosa, ma non so da dove cominciare. Ho bisogno di aiuto!».

E così, come se niente fosse, tutta la gioia venne risucchiata dalla stanza e loro finirono di mangiare in un silenzio rotto soltanto dal rumore dei singhiozzi di Ida, che continuò a piangere con il chili scuro che le colava sul mento.

Jacks baciò Jonty sulla fronte e gli spense la lampada sul comodino.

«Perché la nonna era così sconvolta?», bisbigliò lui.

«Perché è confusa, amore. Si sente triste e non sa bene perché. A volte crede di essere di nuovo giovane, e di stare aspettando che il nonno torni a casa. Altre penso che sia triste perché si rende conto che lui non c'è più e sente la sua mancanza».

«Manca anche a me». Jonty si tirò il copriletto fin sul naso.

«Anche a me».

«Le mie barzellette gli sarebbero piaciute, vero?»

«Oh!». Jacks scosse la testa. «Le avrebbe adorate!».

Lo guardò voltarsi sul fianco e spingere il viso contro il muro, avvolto nel suo copriletto di Batman, stretto come un pisello nel baccello.

Poi si spostò dalla parte di Martha e face scorrere il palmo sui suoi bellissimi capelli biondi e folti, che sotto una certa luce sembravano accendersi di un bagliore rosso zenzero.

«Buona notte, tesoro».

«'Notte, mamma».

Jacks si alzò, esitando, e indicò il libro che la figlia teneva in mano. «Non leggere fino a tardi, adesso». Sapeva che a volte Martha continuava a farlo fino a notte inoltrata.

Lei annuì.

«Sembrava un bravo ragazzo, quello che è passato a cercarti prima...».

«Mmh...». Il viso di Martha si aprì in un sorriso. Era quasi automatico.

«L'hai conosciuto a scuola?»

«No. Ha finito un paio d'anni fa. Lavora con le auto e roba del genere».

«Oh, giusto. Ed è un amico di Steph?». Cercò di suonare disinvolta.

«No, è amico mio». Martha sollevò le braccia in alto sul cuscino e sospirò.

«Come si chiama?»

«Dio, mamma, cos'è, giochiamo alle venti domande?»

«No, no. È solo che non l'avevo mai visto e mi interessa sapere chi sono i tuoi amici. È una cosa positiva, questa, alcuni genitori non si interessano per nulla». Cercando di apparire noncurante, Jacks piegò una t-shirt raccolta da terra.

«Come si fa ad avere questo tipo di genitori? Non sembrano niente male!».

«Ah ah!». Jacks le gettò addosso la maglietta.

«Si chiama Gideon Parks. Ha vent'anni. Ed è molto simpatico e intelligente. Lavora con le auto, ma è anche un tipo artistico. Ha grandi progetti». Martha arrossì.

«Be', è bello avere amici con cui passare il tempo prima di andare all'università e farsene di nuovi. Decisamente». Jacks non poté impedirsi di rinforzare l'idea che non era quella la sua vita; che la sua vita vera sarebbe iniziata una volta che avesse lasciato quel posto. Come lui, come Sven, che era andato via e non era mai tornato.

«Sogni d'oro, tesori miei», bisbigliò Jacks mentre indietreggiava per uscire dalla stanza e chiudere la porta.

Mise in ordine la cucina, pulì tutte le superfici e lavò le pentole e i piatti rimasti, poi caricò la lavastoviglie prima di salire per andare a letto. Pete era già appoggiato a un cuscino, con la vestaglia e i pantaloni del pigiama, e impegnato a leggere una rivista di moto malconcia.

«Sai che ti dico, Jacks? Con settemila sterline si potrebbe comprare una moto niente male». Le fece l'occhiolino.

«Che idea fantastica, sprechiamo tutti i nostri risparmi in una moto. In questo modo avremo lo spazio che ci serve e risolveremo tutti i nostri problemi. Magari all'ora di pranzo potremmo metterci in equilibrio sulla sella, o Jonty potrebbe dormire sulla tanica della benzina e restituire la stanza a Martha!». Diede alla voce un tono leggero e scherzoso ma non poté evitare di notare la smorfia di disappunto sulla bocca del marito.

Infilandosi sotto il copriletto, lasciò che i suoi muscoli stanchi affondassero nel vecchio materasso. Fece scorrere gli occhi sulle rose gialle della carta da parati che tanto le piaceva quando l'avevano messa, più di quindici anni fa. Martha era piccola, allora, e lei e Pete avevano riso mentre litigavano con la colla da parati e le lunghe strisce di carta in quello spazio ristretto. A quel tempo, li faceva ridere tutto.

«Leggi un po', amore?», chiese Pete da sopra la rivista.

«No. Ho lasciato gli occhiali di sotto e non ho voglia di alzarmi per andare a prenderli».

«Vuoi che vada io?».

Lei sorrise al marito. «No. Ma grazie. Mi piace il modo in cui il mondo si offusca senza occhiali. Ha decisamente i suoi lati positivi. Quando mi guardo senza gli occhiali, non sono poi così male: non proprio come se scintillassi di rugiada, ma, sai, c'è di peggio. Il fatto è che a volte mi dimentico di non avere più sedici anni. Mi vedo nello specchio e resto sconvolta dal viso che mi guarda dal riflesso. Inizio ad avere i baffi, e quando stringo gli occhi le rughe si vedono tantissimo».

Pete soffocò una risata. «Le rughe si vedono sempre quando uno stringe gli occhi, capita a tutti! Tu per me sei bellissima, Jacks. Non capisco perché ti preoccupi tanto del tuo aspetto o ti prendi il disturbo di spalmarti in faccia quella crema e robe simili!».

«È per cercare di mandare indietro l'orologio!». Lei sollevò il mento e si accarezzò la pelle verso l'alto.

«Non so perché mai vorresti mandarlo indietro e in ogni caso non è la crema la soluzione, ti servirebbe la chirurgia plastica».

«Be', grazie tante! Stai dicendo che mi dovrei far operare?». Lei si tirò a sedere, appoggiandosi sui gomiti.

«No!». Lui rise. «Sto dicendo soltanto che tutti quegli intrugli sono uno spreco di tempo».

«Perché mai dovrei prendermi il disturbo della chirurgia plastica, Pete, se anche potessi permettermelo, quando se voglio essere più bella non devo fare altro che togliermi gli occhiali e tornare alla mia sfocata perfezione!».

«Tu sei matta, ecco cosa sei». Lui si sporse a baciarle la testa prima di raddrizzarsi in fretta. «Oh, la mia maledetta schiena! Sto diventando troppo vecchio per questa storia della progettazione di giardini. Sul lavoro devo tenere il ritmo dei ragazzi, ma divento ogni anno più lento».

«Cavolo, hai appena trentasei anni, sei nel fiore della vita!». Lei rise.

«Sì, è quello che mi dicono. Vorrei solo che qualcuno lo dicesse alla mia schiena». Fece una pausa. «Voglio riflettere su certe cose, però, Jacks, vedere quali sono le nostre opzioni».

«A cosa stai pensando, Pete? Cosa possiamo fare?». Lei deglutì.

Lui scosse la testa. «Ancora non lo so. Salterà fuori qualcosa. Vedrai. Le cose hanno uno strano modo di aggiustarsi».

Lei annuì tristemente. Lo ripeteva da quando erano ragazzi.

Posando la testa sul cuscino, chiuse gli occhi. Pensò al fatto che notte dopo notte stava sdraiata vicino al suo uomo senza sentire un briciolo di desiderio. Lui le piaceva, certo, lo amava, ma era come se avessero girato l'angolo, detto addio a quella parte della loro vita, come se fossero ormai così immersi nella routine che qualunque cosa spontanea, sesso compreso, non venisse più neanche presa in considerazione. Di tanto in tanto lei pensava a come avrebbe potuto iniziare l'approccio, presumendo di averne la forza, e non ci riusciva. Se non altro, l'idea di toccarlo sessualmente la imbarazzava, ed era così da molto tempo. La cosa la rattristava. Fu assalita dal pensiero di Sven. Se ci fosse stato lui accanto a lei ogni notte, si chiese, sarebbe stata altrettanto contenta di dire addio alla sua libido senza combattere? Soffocò il pensiero istantaneamente.

«Ti amo, Pete». Era un'abitudine – pronunciava frasi curatutto come quella per smorzare i pensieri sleali.

«Lo so». Da sotto le coperte, lui le diede una pacca sul fianco.

Jacks sospirò e sentì le spalle affondare nel materasso.

Era stanca. Le palpebre le si abbassarono in battiti lenti sempre più distanziati nel tempo finché non restarono chiuse del tutto. Passarono uno, due, tre secondi e il suo respiro divenne regolare, la bocca socchiusa leggermente. E poi la campanella risuonò dall'altra parte del corridoio, destandola dal sonno e strappandola alla conca calda del materasso in cui avrebbe tanto desiderato restare.

Goffamente, Jacks si allacciò la vestaglia. «Arrivo, mamma», disse, cercando di trovare il volume giusto, abbastanza forte da rassicurare sua madre ma non tanto da svegliare i figli. Sul pianerottolo buio, colpì con il pugno una parete di stoffa mentre cercava di centrare la manica con il braccio.

Socchiuse la porta della camera della madre. La luce notturna ritagliava la sua silhouette contro la spalliera.

«Meglio che apri l'acqua della doccia!». Ida parlò in tono fermo, fornendo istruzioni lucidamente.

Otto

Sven camminava davanti a lei mentre attraversavano il campo da gioco, inciampando nelle buche e incespicando nei dislivelli. Unita all'ansia, la loro goffaggine li faceva ridere. Lui accelerò il passo, addentrandosi nel buio dilagante, e Jacks cercò di ignorare il tremito degli arti. Non osava sollevare lo sguardo sui grandi alberi che costeggiavano il campo. A quell'ora della notte evocavano una miriade di forme, tutte sinistre. Filtrando attraverso le scarpe, l'erba bagnata le inzuppava i gambaletti bianchi.

«Eccoci», annunciò lui in tono oggettivo, come se la decisione avesse qualche fondamento scientifico. Fermandosi nel centro del campo si mise le mani sui fianchi, poi si coricò a terra di colpo. «Devi sdraiarti sull'erba e guardare in su verso il cielo!», la esortò, attirandola giù sul terreno umido.

«Mi bagnerò l'uniforme!», protestò lei mentre le ginocchia obbedivano, piegandosi.

«Su, non fare la bambina! Che importa se ti si bagnano i vestiti? Si asciugheranno. Non credo che tu abbia mai sentito dire a Vasco da Gama: "Oh, no! Non posso attraversare l'oceano nella mia ricerca di conoscenza perché non voglio bagnarmi il mantello!"».

Lei lo fissò. «In realtà non l'ho mai sentito dire niente,

e la differenza è che lui non doveva tornare a casa da mia mamma e spiegarle perché aveva il mantello fradicio». Rise, sapendo che avrebbe fatto ciò che lui voleva.

Raccogliendosi la gonna dietro le gambe, si lasciò cadere a terra lentamente, prendendo posto accanto a lui nel buio, il corpo a pochi centimetri dal suo. Mentre la rugiada della sera le raffreddava la pelle infiltrandosi nel cardigan e nella camicetta, rimpianse di aver rifiutato la mantellina impermeabile che suo padre le aveva offerto prima di uscire. Ma furono sufficienti pochi secondi perché smettesse di pensare agli effetti distruttivi che il fango e le macchie d'erba avrebbero avuto sui vestiti o ai capelli che le si stavano arricciando sul collo; al contrario, sentì la testa farsi pesante mentre si rilassava e sollevava come indicato lo sguardo verso il cielo notturno. Era immenso e bellissimo. E più lo fissava, più cose vedeva. Non era mai sembrato tanto limpido o tanto vicino.

Allungando il braccio, Sven le prese la mano. Lei sorrise, felice di avere il palmo chiuso nel suo come un caldo segreto. Lui sollevò la mano libera. «Se guardi dritto sopra di te, alle tre in punto puoi vedere il Grande Carro. È una costellazione di sette stelle e la riconoscerai sempre per via della sua forma...». Ne tracciò il contorno con le dita. «Perché puoi vedere le sette stelle piuttosto chiaramente. Alcuni la chiamano l'Orsa Maggiore perché ha un po' l'aspetto di un orso. Riesci a vederla?».

Lei annuì. Sì! Sì, ci riusciva.

«E cosa ancora più incredibile, se segui una linea che parte dalle due stelle sulla destra del Carro e guardi in avanti, più o meno a cinque volte la distanza che le separa, vedrai la Stella Polare, che fa parte di quella conosciuta come l'Orsa Minore. È una delle stelle più luminose del firmamento e la mia preferita in assoluto. Riesci a vederla?»

«Sì!». Aguzzando la vista, Jacks fissò il cielo nero come l'inchiostro, dove le stelle aprivano buchi di luce dalle forme intricatissime. La luna argentata sembrava enorme, appesa al bordo del cielo. Rimasero qualche istante in silenzio, emettendo con le bocche nuvole calde di respiro.

«Okay, adesso prova questo. Fai un pugno e poi solleva il pollice e chiudi un occhio… Riuscirai a far stare l'intera luna dietro l'unghia del pollice». Entrambi fecero quello che lui aveva descritto. «Incredibile, vero? La luna è lontana quasi quattrocentomila chilometri e ha un diametro di più di tremila, eppure puoi farla stare dietro l'unghia del pollice! È bastato questo semplice fatto a farmi capire quanto misterioso sia il nostro piccolo universo e come si possa alterare drammaticamente la nostra comprensione delle cose, a seconda di come le si guarda».

Rimasero fermi così per qualche secondo, con un occhio chiuso e un braccio sollevato.

«Come fai a sapere così tanto su tutto?», chiese Jacks, sperando di non sembrare troppo in soggezione.

Sven rise. «Non è così. So solo qualcosa su certi argomenti, ma presumo che se continuo a fare colpo su di te allora una possibilità ce l'ho».

Più di una. Penso di amarti. Lo penso davvero…

«Sai più che qualcosa», disse lei, in tono enfatico. «Non dimenticare che io frequento quasi tutti i tuoi corsi. Non sembri mai perderti come succede a me».

«Il segreto è portarsi avanti con le letture. Ogni volta devi sapere un po' più di quello che ti stanno spiegando. Essere intelligenti non c'entra, è solo questione di prepararsi per tempo. Cerco di restare sempre avanti di un capitolo». Rise di nuovo.

«Io non so se avrei la voglia di pianificare tanto, bastano già i compiti che abbiamo».

«Sei fortunata. Tu non hai bisogno di pianificare lo studio o fare i compiti, sei speciale. Sei unica, non come quelle pecorone che si somigliano tutte e vanno tutte dietro agli stessi pecoroni e ascoltano la stessa musica da pecore e sprecano le loro vite miserabili. Tu sei diversa. E sei bellissima, bellissima sia dentro che fuori. E per quanto sia ingiusto, la tua bellezza ti porterà lontano. Ti aspetta un viaggio meraviglioso. Io, invece, ho bisogno della mia intelligenza. È l'unica cosa che ho».

Lei gli strinse la mano. *Darei qualunque cosa per un pochino di intelligenza. Sarebbe il mio biglietto e ti porterei con me.*

«Cosa pensi che farai una volta finita la scuola?». Cercò di suonare noncurante. *Tra meno di un anno non ci sarai più, lo so. L'università e i viaggi... Il cuore mi si stringe anche solo a pensare che te ne andrai.*

«Architettura, suppongo, come mio padre. La mia famiglia ne sarà felice. Ma se potessi scegliere...». Si interruppe.

«Avanti, dimmelo. Se potessi scegliere...?».

Lo sentì espirare e guardò il pennacchio del suo respiro alzarsi in una spirale.

«Se potessi scegliere, mi piacerebbe fare il marinaio».

«Un marinaio? Cioè, come nella marina?». Lei immaginò navi d'assalto grigie, berretti spavaldi e cuccette condivise.

«No, non esattamente». Lui s'interruppe di nuovo. «Mi piacerebbe prendere una grande barca e fare il giro del mondo, andando da un posto all'altro e parlando con quante più persone diverse mi sia possibile trovare. Mi piacerebbe provare tutto, vedere ogni cosa e aggiungere dettagli a quelle che adesso nella mia testa sono solo forme e sagome confuse». Trasudava entusiasmo da ogni poro.

«Non avresti nostalgia di casa?». Lei rimpianse la domanda nel momento stesso in cui lasciava la sua bocca, odiandone l'ingenuità.

«No. Mi sono trasferito così spesso che ormai non penso più alla casa come a un posto, è più uno stato d'animo, un sentimento. Sono a casa in questo momento, qui con te».

Lei sentì lo stomaco stringersi di desiderio per quel ragazzo intelligente che parlava come un poeta e guardava il mondo in una maniera diversa da tutte le persone che conosceva. Era diverso dagli altri ragazzi, che vivevano per il calcio e facevano collette per comprare patatine e salsicce in pastella dopo la scuola.

«Magari verrò con te!». Jacks rise, per alleggerire un po' il suggerimento, mascherando il suo bisogno di affetto.

«Tu potrai sempre venire dove vado io».

«Oh, davvero?». Incuriosita, lei si chiese come sarebbe stato possibile, considerando i suoi magri risparmi e il fatto che doveva essere sempre a casa per cena.

Lo sentì girarsi sul fianco fino a coprire la luce argentata della luna. La sagoma del suo profilo si stagliò contro il cielo costellato di stelle. «È semplice». Intrecciò le dita alle sue. «Ogni notte, quando vai a dormire, guarda la luna e lasciati trasportare fino al lago dei Sogni».

«È un posto vero?», bisbigliò lei.

«Sì. È proprio lì, sulla faccia più vicina della luna, ed è lì che ti aspetterò io. Possiamo salpare insieme, andare via, lontano da tutti i pecoroni, e niente e nessuno potrà mai raggiungerti. Ci saremo noi due soltanto e avremo tutto il tempo del mondo per andare dove vogliamo».

«Sembra bellissimo».

«È bellissimo. Troviamoci lì stanotte. Sarà l'inizio della nostra avventura!».

Lei annuì mentre lui si chinava a baciarla sulla bocca, con le sue labbra morbide e calde.

Jacks allungò la mano e lo attirò sopra di sé. «L'inizio della nostra avventura...», sospirò mentre lui si chinava per

Nove

Era una fredda giornata di novembre. Il vento tagliente e la pioggia incessante facevano sì che il centro di Weston fosse praticamente privo di visitatori. Jacks aveva sempre pensato che ci fossero pochi luoghi al mondo più tristi delle città di mare al freddo e sotto la pioggia. Avvolti negli impermeabili di plastica, i residenti anziani si riunivano dietro le finestre frustate dalla pioggia delle caffetterie e delle sale da tè, a fissare il lungomare tetro e battuto dal vento, imitando i gabbiani che si stringevano sulla spiaggia con aria altrettanto depressa.

«Chili?», borbottò Jacks a bassa voce, scrutando gli scaffali del supermercato. «No, l'ho fatto piuttosto di recente». Si scostò i capelli dagli occhi. «Pollo? Magari. Oh, ci sono, qualcosa di messicano con le tortillas. Quelle piacciono a tutti». Mise alcuni articoli nel cestino sulle ginocchia di sua madre. «Il *guacamole*, è messicano, giusto? Non ne sono sicura».

«Jacks?».

Si voltò per trovarsi davanti Lynne Gilgeddy, che viveva nel Bourneville Estate. Aveva qualche anno più di lei e Jacks la conosceva da quando aveva memoria. Avevano ballato sui pavimenti appiccicaticci degli stessi night club, da ragazze, e passeggiato per il parco dei divertimenti del Grand Pier sfoggiando top all'ombelico e pantaloncini corti, ridacchiando ogni volta che incrociavano lo sguardo di qualche tizio dell'entroterra attraente e più o meno coetaneo. Più tardi, quando le loro figlie già andavano all'asilo, avevano organizzato per loro pomeriggi di gioco. Tutto questo era successo molto tempo prima e Lynne portava i segni di qualcuno che ne aveva passate tante: i capelli sembravano fragili, le sopracciglia iniziavano ad assottigliarsi e aveva profondi solchi su entrambi i lati della bocca causati dall'aspirare costantemente fumo di sigaretta. Jacks lo notò con obiettività: voleva bene a Lynne e sapeva che con ogni probabilità l'amica stava facendo considerazioni simili su di lei. Ma Jacks cercava almeno di tenere a bada i rari capelli grigi attraverso l'applicazione regolare di colpi di sole economici e, nonostante l'aumento del girovita e l'afflosciarsi del seno, aveva ancora le stesse gambe magre di un tempo.

«Come stai?»

«Tutto bene, Lynne. Sì, niente male». Jacks sapeva che le persone non volevano la verità; quella domanda non era un invito a elencare tutto ciò che andava storto. «Tu?»

«Bene, sì. Ashley va alla grande, sta ancora danzando. Ha ottenuto un posto su una nave da crociera. Vedrà il mondo, Jacks. Non è fantastico?». Lynne scosse la testa. «Ma la novità più grande è che diventerò nonna. Caitlin-Marie sta per avere un figlio!». Sorrise, raggiante, e il suo volto si trasformò, come se solo il pensiero del bambino le avesse risollevato il morale.

«Oh!». Jacks si concentrò sul mantenere il sorriso. «Be', congratulazioni! E il papà sta con lei?». Le era sfuggito.

«No. È stata solo un'avventura, sai come sono questi ragazzi». Lynne fece un verso di disapprovazione.

Jacks annuì mentre un'immagine di Gideon Parks le passava davanti agli occhi.

«Ma cosa ci puoi fare, Jacks? O si va avanti o si affonda, giusto?».

Jacks annuì nuovamente. *Non mia figlia. Non ci saranno*

balletti su navi da crociera, per lei, nessuna passeggiata sul lungomare con una carrozzina di seconda mano e un bambino vestito con gli abiti smessi di qualche cugino lontano. Lei diventerà una professionista, un'avvocato. Girerà il mondo per prendere parte a incontri importanti, trascinandosi dietro una valigetta nera con le rotelle, e la gente vedrà la sua camminata sicura e il suo viso bellissimo e saprà che si tratta di qualcuno, qualcuno che farà strada... E tutto comincia con l'università. Ha inviato le sue domande e adesso bisogna solo aspettare che arrivino le offerte.

«E lei come sta, signora Morgan?». Lynne parlò direttamente a sua madre, cosa di cui Jacks le fu riconoscente.

«Sta bene», rispose. Ida continuò a fissare il vuoto di fronte a sé, inespressiva, aprendo e chiudendo la bocca e giocherellando con le dita appoggiate in grembo.

«Ti vedi ancora con Gina?»

«Sì, siamo ancora buone amiche». Jacks sorrise, grata per quell'amicizia.

«Salutamela, d'accordo? Non la vedo da secoli».

«Lo farò. E in bocca al lupo. Quando dovrebbe nascere il bambino?»

Lynne sorrise di nuovo. «Tra dieci settimane. Non vedo l'ora!». Batté le mani dalla gioia.

Tornate a casa sane e salve, Jacks mise la madre seduta contro qualche cuscino. La camera di Ida era l'unica stanza della casa che rimaneva calda tutto il giorno. Fare economia significava che quando i figli erano a scuola i radiatori restavano spenti, ma la camera di sua madre era sempre piacevolmente tiepida.

«È stato bello rivedere Lynne oggi, vero? Pensare che diventerà nonna! Ricordo il suo diciottesimo compleanno e sembrano passati solo un paio d'anni». Parlò in tono cantilenante mentre cambiava la madre e le passava una salvietta bagnata intorno alla bocca. «Vuoi scendere al piano di sotto o preferisci stare seduta qui per un po', mamma? Credo che alla TV ci sia *Bargain Hunt*, ti piace, vero?»

«Ho bisogno di trovare questa lettera!», urlò lei. «Così non basta!».

«Be', appena arriva te la porto su, d'accordo? Sai che ti dico, resta un po' qui. Ti accendo il tuo televisorino e più tardi puoi scendere per fare pranzo e cambiare un po' aria, che ne dici?».

Jacks le rimboccò la coperta intorno alle gambe, raccolse il pannolino sporco e lo infilò in un sacchetto che chiuse con un nodo. Pulì il bagno, terminando un altro flacone di candeggina. *Cavolo, dovrei investire nelle azioni della Domestos*, sospirò tra sé. Fece il letto dei ragazzi, poi si diresse in camera per recuperare il mucchio di vestiti sporchi che Pete lasciava ogni notte ai piedi del materasso. Mentre lisciava le pieghe del copriletto, squillò il telefono sul comodino.

«Gina! Che coincidenza, stavo proprio parlando di te poco fa. Mi sono imbattuta in Lynne Gilgeddy».

«Ah, santo cielo. Ne ha passate di belle, quella».

«Sì, e sta per diventare nonna!».

«Oh, Dio, no! Non è così tanto più vecchia di noi! Non dirmi che il suo Kyle si sta riproducendo? È proprio quello che ci mancava, la prossima generazione di graffitari!».

«No, be', non che io sappia. Ma Caitlin-Marie avrà un bambino».

«Ah, fantastico. Be', auguro loro buona fortuna. Ascolta, ho una cosa divertente da raccontarti». Gina ridacchiò.

Jacks si sedette sul letto, mettendo da parte il mucchio di biancheria ed escrementi. «Sono tutta orecchi».

«Be', ricordi che qualche mese fa ho portato Rob a Londra per il Salone nautico?»

«Mmh mmh». Jacks si chiese dove stesse andando a parare.

«Be', ci hanno inviato una brochure in caso volessimo tornare l'anno prossimo, improbabile, abbiamo passato il viaggio di ritorno a litigare. In ogni caso, gli stavo dando un'occhiata e indovina chi vedo sulla cavolo di copertina, l'espositore di punta con uno yacht carissimo e megaostentoso?»

«Non so», rispose Jacks in tono piatto. Stava pensando a tutti i lavori che doveva ancora fare prima di andare a prendere i figli – non voleva che tornassero a casa a piedi con quel tempaccio. E si stava chiedendo come fare il pollo alla messicana speziato ma non troppo piccante, dato che a sua madre non sarebbe piaciuto.

«Devi indovinare!», insistette Gina.

«Non lo so... Gary Barlow? Il Papa?»

«Stessa cosa, ma no, non ci sei andata neanche vicina. Cervellone! Il tuo amico Sven!».

Ogni altro pensiero svanì. Jacks sentì la pulsazione accelerare e il cuore battere più forte.

Gina proseguì. «C'è una foto e tutto. Voglio dire, è invecchiato, ma è lui senza dubbio! Dice anche: "Sven Lundgren, il progettista di yacht conosciuto in tutto il mondo, sta per lanciare la sua nuova *bla bla* roba di barche al Salone nautico di quest'anno", ed eccolo lì, lui, incomparabile, in piedi sul molo! "Conosciuto in tutto il mondo", ci crederesti?».

Jacks ricordava quella notte di tanti anni fa, le sue parole incise in forma indelebile nella memoria: «Mi piacerebbe fare il marinaio... Mi piacerebbe prendere una grande barca e fare il giro del mondo, andando da un posto all'altro...». Ricordava le settimane dopo che se n'era andato senza salutare, il cuore che le si era fatto come pesantissimo, impegnato nello sforzo di non scoppiare di dolore. Aveva pianto ogni notte fino ad addormentarsi, tra lacrime calde che bagnavano il cuscino e pensieri agitati: *Che cosa farò? Cosa diavolo farò?* E poi Pete era riapparso in maniera del tutto inaspettata, la soluzione che stava cercando. Il caro e dolce Pete. Era stato come se avesse semplicemente trasferito la relazione con Sven su di lui, senza pensarci o metterlo in dubbio, non in quel momento.

«Jacks? Sei ancora lì?», urlò Gina.

«Sì! Scusa. Wow! Quando si dice una svolta inaspettata!». Deglutì le molte domande. *Sembra felice? È sposato? Ha ancora i capelli biondi? Dove vive?*

«Vuoi vedere la brochure?», chiese Gina, come se niente fosse.

Sì! Voglio vederla! Subito! Portala qui, ti prego! «Se ti va, G». Cercò di apparire altrettanto noncurante. «Portamela, ma solo se passi di qui».

«Lo farò. Ci vediamo presto, ti voglio bene».

«Anche io».

Jacks rimise a posto il telefono e si sedette contro la spalliera. Guardò il cuscino appiattito dove Pete Davies posava la testa ogni notte. Appoggiò il palmo sulla conca, chiudendo gli occhi e ricordando il suo viso gentile e speranzoso il giorno in cui le aveva fatto la proposta. Le cose a quel tempo andavano bene, sembrava tutto pieno di possibilità. Ma adesso aveva l'impressione che la sua vita fosse diventata un lungo tapis roulant, in cui doveva correre a occuparsi di tutti, a pulire il sedere di sua madre senza nessun preavviso. Pittura sbeccata e carta da parati che si staccava dovunque, scatoloni pieni di stronzate spinti in ogni angolo disponibile. Destinata a rimanere a guardare mentre lei e Pete scivolavano sempre più nella mediocrità e tutto si faceva scarso: i soldi, il calore, lo spazio e l'affetto fisico.

Sven... Non posso crederci! Scosse la testa. «Andiamo, Jacks. Riprenditi, forza», borbottò, sospirando rumorosamente. Alzandosi in piedi, prese tra le mani il mucchio di biancheria da lavare e il sacchetto di plastica puzzolente.

Mentre scendeva le scale in punta di piedi, cercando di non rimanere impigliata con i calzini nelle strisce di fissaggio che, nonostante la moquette mancasse da un pezzo, restavano ancora fermamente incollate ai gradini, ricordò a se stessa che non era colpa di Pete se vivevano in quel modo. Non è che avesse sposato David Beckham o Pierce Brosnan e questi si fosse poi trasformato nel Signor Nessuno. In fondo, aveva saputo a cosa andava incontro.

Aprendo la porta d'ingresso, Jacks gettò il sacchetto nel bidone dell'immondizia e lasciò che il coperchio si chiudesse con un tonfo. Stava per rientrare quando sentì in fondo alla strada la voce di Martha.

«Mamma! Mamma!». Era strano ma stava correndo, i capelli sciolti che svolazzavano nella pioggia e lo zaino in mano, decoro ed eleganza gettati alle ortiche.

«Rallenta! Che succede? Perché sei a casa per pranzo?». Jacks la guardò piegarsi in due e appoggiarsi al muro.

«Oh, mio Dio, mamma!», riuscì a dire Martha tra i respiri.

«Che c'è, tesoro? Fai un respiro profondo e parla». Jacks stava iniziando a sentire il panico montare leggermente.

«Jonty sta bene? Dov'è?». Con il cuore che martellava, perlustrò la strada con lo sguardo.

«Sta bene». Martha indicò dietro di sé. «Gli ho detto che saresti andata a prenderlo alla solita ora, come d'accordo».

«Giusto, perfetto. Quindi che succede, Martha?»

«Questa mattina ho ricevuto un messaggio che mi avvisava di qualche cambiamento riguardo alla mia domanda per l'università!».

«Okay». Jacks fissò la figlia. Non aveva idea di cosa significasse, ma quanto meno sembrava un problema amministrativo e non un'emergenza. I suoi muscoli si rilassarono.

«Stavo impazzendo. Non potevo accedere al sito fino alla fine delle lezioni, così ho passato la mattinata a chiedermi cosa fosse successo. Poi un attimo fa sono riuscita ad andare online e...». Deglutì ed espirò.

«Cosa? Puoi dirmelo?». *Ti prego, fa' che siano buone notizie, ti prego...*

Martha raddrizzò la schiena e la fissò negli occhi. «Ho ricevuto un'offerta da Warwick! Vogliono tre A!».

«Oh, Martha! Oh, Dio! È fantastico! Sono così fiera di te». Jacks non poté nascondere la propria gioia. Stava succedendo, stava succedendo davvero.

«E sai che ti dico, mamma? Tre A posso prenderle sicuramente!».

«Certo che puoi, puoi fare tutto quello che ti metti in testa». Urlando, Jacks prese a saltellare sul posto. Afferrò la figlia per le spalle e iniziarono ad abbracciarsi e spintonarsi l'un l'altra.

«Ho ricevuto un'offerta, mamma! Non posso crederci! Alcuni non hanno ancora neanche mandato le domande e io ho già ricevuto un'offerta!».

«È perché tu sei geniale e ti vogliono tutti». La abbracciò. «È bellissimo, bellissimo!».

«Va tutto bene, Jacks?». Ivor aprì il cancello e si tastò la tasca in cerca della chiave. Non era insolito che lui o Pete tornassero a casa, quando c'era un tempo così terribile. Pete lo chiamava un giorno da cricket – in cui la pioggia metteva fine alla partita.

«Sì! Oh, sì, Ivor. Martha ha appena ricevuto un'offerta dall'università di Warwick. Diventerà un'avvocato». Nel pronunciare quelle parole ad alta voce, le venne da piangere.

«Be', prima devo ottenere i voti richiesti». Martha rise.

«Oh, li otterrà». Jacks si asciugò le lacrime. «Sono così orgogliosa!».

«E fai bene! Bel lavoro, Martha». Ivor sorrise.

Martha si strinse nelle spalle mentre si avviavano verso casa, un po' imbarazzata da tutti quei complimenti.

«Che cosa vuoi per cena questa sera? Pensavo di fare il pollo, ma quello si conserva. Qualunque cosa vuoi, basta che lo dici e te lo farò avere!».

«Pizza?». Martha non dovette pensarci due volte.

«E che pizza sia. Oh, sì, mentre mangiamo potremmo festeggiare con un piccolo brindisi». Jacks frugò nell'armadietto del sottoscala e recuperò la bottiglia di Buck's Fizz rimasta dal Natale passato. Ne ripulì il collo dalla polvere.

«La metto in frigo per dopo!».

Marta corse su per le scale mentre Jacks faceva spazio in frigo per la bottiglia. La bolla di eccitazione nello stomaco la riempiva completamente. Era il momento! Marta cominciava a farsi strada.

Pete tossì e batté la forchetta sul tavolo. Sobbalzando, Ida si strinse il cardigan sul petto. Jacks le diede una pacca sul braccio.

«Be', questa sera abbiamo tanto da festeggiare». Pete alzò il bicchiere di Buck's Fizz. «Ottimo lavoro, Martha! Dovresti essere molto fiera di te, ragazza mia!».

Jacks annuì e bevve un sorso dal bicchiere, sentendo solletico al naso. Ridacchiò. Era una bella giornata. Jonty prese una grossa fetta di pizza e prima ancora di aver deglutito un boccone stava cercando di morderne un altro. La pizza era un lusso raro. Jacks rise di nuovo.

«Reggi così poco l'alcol». Pete le sorrise. «Bastano un paio di sorsi e sei andata». Le fece l'occhiolino.

«Quando Martha andrà a Warwick, posso spostare il suo letto?», chiese Jonty, cercando di non far uscire il cibo dalla bocca.

«Ohi! Guarda che non me ne sono ancora andata!», urlò Martha, fingendo di protestare.

«Lo so, ma posso?», chiese di nuovo Jonty, con gli occhi enormi, deglutendo, muovendo le gambe avanti e indietro contro la sedia.

«Puoi fare quello che vuoi, Jont. Io avrò la mia stanza nei dormitori e potrò urlare e suonare la musica a tutto volume senza temere di svegliarti!».

«Accidenti, dovrebbe essere forte sul serio per svegliarlo da laggiù!». Pete rise.

«E posso fare un pigiama party quando se n'è andata?», urlò Jonty.

«Sì, puoi». Jacks sorrise al figlio, intristita dal fatto che quella semplice richiesta negli ultimi due o tre anni fosse stata fuori questione.

«Sìììììì!», urlò lui, eccitatissimo.

«Aspettate un attimo, gente». Martha sollevò le mani. «Mi piacerebbe che sentiste anche un po' la mia mancanza!».

«Oh, Martha!», gridò Jacks, nello stesso momento in cui Pete diceva: «Tesoro, mi si spezzerà il cuore nel vederti andare via».

«Quanto rumore!», urlò Ida.

Jacks le toccò di nuovo il braccio. «Va tutto bene, mamma, stiamo solo festeggiando un po'. Martha oggi ha ricevuto delle notizie davvero fantastiche. Diventerà un'avvocato!».

«Avrai un distintivo a forma di stella e una pistola?», chiese Jonty.

«Quello è uno sceriffo, scemo, non un avvocato!». Martha rise.

«Non dare dello scemo a tuo fratello», la rimproverò Jacks tra le risatine.

Ida allontanò il piatto e cercò di alzarsi.

«Che succede, mamma? Vuoi salire?».

Ida annuì. Jacks posò il bicchiere sul tavolo e guardò la

famiglia riunita intorno a sé. «Voi proseguite pure senza di me. Non lasciate che la cena si freddi. Io torno subitissimo».

Aggirò il tavolo e, chiudendo la mano sotto il gomito della madre, la aiutò ad alzarsi prima di guidarla verso il montascale.

Mentre le rimboccava le coperte, pensò alla giornata piena di avventure.

«È una notizia così bella, mamma. Martha andrà all'università di Warwick! È la prima in entrambe le famiglie ad andare all'università, non è una cosa fantastica?».

Ida la ignorò. La sua bocca si muoveva come se fosse nel mezzo di una conversazione, gli occhi sorridevano a un interlocutore immaginario. Jacks guardò come cambiava la sua espressione e si chiese con chi stesse chiacchierando. Si sentì assalire da un'ondata di dolore. Nonostante il loro rapporto tormentato, la intristiva che sua madre fosse scomparsa e avesse lasciato al suo posto quel guscio di donna che pareva vivere in un universo parallelo, danzando da sola. Jacks pensò a come sarebbe stato bello avere una di quelle mamme che si facevano fare i capelli, andavano in crociera, leggevano libri e si divertivano con le altre vecchiette. Anche se, a dirla tutta, Ida non era mai stata quel tipo di donna, nemmeno prima di cadere nelle grinfie gelide della demenza. Jacks aveva pensato che non le sarebbe mai somigliata in alcun modo, non poteva immaginare di diventare come lei, eppure sapeva che già adesso provocava a volte un acuto imbarazzo nei figli, e frasi che un tempo giurava non avrebbe mai pronunciato uscivano ormai dalla sua bocca con regolarità allarmante.

«Cosa ne pensi, mamma? Credi che la storia sia un circolo? Spero proprio di no. La mia bambina, a differenza della tua, andrà dritta in cima alla piramide e questa è una cosa fantastica, no?»

«La mia... Mia...», balbettò Ida, tamburellando le dita e frugando freneticamente nella memoria in cerca della parola che le sfuggiva.

«Lettera?», la aiutò Jacks. «Non è ancora arrivata. Ma non preoccuparti, stiamo tenendo tutti quanti gli occhi aperti».

Quando Jacks riuscì a tornare di sotto, la cena era ormai finita. I ragazzi erano in soggiorno e Pete sedeva al tavolo, leggendo il «Bristol Post». Jacks iniziò a raccogliere i piatti sporchi e i bicchieri vuoti, compreso il proprio. Qualcuno l'aveva finito.

«Lo stavo dicendo proprio adesso alla mamma, abbiamo una figlia incredibile, eh?».

Pete chiuse il giornale. «Lo so. È fantastico! Riesci a crederci, la nostra piccola Martha, un'avvocato?»

«Certo che ci riesco!». Jacks sorrise mentre gettava gli avanzi di pizza nel bidone dell'umido. «Scommetto che sarà un osso duro, con una reputazione temibile. L'ho sempre saputo che avrebbe fatto qualcosa di grande».

Pete rise. «Sì, è vero».

«Come faremo a permettercelo, Pete?». Jacks interruppe il lavoro, odiando dover essere lei a sollevare l'argomento sgradevole.

«Be', i prestiti studenteschi saranno d'aiuto e direi che a questo punto possiamo dire definitivamente addio alla nostra moto!».

«La nostra veranda, intendi?»

«Ah!». Lui ridacchiò. «Hai vinto tu! Rinunceremo alla nostra veranda immaginaria piuttosto che alla nostra moto inventata».

Lei immerse i piatti nel lavello pieno di bollicine.

«Potrei sempre trovare un secondo lavoro». Il viso di Pete si fece serio di colpo.

«O potrei trovarne uno io». Jacks sapeva di non aver contribuito alle finanze di casa da quando aveva rinunciato ai turni in banca per occuparsi di sua madre a tempo pieno.

«Non funzionerebbe, Jacks. Per l'assistenza di Ida ci toccherebbe pagare più di quello che guadagneresti tu. In più, ricordi cosa è successo l'ultima volta che abbiamo preso una badante?».

Quando l'estranea aveva provato a cambiarla, Ida aveva iniziato a strillare e divincolarsi. Jacks aveva odiato vederla stare così male e si era ripromessa che non l'avrebbe costretta mai più a un'esperienza del genere.

«Troveremo una soluzione», disse Pete. «Vedrai. Il nostro gruzzoletto ci darà un po' di respiro».

Lei annuì, sperando che avesse ragione.

«Ascolta, che ne dici se vado a prendere la bottiglia di Asti che ho nascosto nel capanno degli attrezzi e ci facciamo un bicchiere o due, solo io e te? Possiamo ricreare la pista da ballo del Mr B's. Stiamo festeggiando, dopo tutto. Puoi anche accendere una delle tue candele puzzolenti». Sorrise.

«Sono profumate, non puzzolenti!». Lei rise.

«Be', è questione di opinioni!».

Jacks si sporse a baciare il suo uomo, ed entrambi si stavano godendo quel raro momento di intimità, quando la campanella suonò rumorosamente.

«La nonna chiama!», urlarono i ragazzi dal soggiorno.

Jacks si asciugò le mani sullo strofinaccio e guardò il marito. «Ci vediamo tra poco», disse e prese a salire le scale.

Dopo essere riuscita finalmente a far addormentare Ida, si mise il pigiama e scivolò sotto il copriletto accanto a Pete, che stava russando leggermente. Spense la lampada sul comodino che lui le aveva lasciato accesa, e pensò a Sven. Mentre si abbandonava al sonno, si chiese che aspetto avrebbe avuto adesso. Immaginò di arrivare a Londra, in un grande edificio. Era il Salone nautico e lui si sarebbe fatto strada nella folla, venendole incontro come se al mondo non ci fosse stato nessuno a parte lei. «Guardati! Oh, mio Dio, sembri così giovane! Vieni con me!», avrebbe detto. «È dal giorno che me ne sono andato che mi manchi!». E lei sarebbe andata via con lui, tenendolo per mano, verso una barca di legno che l'avrebbe portata molto, molto lontano, fino al lago dei Sogni, dove si sarebbero addormentati con lo sguardo rivolto alle stelle.

Le palpebre di Jacks si aprirono con un fremito leggero e lei sospirò. Ebbe appena il tempo di domandarsi pigramente se lei e Pete sarebbero mai arrivati a sostituire quel lampadario spaiato, e poi il sonno si impossessò di lei del tutto.

Dieci

Diciannove anni prima

Jacks allacciò la cintura e la allentò, odiando il modo in cui le stringeva sulla spalla.

«Messe le cinture?», chiese suo padre, come faceva ogni volta che lei saliva sulla loro Ford Escort color prugna, il suo orgoglio e la sua gioia. Aggiustò lo specchietto retrovisore.

Jacks gli rispose con un cenno del capo, l'espressione truce. Non voleva trascorrere la sua preziosissima domenica con i genitori, e soprattutto non per andare a trovare la zia Joan, che viveva a Bristol e sapeva parlare soltanto di quello che aveva mangiato e di quello che aveva in programma di mangiare e di quanto costava il suddetto cibo.

«Vuoi una caramella?». Sua madre aprì la scatolina di caramelle fatte in casa adagiate su una delicata montagnola di zucchero a velo e gliela porse attraverso lo spazio tra i sedili.

Jacks scosse la testa. Guardò sua madre e suo padre e pensò, non per la prima volta, che sembravano vecchi. Si chiese come dovesse essere avere genitori giovani e alla moda che non indossavano guanti per guidare e non portavano caramelle fatte in casa in borsette da passeggio alla Maggie Thatcher. Genitori che non dicevano: «Non so come fai ad ascoltare quell'orribile musica rimbombante!» e che sapevano come si chiamava il cantante dei Take That e non lo confondevano con Ken Barlow di *Coronation Street*.

Suo padre, come al solito, guidava troppo lentamente per i suoi gusti, prendendo strade secondarie per evitare l'autostrada.

«Ho visto la signora Davies, questa settimana». Ida inclinò la testa verso destra per farsi sentire da Jacks senza doversi voltare del tutto. «È una brava donna, ha avuto una vita difficile senza marito».

Jacks non disse niente, ma rilesse il paragrafo del suo libro di testo su quale fosse la differenza tra una società a responsabilità limitata e un proprietario unico. *Che noia.*

«Sia chiaro, ha pur sempre Pete, che è un tesoro».

Jacks sollevò lo sguardo. Non erano dovuti passare neanche cinque minuti da quando era entrata in auto perché si arrivasse all'argomento Peter Davies. «Il padre di Sven ci ha procurato l'accesso alla Wills Tower di Bristol, faremo una visita guidata sabato prossimo. Dall'alto dev'esserci una visuale splendida».

«Be', forse una di queste sere dovremmo invitare Sven e sua madre per cena». Ida lanciò un'occhiata di sbieco al marito.

Jacks sentì una stretta allo stomaco. Parlando dei suoi genitori, Sven li aveva chiamati «provinciali». Lei aveva dovuto controllare la definizione e adesso non riusciva a toglierselo dalla testa: *Tipico della gente che vive in provincia, mentalità ristretta, incolta, poco sofisticata.* Aveva ragione; erano proprio così.

«Oh, no! Mamma! Non farlo! Preferirei invitare Pete!».

«Ma pensavo che lui non ti piacesse?», intervenne suo padre, fulmineo.

«È solo che non mi piace *in quel senso.* Ed è imbarazzante. Lo devo vedere a scuola e lui darebbe solo l'impressione sbagliata alla gente, quando non è impegnato a blaterare del suo cavolo di calcio». Jacks scivolò più in basso sul sedile e gettò la testa all'indietro.

«Frequentare un calciatore non è la cosa peggiore che potrebbe capitarti, Jackie! Vivono in case enormi e fanno un sacco di vacanze in posti stranieri».

Jacks sospirò e chiuse gli occhi. «Sven ha già fatto un sacco di vacanze in posti stranieri e non ha mai tirato un calcio a un pallone in tutta la sua vita». Sorrise al pensiero.

«Oh, be', avrei dovuto immaginarlo che il signor Lì Ci Sono Stato Quello L'ho Fatto sarebbe riuscito a surclassare qualunque cosa potesse venirmi in mente! C'è qualcosa in quel ragazzo, Jackie... Mi ricordo quando è venuto a cercarti e io l'ho invitato a entrare e lui ha detto: "Grazie, ma farò una passeggiata nel giardino", e poi è rimasto lì piantato sul prato di tuo padre! È stato maleducato. Peter sarebbe entrato, avrebbe accettato una tazza di tè».

«Oh, Dio! Basta elogiare le doti di Pete Davies! La differenza principale tra lui e Sven è che Sven a me piace davvero. Soddisfatti adesso?»

«Ormai è l'unica cosa di cui parli, quel ragazzo», commentò sua madre.

«Sven!», la corresse Jacks. Meritava molto più che un semplice "quel ragazzo".

«Perché non puoi fare qualcosa di normale, Jackie?», disse Ida, con disapprovazione. «Perché non ti rendi la vita più semplice e ti lasci trascinare dalla corrente, uscendo con qualche bravo ragazzo di qui?»

«Un ragazzo di qui? Quindi è perché è straniero che non vi piace? E come renderebbe la vita più semplice?»

«Tua mamma non intendeva dire questo», intervenne suo padre.

«In realtà è proprio quello che intendevo». Ida si voltò a guardare la figlia in faccia. «Sembri scegliere sempre la strada più difficile, quella più pericolosa, poco convenzionale...».

«Sì, esatto, io sono proprio il tipo che sceglie di uscire con uno straniero non convenzionale!». Jacks sogghignò, pensando a Sven con il suo amore per l'astronomia e la sua impopolarità.

«Perché non riesci ad accettare l'idea che potremmo sapere cosa è meglio per te? Che potremmo avere a cuore i tuoi migliori interessi?», insistette Ida.

Jacks rise. I suoi genitori non la conoscevano, non davvero, figurarsi se potevano sapere cosa fosse meglio per lei.

«Non c'è niente da ridere, Jackie! Dico sul serio. È come se qualunque cosa facciamo o diciamo non bastasse mai. Peter Davies è un ragazzo davvero adorabile, ma so che dal momento che l'abbiamo suggerito noi, sarà fuori discussione. È come se agissi soltanto per farmi dispetto, per allontanarmi. A volte sai essere proprio egoista ed è davvero difficile amare le persone egoiste». Ida lanciò uno sguardo eloquente al marito.

Jacks rimase seduta in un silenzio incredulo. Sconvolta dalle parole della madre, guardò i cespugli sfrecciare a lato dell'auto mentre suo padre accelerava leggermente. Deglutì il nodo di lacrime che le si era formato in gola. Non aveva idea che per sua madre amarla risultasse difficile.

Undici

Jacks mise la freccia e parcheggiò la sua piccola Skoda nella piazzola fuori dalla scuola.

«Passa una bella giornata, tesoro». Sorrise alla figlia, avvolta in una sciarpa spessa, indispensabile in quella mattinata gelida. Erano ancora tutti elettrizzati dalla sua splendida novità.

Martha afferrò la maniglia, poi esitò e si voltò verso la madre. «Posso chiederti una cosa?»

«Certo». Jacks si girò per guardarla in faccia.

«Non hai mai paura di fare la fine della nonna?»

«Con la demenza, intendi?».

Martha annuì.

Jacks sospirò. «Be', la mia memoria è andata. Almeno una volta al giorno salgo le scale e arrivata in cima non ho la più pallida idea di cosa stavo facendo. Mi fermo, mi aggrappo al muro e ripasso mentalmente una lista. Devo andare in bagno? Sono salita a prendere la biancheria? Sto andando da tua nonna? Di solito dopo un minuto scendo di nuovo e, giuro su Dio, nel momento in cui il mio piede lascia l'ultimo gradino e tocca il pavimento, mi torna in mente. "Smacchiare il water!". O: "Cambiare le lenzuola del letto di Jonty!". Sono sempre così felice di averlo ricordato che lo urlo come se avessi vinto al bingo».

«Ti ho sentita!». Martha scosse la testa.

Jacks rise. «Ne ho parlato con alcune amiche e anche loro

lo fanno. Cerco di non preoccuparmene troppo. Io sono molto diversa dalla nonna. Ho una vita indaffarata e una famiglia che mi assorbe. Ci pensavo proprio ieri notte. Prima di ammalarsi, in realtà, la nonna non faceva altro che stare seduta sulla sua sedia a guardare la TV. Penso che questo non aiuti. Credo che puoi diventare pazzo se continui a preoccuparti di qualcosa che forse non succederà mai e che se anche succedesse, nel peggiore dei casi, non saresti più comunque abbastanza cosciente da rendertene conto».

«Io odierei fare quella fine... È come una grande bambina. È come se la sua vita fosse stata spazzata via. Mi sembra crudele». Gli occhi di Martha si riempirono di lacrime.

Jacks sospirò. «Hai ragione, è proprio come se fosse una bambina ed è crudele. Ma lei non si preoccupa delle cose di cui ci preoccupiamo noi. I suoi bisogni sono più basilari: vuole stare al caldo, mangiare e avere un po' di compagnia, e questo per lei è sufficiente».

«Presumo sia così». Martha uscì dall'auto. «Penso che tu sia fantastica, mamma, il modo in cui ti prendi cura di lei. La nonna è fortunata ad averti».

Jacks si ripeté le parole della figlia, lasciandosele volteggiare nella testa come un mantra divino. Martha non diceva mai cose del genere, nella maniera più assoluta. *E io sono fortunata ad avere te, mia meravigliosa bambina.*

Aprendo la porta d'ingresso con il piede, Jacks urlò verso le scale: «Mamma, sono tornata. Prendo il tuo porridge e salgo subitissimo!».

Il suono del campanello alle sue spalle la fece sobbalzare. Quando aprì, trovò Gina, che batteva gli stivali a terra per scacciare il freddo, magnifica nel suo nuovo taglio alla maschietto, con capelli cortissimi e spettinati, una lunga frangia sfilata tinta di arancione e qualche ciuffo rosa.

«Buon Dio, che hai fatto ai capelli?», strillò lei.

«Come dicevo a Rob, è l'ultimissima moda, questa. Chi non l'apprezza, non è al passo con i tempi». Gina entrò in casa con passo sicuro.

«Accidenti, G! Se stare al passo con i tempi significa questo, forse preferisco farne a meno!». Jacks rise.

«Comunque, non sono venuta qua a discutere il mio nuovo taglio, sono venuta a farti vedere questo!». Gina si sollevò la rivista all'altezza del petto.

Jacks abbassò lo sguardo e lì, sulla copertina, a fissarla, c'era Sven. Invecchiato, diverso, ma lui senza ombra di dubbio. Sentendo le gambe cedere, barcollò all'indietro fino ad appoggiarsi alla parete.

«Tutto a posto?». Gina si sporse e le afferrò il braccio.

Jacks annuì.

«Andiamo», la esortò l'amica, «prendiamo una tazza di tè». La accompagnò in cucina e scostò una sedia dal tavolo. «Siediti. Sembravi sul punto di svenire!».

«Mi girava un po' la testa. È quello il problema: sono tutto il giorno di corsa e se salto la colazione o non bevo qualcosa appena sveglia, finisco per pagarla. Una tazza di tè dovrebbe bastare».

Jacks sedette a tavola e fissò la rivista, guardando il viso del ragazzo che amava, un ragazzo che gli anni intercorsi avevano trasformato in uomo. Era uno shock vedere davvero, nella realtà, un volto che viveva nella sua memoria, alterato dal passaggio del tempo.

Impegnata a riempire il bollitore, Gina incontrò il suo sguardo. «Pensavo che ti avrebbe fatto ridere, vedere che fine ha fatto Cervellone».

Jacks si massaggiò le tempie. «Lo so! Sembra passata una vita da quando abbiamo avuto quella storia».

«Quella poi non l'ho mai capita, pazza che non sei altro!

Lui era tutto tranne che una bella preda». Gina rise. «Era un po' strano».

«Già, un po' strano». Jacks non confessò che dopo tutti quegli anni si trovava ancora a ripensare quotidianamente a quei tempi, né che si chiedeva spesso cosa sarebbe successo *se solo...*

«Be', questo spiega perché vi piacevate, eravate strani insieme». Gina sorrise.

«Parla quella con i capelli multicolore! Sembri una caramella crema e rabarbaro».

«Non posso credere che sia la mia migliore amica che mio marito siano così fuori moda. Qui si soffoca la mia creatività!», urlò Gina.

«Hai ragione, dovresti trasferirti a Parigi o Milano, così potresti esprimerti al meglio in mezzo a tanti altri fanatici modaioli».

«O potrei restare qui e attirare i riflettori dell'alta moda su Weston-super-Mare!».

Jacks sorrise. «Sarebbe più facile, probabilmente. Anche se pensa a tutti i latin lover italiani a cui stai rinunciando...».

«Ah, ma io non cambierei il mio Rob per nessuno. Ma non dirglielo. Sai com'è il detto, trattalo male e sarà tuo per sempre».

«Trattalo male? Siete sposati da sempre e non riuscite ancora a togliervi le mani di dosso!», la prese in giro Jacks.

Gina sorrise posandole davanti la tazza di tè. «Lo so. Siamo fortunati. Mi tratta come se fossi una principessa, davvero. E in più sa che se anche solo guardasse un'altra, gli taglierei il pene per darlo in pasto ai gabbiani. Pare che questa minaccia sia un incentivo notevole».

Ridacchiarono entrambe.

«Ti chiedi mai come sarebbe la tua vita se con Rob non

avesse funzionato? Se avessi fatto una scelta diversa, o se l'avesse fatta lui?»

«Cosa intendi?»

«Sai, se le cose fossero andate bene con quel certo qualcuno che ti faceva palpitare il cuore ma che poi è scappato dalla rete. Quello che ti è sfuggito».

«Jacks, mi conosci da una vita, di chi stai parlando? Chi è che mi sarebbe sfuggito? Pensi che il fine settimana in cui ho detto che andavo a Crawley per il matrimonio di mio cugino in realtà me la stavo spassando con Jason Donovan?»

«No! Ma sai cosa intendo».

«In realtà no». Gina la fissò.

Jacks chiuse gli occhi e fece un respiro profondo. «Forse sono solo io, ma non c'è qualcuno che ti torna in mente a volte e ti fa pensare, per un istante soltanto, a come sarebbe la tua vita se fossi finita con lui?».

Gina si mordicchiò l'unghia e ci pensò su. Quando arrivò, la sua risposta fu ben ponderata. «In tutta sincerità? No. No, ho solo Rob».

«Davvero? Hai pensato sempre e solo a Rob?». Jacks sapeva di suonare un po' arrabbiata, perché avrebbe voluto che l'amica la rassicurasse sul fatto che non era l'unica ad avere rimpianti. «Stai dicendo che in tutto il tuo passato non c'è nemmeno l'ombra di un tizio che incombe nella stanza o fa capolino nei tuoi pensieri o che immagini sdraiato accanto a te sul materasso?».

Gina guardò fuori dalla finestra come se fosse la prima volta che ci rifletteva. «No, Jacks. Mi dispiace, ma no. Non per me. So che suona noioso, ma io penso solo a Rob, perché lui mi basta. Lo amo. È tutto, per me». Si strinse nelle spalle.

«Perché? Per chi ti sei presa una cotta, piccola diavoletta? Non sarà il tizio del banco del pesce, vero? Quello con i rasta che dicevi ti sarebbe piaciuto portare a casa?»

«Per chiedergli consiglio! Ho detto che mi sarebbe piaciuto portarlo a casa perché preparasse la cena. Volevo solo sapere come cucinare il merluzzo. Non è una cotta, quella!», disse Jacks, in tono sostenuto.

«Mmh, se lo dici tu». Gina le fece l'occhiolino.

Jacks stava soppesando le parole dell'amica quando al piano di sopra Ida suonò la campanella. «Merda, non ha ancora fatto colazione». Saltò in piedi e guardò l'orologio. «Arrivo, mamma!», urlò.

«Ti lascio andare, Jacks, ma ci vediamo presto?». Gina si alzò in piedi.

«Sì, perfetto». Jacks afferrò una tazza dalla pila di piatti sporchi sullo sgocciolatoio e la sciacquò nel lavello, leggermente imbarazzata dalla discussione e impaziente che Gina se ne andasse.

Appena l'ebbe salutata, si sporse a prendere la rivista e con dita tremanti se la portò all'altezza degli occhi. La strinse al petto, cercando di sentire la presenza di Sven attraverso le pagine e avvertendo il desiderio assurdo di essersi pettinata e aver messo un po' di rossetto.

Gina aveva appiccicato un post-it sulla copertina – DIVERTITI! – presumibilmente nel caso in cui non l'avesse trovava a casa. Jacks piegò il bigliettino e se lo mise in tasca. Appoggiò la rivista sul tavolo della cucina. Lui era invecchiato, certo, ma nella foto era ancora riconoscibile. Gli stessi occhi azzurri e brillanti, lo stesso sorriso affascinante che tracciava delle rughe sulle tempie, e quella zazzera di capelli biondi e folti, che avevano ormai preso una sfumatura sabbiosa.

Jacks tracciò il suo profilo con il dito. Indossava un paio di jeans e una camicia di lino blu scuro che metteva in risalto l'abbronzatura. Sul polso portava un pesante orologio di metallo. Era a piedi nudi sul ponte di una grossa barca luccicante. Il design era agile e splendente, una struttura di cromo, vetro e legno lucidato, con lo scafo di un bianco brillante.

Jacks sentì una leggera vertigine e inspirò a fondo. Sfogliò le pagine fino a trovare l'articolo. C'era un'altra fotografia che lo mostrava seduto su un divano di pelle all'interno della barca, una più rilassata e una in cui si intravedevano il contorno del petto e l'ombra leggera della barba sul mento. L'ambiente era lussuosissimo, e si trattava solo di una barca! Era più imponente di tutte le case in cui lei avesse mai messo piede. Lanciò un'occhiata alla sua cucina in laminato beige, con lo sportello del pensile che pendeva a destra, storto sui cardini, e alle superfici di lavoro che la circondavano, ingombre di scatole di cereali troppo alte per entrare nella credenza e di recipienti di plastica contenenti qualunque cosa, dalle penne alle mollette. Fece una smorfia alle piastrelle del pavimento, scheggiate sui bordi, e l'occhio le cadde sui punti in cui Pete aveva riparato la malta danneggiata con uno stucco troppo bianco che stonava con il resto.

Ignorando il lavello pieno di piatti, la pila di biancheria ancora da suddividere e lo strato di polvere che copriva il soggiorno, rimase china in avanti, prendendosi il tempo di leggere tre volte l'articolo. Lo divorò, deglutendo i dati che conteneva. L'uomo era "single, al momento" – che cosa significava? Divorziato? Fidanzato? Vedovo? Avrebbe voluto più dettagli. Viveva a San Francisco e oltre a essere un abile velista era anche un pilota qualificato. Come poteva una persona fare tante cose e avere così tante opportunità?

La campanella di sua madre tornò a suonare e lei sobbalzò come se l'avessero sorpresa con le mani nel sacco. Chiudendo in fretta la rivista, spinse un po' di porridge nel microonde, attese il *bip* lanciando un'altra occhiata alla copertina e poi si precipitò al piano di sopra.

«Ecco, mamma, scusa il ritardo. Sono stata un po' occupata. Gina mi ha portato una rivista con la foto di un mio vecchio amico. Sven, ricordi quando parlavo di lui? Sembra passato tantissimo tempo».

Posò il porridge sul vassoio imbottito che sua madre teneva in grembo e andò ad aprire la finestra. La stanza aveva bisogno di essere arieggiata.

«Strano, vero, come a volte puoi conoscere certe persone per anni e venirne toccata a malapena, mentre altri entrano ed escono dalla tua vita come una folata di vento ma è come se lasciassero un segno che non puoi rimuovere, per quanto ti sforzi. Forse sono quelli con cui eri destinata a stare, quelli che ti sono sfuggiti. Stavo pensando...».

Si sentì un forte rumore di ciotole e poi qualcosa che sbatteva. La tazza di porridge era rotolata lungo il fianco del letto, lasciando una scia appiccicosa di chicchi d'avena che aderivano come colla al copriletto, alle lenzuola e al tappeto.

«No», disse Ida, con fermezza. «Male».

«No, no». Jacks sospirò. «Non hai fatto niente di male, mamma. Non preoccuparti, è colpa mia. Avrei dovuto assicurarmi che fosse bene in equilibrio». Recuperò la tazza e usò il cucchiaio per rimuovere quello che poteva dal tappeto. «Torno subito con una spugna e un po' di acqua calda e sapone».

Tirò indietro il copriletto e non poté trattenere un conato di vomito. Sua madre era riuscita a togliersi il pannolino e stava lì seduta tenendoselo avvolto intorno ai piedi, le gambe sporche di escrementi.

«Vado a preparare la doccia», disse lei, in tono esausto.

Era stata una giornata lunga e faticosa.

Jacks permise alla mente di spaziare mentre, per la seconda volta nel giro di poche ore, cospargeva il piano della doccia di candeggina, facendo scorrere la mano sotto il getto e strofinando le piastrelle delle pareti. Si chiese come sarebbe stato se, invece di quel cubicolo di plastica pieno di crepe, avesse avuto una doccia enorme e potente che occupava il bagno intero, in una grande casa con un solarium e vista sulla baia di San Francisco. Fermandosi sul pianerottolo, strinse il corrimano. Non vedeva più la pila di scatoloni accatastati nel corridoio. Invece, chiuse gli occhi e immaginò di ondeggiare nell'oceano su una barca che costava più di quanto la maggior parte della gente pagava per un appartamento. Avrebbe potuto essere quella, la sua vita, se avesse preso una strada diversa, una strada in cui scegliere era possibile. «Ci vorrei del ghiaccio!». Abbassando gli occhiali scuri, si rivolse al cameriere che le porgeva un alto calice di spritz bianco che frizzava sotto il sole.

«Sono io!», urlò Pete dalla porta d'ingresso. «Cos'è che vorresti?», chiese, togliendosi il cappotto e lasciando cadere le chiavi sul davanzale.

«Niente». Jacks si sentì arrossire. Lanciò un'occhiata all'orologio del pianerottolo: erano quasi le diciotto. «Ho perso il conto dell'ora». Scese le scale sorridendo debolmente.

Riempì il bollitore e lo chiuse con un *clic* per prepararglì una tazza di tè, sapendo che l'avrebbe aiutato a scongelarsi dopo una giornata passata fuori al freddo. Aprendo lo sportello del forno, guardò le patate arrostite che si stavano indorando piacevolmente.

«Che cosa diavolo…?». Pete sollevò in aria la rivista.

Jacks sentì il respiro fermarsi nella gola. *Oh, Dio!* Aveva dimenticato di nasconderla, talmente affascinata che non l'aveva voluta perdere di vista.

Pete sfogliò qualche pagina e ridacchiò, con suo grande sollievo. «Io voglio una moto, non una cavolo di barca! Anche se potrebbe essere utile, se questa pioggia continua».

«Oh, quella l'ha lasciata Gina. Ricordi che l'anno scorso lei e Rob sono andati al Salone nautico?»

«Come potrei dimenticarlo. Rob ancora ne parla. Credo gli abbiano impedito di salire sulle barche davvero costose perché non era sulla lista degli invitati. A quanto pare lui ha cercato di fregarli, ma io gli ho detto che per me ha più l'aria da proprietario di pedalò che di superyacht!».

Pete gettò la rivista sul tavolo, come se niente fosse. Jacks represse l'impulso di recuperarla, nasconderla e lisciarne le pagine per assicurarsi che fossero piatte e distese. Porse il tè a Pete e restò a guardare, con la bocca secca e un tic all'occhio, mentre lui appoggiava la tazza calda sulla foto di Sven. Il cuore le batteva all'impazzata.

In fretta, afferrò un foglio di Scottex e alzò la tazza, facendovi scivolare sotto il tovagliolo. «Meglio non bagnarla, in caso Rob la rivolesse!». La bugia le uscì di bocca facilmente. Usò la manica per pulire l'immagine di Sven dai residui di tè. Anche solo toccarne la foto sotto gli occhi di Pete la faceva arrossire. Era più che sollevata dal fatto che non l'avesse riconosciuto.

Il campanello d'ingresso suonò.

«Vado io!». Martha si precipitò giù per le scale, facendo tremare i vetri delle finestre della cucina. «Ci vediamo dopo, mamma!».

«Ma la cena è quasi pronta!». Jacks entrò in corridoio e la vide fare una smorfia, a disagio.

«La mangio quando torno». Martha indicò con il mento la porta aperta, dove Gideon l'aspettava, le mani nelle tasche dei jeans, muovendo il capo per scostarsi la frangia dagli occhi, il resto dei capelli trattenuti da un cappello di lana grezza.

«Oh, ciao, caro!».

Gideon sollevò il palmo e sorrise. «Martha, se devi mangiare possiamo uscire dopo». Sorrise di nuovo a Jacks.

«No!», urlò quasi Martha. «Andiamo». Prese la sua giacca

a vento con il cappuccio bordato di pelliccia dalla ringhiera. «Non farò tardi!». E poi sparì, come se niente fosse.

«Dov'è andata?», chiese Pete.

«Fuori con gli amici». Jacks preferiva non entrare in dettagli, almeno finché non avesse avuto la situazione un po' più sotto controllo.

«Be', è giusto che si rilassi un po'. Non può lavorare e basta, a volte bisogna anche divertirsi».

«Mmh», fece Jacks, solo parzialmente d'accordo.

Dopo cena, salì le scale per rimettere a letto sua madre e mentre lo faceva ripensò alla luce negli occhi della figlia. Conosceva fin troppo bene quella sensazione. Dopo quasi diciannove anni, ricordava ancora come se fosse ieri quella notte sul campo da gioco della scuola. La sensazione della sua mano nella propria, come le batteva il cuore.

In camera squillò il telefono. Jacks attraversò di corsa il pianerottolo. «Ehi, Gina!».

«Be'?». L'amica aveva un tono interessato.

«Be' cosa?», bisbigliò Jacks, odiando il bisogno di essere tanto cospiratoria.

«Che te ne pare di Sven? L'hai letto l'articolo? Strano vederlo così cresciuto e pieno di successo, vero?»

«Immagino di sì».

«Cosa significa, "immagino di sì"? Prima ho avuto la sensazione che fossi rimasta un po' scossa. Onestamente mi sono sentita un terzo incomodo e in giro c'era solo la sua foto!».

«Non essere sciocca», la rimproverò Jacks mentre il rossore le risaliva sul collo. Era imbarazzata e la metteva a disagio dover fare quella conversazione seduta sul letto che divideva con suo marito e con lui al piano di sotto.

Gina rise. «Ti sto solo prendendo in giro! Ma non dirmi che non hai pensato di saltare su un treno e andare al Salone nautico, a gennaio. Non dopo quello che ho scoperto oggi, che la tua cottarella per lui non è ancora passata...».

«G! Non è vero!», protestò Jacks, senza riuscire a darle della bugiarda. Poteva dire in tutta onestà che non aveva preso in seria considerazione l'idea di andare al Salone nautico, non finché non ne aveva parlato Gina.

«Voglio dire, sarà probabilmente l'unico momento della tua vita in cui sarete nello stesso Paese. E in più sai con esattezza dove si troverà. A meno che tu non stia progettando di volare a San Francisco in tempi brevi?».

Ed eccolo: il suggerimento, il seme di un'idea che sarebbe cresciuta. «Non so perché dovrei incontrarlo. Che senso avrebbe?», chiese.

«Il senso, Jacks, sarebbe quello di vedere un vecchio amico. Niente di più, niente di meno».

La campanella suonò dalla stanza di Ida.

«Devo andare. La mamma sta chiamando. Ci sentiamo presto». Jacks rimise il telefono a posto e attraversò il corridoio di corsa, con una nuova energia nei passi e un senso di eccitazione.

Dopo aver rimboccato le coperte intorno alle gambe della madre e iniziato a tirare le tende, qualcosa in strada attirò la sua attenzione. Era una coppia in piedi sotto un lampione, avvolta dall'alone morbido della luce gialla, che si baciava sotto la pioggia. Avevano le braccia strette l'uno intorno all'altra e si afferravano i vestiti, passandosi le dita sul viso e aggrappandosi l'uno all'altra come se ne andasse della loro vita. Lei assottigliò gli occhi nel buio, confermando il sospetto originato dal sussulto dello stomaco. Erano Martha e Gideon.

«Per l'amore di Dio!». Jacks sospirò e scese al piano di sotto.

In corridoio superò Pete. «Penso che andrò a letto presto, Jacks. Ci vediamo su?».

Lei annuì mentre lui la baciava delicatamente sulla fronte. Provò fastidio per la formalità amichevole di quel gesto. Quando erano diventati tanto asessuati? Non erano così, un tempo, non quando si trattava dell'atto in sé. L'avevano fatto dappertutto, all'inizio, in qualunque posto. Era stato divertente, eccitante! Nel corso degli anni, erano passati a un sesso normale e silenzioso, fatto nella stessa posizione, sempre e solo in camera, sotto il copriletto, in silenzio e con le luci spente. E dopo l'arrivo di Jonty, anche quello era diventato poco frequente. Qualunque film, libro e documentario sembrava insistere sul sesso con profusione di dettagli, come per farle notare ciò che si stava perdendo. Jacks era diventata un'esperta nell'inventarsi distrazioni non appena in TV arrivava una scena un po' troppo osé. Dall'alzarsi per preparare una tazza di tè all'iniziare a lavorare a maglia perdendosi nel ritmo dei ferri al fingere un attacco di tosse che la obbligava a correre in cucina per un bicchiere d'acqua. Qualunque cosa pur di non essere costretta a vedere quello che si stava perdendo, quello che si stavano perdendo entrambi. E le mancava davvero: era stata una parte importante della loro relazione.

E a quanto pare adesso anche Martha era entrata nel mondo del sesso e in quel preciso momento stava facendo pratica in quell'arte per strada, contro il lampione.

Jacks sedette sulle scale e attese.

Trascorse una mezz'ora che parve un giorno prima che Martha infilasse la chiave nella porta e si trovasse faccia a faccia con sua madre.

«Che cosa stai facendo? Perché sei seduta sulle scale?». Sembrava incredula.

Jacks non poté evitare di notare quanto apparivano gonfie le sue labbra. «Ti stavo aspettando».

«Okaaaay». Martha lanciò un'occhiata al telefono, le dita

arrossate dal freddo. «Non sono neanche le dieci». Si tolse il cappotto e scosse i capelli.

«Vieni in cucina». Jacks si alzò e seguì la figlia lungo il corridoio fiocamente illuminato. «Siediti». Indicò una sedia. Si accomodarono entrambe.

«Lui ti piace, vero?». Jacks guardò gli occhi di Martha luccicare mentre lei annuiva, cercando di trattenere il sorriso che le si allargava sul volto. «Sembra un bravo ragazzo».

«Lo è, mamma. È meraviglioso». Sorrise di nuovo inclinando la testa con aria sognante.

«Io voglio che tu sia felice, Martha, davvero. E voglio che tu abbia le tue avventure. Ma sono preoccupata».

«Be', puoi smettere di farlo, perché io sono felice e sto avendo un'avventura fantastica, quindi è tutto a posto».

Jacks si raccolse i capelli in una coda di cavallo che fermò con l'elastico che teneva sempre intorno al polso. «Bene. Ma quello che mi preoccupa è la possibilità che questo ti distragga dagli studi. L'offerta di Warwick non significa niente se non ottieni i voti richiesti, e per ottenere tre A dovrai lavorare parecchio».

«Lo so e non sono distratta. Non vedo perché non posso avere entrambe le cose. Otterrò i miei voti, ma ho bisogno anche di Gideon». Martha sembrava sul punto di scoppiare in lacrime.

«Hai bisogno di lui?». Jacks fu presa in contropiede. La cosa era evidentemente andata più in là di quanto credeva.

«Sì, mamma. Mi fa sentire bene. È una delle persone più interessanti che ho mai conosciuto. Stare con lui mi piace davvero».

Jacks soffocò il desiderio di urlare. «Ne sono certa, ma la tua vita è appena iniziata e vi aspettano strade diverse».

«Dici così perché lui non andrà all'università e non smania dal bisogno di lasciare Weston?»

«Più o meno», confessò Jacks. «Chi può sapere chi incontrerai a Warwick».

Martha alzò gli occhi al cielo e si tirò gli orli della felpa sulle mani. «Forse a Warwick non voglio incontrare nessuno, forse mi piace quello che ho trovato qui, un ragazzo del posto».

«No!».

«Che cosa significa, "no"?». Martha alzò la voce per essere allo stesso livello della madre.

«Significa che sei troppo giovane per sapere cosa vuoi mentre io mi rendo conto che quel ragazzo...».

«Gideon!», la corresse Martha.

«Gideon, o come diavolo si chiama, potrebbe essere la cosa che si mette in mezzo tra te e il tuo sogno di diventare avvocato!».

Martha sospirò e si passò le dita tra i capelli, grattandosi la testa. «Neanche lo conosci, eppure hai già deciso che non ti piace. Si vede benissimo che hai deciso che non ti piace chi è o quello che fa!».

«Non è vero, non ho niente contro di lui come persona. Ma perché non puoi accettare l'idea che forse so cosa è meglio per te? Che forse ho a cuore i tuoi migliori interessi?»

«Perché lo so io cosa è meglio per me! E già che ci siamo, diventare avvocato è il *tuo* sogno, mamma. Non è necessariamente il mio!».

Jacks rimase seduta in silenzio, come se l'avesse colpita. Era la cosa peggiore che potesse sentire.

Martha non aveva ancora finito. «Penso che il problema sia che stai vivendo la tua vita vicariamente, attraverso di me. Ed è una sensazione schifosa. Non è giusto».

«Controlla la lingua, per favore». Jacks non poteva dire nient'altro, perché non sapeva cosa significasse di preciso "vicariamente".

«Hai così tante opportunità, Martha. Non voglio che sprechi la tua vita, neanche un solo giorno!». Jacks prese un asciugamano dalla pila di biancheria sulla sedia e iniziò a piegarlo, aiutandosi con il petto e il mento.

Martha fece strusciare la sedia sulle piastrelle del pavimento. «Non sto sprecando nessun giorno! Sto passando il tempo in cui non studio con Gideon, e questo non è uno spreco». Guardò la madre, in attesa di una risposta che non arrivò. «Adesso vado a letto, nella camera che devo dividere con il mio fratellino!», sbottò. E uscì dalla stanza con atteggiamento irritato.

Jacks si lasciò scivolare a terra e sedette con la schiena contro il mobile della cucina mentre stropicciava l'asciugamano che teneva tra le mani, lasciando libero sfogo alle lacrime. Rimase lì seduta per qualche minuto prima di riuscire a ricomporsi. Poi si alzò su gambe tremanti e frugò tra gomitoli di corda, vecchi tubetti di supercolla e un kit di cucito prima di estrarre un dizionario tascabile dal fondo del cassetto pieno di cianfrusaglie.

Fece scorrere il palmo sulla copertina, leggermente appiccicosa in un angolo. Era stato il compagno dei cruciverba di suo padre per più anni di quanti poteva ricordare. Piegò il dorso e lasciò che le pagine sottili frusciassero l'una contro l'altra. Gli occhi si socchiusero in un sorriso quando notò il puntino rosso che di tanto in tanto contrassegnava una parola. Quando suo padre cercava il significato di qualche termine, lo segnava con un puntino rosso; se doveva cercarlo due volte, faceva tre segni per assicurarsi di averlo imparato. A tre puntini non si arrivava mai.

Jacks tenne il libro a distanza di braccio e lì, incastrato tra *viburno* e *vicario*, c'era *vicariamente*. «Vi-ca-ria-men-te». Pronunciò il termine a voce alta e poi lesse la definizione: "Sperimentato nell'immaginazione attraverso i sentimenti o le azioni di un'altra persona".

Chiuse il libricino e lo rimise nel cassetto. Be', Martha aveva ragione, era proprio così. Ma quale madre non faceva lo stesso? Ricordava le lezioni di danza che la figlia aveva preso alle elementari, piene di mamme grassocce in fila sulle sedie in fondo alla sala parrocchiale, tutte a immaginare la loro adorata bambina che, con addosso un tutù elaborato e le braccia piene di fiori, faceva l'inchino davanti alla Royal Opera House. Qualcosa di completamente diverso dalla vocina stridula della signorina Greenwood che ordinava: «Sorriso, *en pointe*, sorriso!». E quelle mamme non stavano pensando solo alla trasformazione dei loro anatroccoli sgraziati in cigni; immaginavano se stesse tra il pubblico, ad accettare graziosamente i sorrisi di riconoscimento per la brillantezza delle figlie.

Jacks non era diversa, solo che le sue aspirazioni non riguardavano tutù e balletti in punta di piedi. Immaginava Martha viaggiare in business class, con un completo di Jaeger e una carta di credito aziendale. Potevano tenersela, la loro Royal Opera House. Sua figlia puntava alla città e nessun adolescente cupo con un talento per i baci e bei denti le avrebbe impedito di raggiungerla.

Jacks sentì le lacrime tornare, e poi, neanche a farlo apposta, suonò la campanella. «Porca puttana!», bisbigliò lei, iniziando a salire le scale.

Dodici

Diciannove anni prima

Era iniziata come una giornata qualunque, nulla di strano da segnalare. Jacks era andata a scuola a piedi e si era sorbita due ore di Inglese seguite da Arte, durante la quale aveva fatto del suo meglio per immortalare la scodella di frutta appoggiata sul tavolo, cercando di non sognare a occhi aperti.

Adesso era a testa alta tra i ragazzi in fila per il pranzo – essere all'ultimo anno le concedeva un certo prestigio all'interno della comunità scolastica. Ogni volta che le porte si aprivano i suoi occhi correvano a cercare Gina, dato che preferiva decisamente trascorrere gli intervalli in sua compagnia. Per fortuna aveva una copia di «Marie Claire» arrotolata nello zaino, in caso si fosse trovata sola.

Aspettava che la coda lenta avanzasse. I ragazzini più piccoli sembravano impiegare un'eternità a scegliere, esitando tra piselli o fagioli con «mmh» e «ah» incerti e tenendo goffamente in equilibrio posate, zaini e cartoni di succo. Con il vassoio di plastica arancione premuto contro il fianco, lei sospirò, cercando di decidersi tra un panino al prosciutto e la zuppa del giorno. Due ragazze più piccole di lei di un anno stavano l'una di fronte all'altra, tanto vicine da sembrare sul punto di scontrarsi. Non appena sentì il nome di Sven, Jacks si sintonizzò sulla loro conversazione.

«Sì, quello Sven, quello con i maglioni strani che viene dalla Norvegia».

La cosa la fece sorridere. *Norvegia?* Che stupide. Ma il sorriso evaporò immediatamente.

«Si trasferisce in America! Voglio dire, è fighissimo, non trovi? Anche per un tipo strano come lui. Mia zia è andata in America, ha detto che è fantastica. Scommetto che andrà a Hollywood e tutto...».

Jacks sentiva le gambe tremare. Indietreggiò, fingendo di uscire dalla fila con disinvoltura e non perché temeva di essere sul punto di vomitare. Mentre rimetteva a posto il suo vassoio inutilizzato, Gina arrivò di corsa.

«Ehi! Che si mangia? Vai a prendere il posto, io ti raggiungo!». Scuotendo il corpo robusto, Gina iniziò a cantare, offrendo una sentita interpretazione di *Baby, Come Back*, del tutto ignara della situazione in cui si trovava l'amica.

«Io... Io torno subito», riuscì a dire Jacks prima di uscire dalla mensa. Correndo per il corridoio oltrepassò la sala comune, notando con un'occhiata veloce che lui non era lì, poi andò al laboratorio di fisica, dove, poiché era un alunno modello, i professori gli permettevano a volte di nascondersi. Ma era vuoto anche quello.

Jacks scese le scale di corsa. Il cuore le martellava, sentiva le lacrime raccogliersi dietro agli occhi e qualcosa di simile alla rabbia scorrere nelle vene. Con dita tremanti si risistemò la cinghia dello zaino sulla spalla e afferrò il corrimano per evitare una caduta.

Quando finalmente lo trovò, fuori, seduto sotto la grossa quercia a lato del campo, le sue pulsazioni avevano raggiunto livelli esorbitanti.

Non ci fu bisogno che lui confermasse la notizia. Le bastò vedere la sua espressione mentre distoglieva lo sguardo, incapace di guardarla negli occhi, per sapere tutto quello che le serviva. Era vero. Si stava trasferendo in America e non si era neanche preso il disturbo di dirglielo.

Crollò in ginocchio di fronte a lui, mentre l'adrenalina e la rabbia scemavano, lasciandola esausta.

«Io... ho una cosa da dirti». Sembrava serio.

«Non preoccuparti, lo so già». Lei giocherellò con la fibbia dello zaino. «Grazie, a proposito. Come pensi che mi sia sentita, a scoprirlo da ragazzine del cavolo in fila per la mensa?». Nonostante gli sforzi per restare calma, le labbra le tremavano e le lacrime iniziarono a sgorgare. Triste e imbarazzata, abbassò lo sguardo.

«Anche io l'ho appena saputo. Volevo... dirtelo di persona, ma il signor Quidgley mi ha chiesto se il prossimo semestre potevo capitanare la squadra per le Olimpiadi della Fisica e io gli ho detto che non ci sarei stato e lui ha chiesto perché e... è venuto fuori». Spezzò un ramoscello scuro tra le dita e scosse la testa, come cercando le parole giuste.

«Grazie tante, Sven». C'erano così tanti motivi per cui Jacks era arrabbiata; aver ricevuto la notizia di seconda mano era soltanto una delle ragioni.

Lui si chinò in avanti finché non si trovarono faccia a faccia, a pochi centimetri di distanza l'uno dall'altra. «Questa notte non ho dormito. Sono stati i miei genitori a decidere: mio padre accetterà un posto di lettore ad Harvard, vivremo a Boston e questo è quanto, io non posso farci nulla. Ma non voglio lasciarti. Voglio che tu venga con me!». I suoi occhi scintillavano come se questa fosse la brillante soluzione che stavano cercando.

«Come potrei venire con te? Non essere assurdo! Che faccio, prendo lo zaino e ti seguo a Boston? Questa è la vita vera, Sven, non una delle tue cavolo di poesie col finale romantico da favola».

«Sei troppo intelligente per questo posto, Jacks; più intelligente di tutti quelli che ci vivono. Non lasciare che questo codice postale si trasformi in una palla al piede. Vieni in America, tra qualche mese avrai diciotto anni e potrai fare quello che vuoi! Potremo viaggiare, tu potrai lavorare, possiamo pianificare un futuro!».

Sorrise, raggiante, e Jacks si trovò a sorridere a sua volta. Sembrava possibile, come se avesse davvero la possibilità di andare a vivere con il ragazzo che amava e vedere il Paese che aveva sempre sognato di visitare.

«Non so come...». Si interruppe.

«Troveremo un modo!».

«Ma mia madre e mio padre...».

«Loro che c'entrano? Hai intenzione di legarti a loro per il resto della vita? Rimanere qui come una bambina, passeggiando per il molo finché non diventerai vecchia? O vuoi venire con me a vedere il mondo?».

Lei lo guardò, cercando il modo di spiegargli che ciò che desiderava e ciò che sentiva di poter fare erano due cose molto diverse. Lui faceva sembrare tutto così semplice, così possibile.

Sven le prese la mano, guardandola con occhi sinceri, e in quel momento lei seppe che avrebbe dovuto trovare un modo. Sarebbe andata in America!

Tredici

Jacks scese in cucina con un cesto di plastica pieno di lenzuola sporche. Il primo carico della giornata ma di certo non l'ultimo. Le ammucchiò nella lavatrice. «Preparerò dei festoni», annunciò.

«Cosa, per colazione?». Pete rise. «Perché non puoi fare del pane tostato come tutti?».

Lei lo ignorò. «Per Natale. Stavo pensando che potrebbe essere un bel modo di vivacizzare un po' questo schifo di cucina, renderla più accogliente. L'ho visto in una rivista».

«Come si fanno i festoni?», chiese lui.

«Non lo so, ma mi verrà in mente qualcosa. Non può essere così difficile». Prese posto a tavola.

«Hai l'aria stanca», osservò Pete mentre lei beveva un piccolo sorso dalla prima tazza di tè della giornata. Durante il tempo che aveva impiegato a prendersi cura di sua madre si era raffreddato.

«Ho l'aria stanca perché sono stanca, quindi immagino abbia senso». Scosse il flacone di detergente per versarne un po' in una coppetta e lo rovesciò nell'erogatore.

«Cosa posso fare per aiutarti?», chiese lui. «Potrei preparare la cena questa sera?».

Jacks sorrise. «Grazie, amore, ma no. Passi tutta la giornata fuori a lavorare, il minimo che posso fare è prepararti la cena. Poi se faccio io è più facile mettere in ordine».

Lui sogghignò. «Stai dicendo che sono disordinato?»

«Pete, disordinato è dir poco. Quando finisci, è come se fosse scoppiata una fabbrica alimentare». Rise, nonostante tutto. «Martha te l'ha detto che ha un ragazzo?».

Finì di spingere le lenzuola nella lavatrice e chiuse lo sportello difettoso con un calcio, poi si sporse di nuovo a prendere la tazza e la tenne tra i palmi.

«Be', so che esce con un ragazzo, ma è *il suo* ragazzo? Probabilmente no, è troppo giovane». Pete si infilò in bocca una cucchiaiata di cornflakes.

«Ha diciassette anni, diciotto a gennaio e, bada bene, è *davvero* il suo ragazzo». Lei sospirò. «Ieri sera li ho visti che si baciavano. Per strada».

«No!». Pete sogghignò.

«Sì! E non ci trovo niente da ridere».

«Lo conosciamo?»

«Si chiama Gideon».

«Gideon?». Lui rise. «Che razza di nome è?»

«Pete, non è il suo nome il problema». Lei sospirò di nuovo, questa volta più forte. «Lavora in un'autofficina in città».

«Non va a scuola, quindi?». Pete sollevò lo sguardo.

«No, ha un paio d'anni più di lei».

«Be', finché la tratta bene e lei è felice...».

Jacks scosse la testa. «Sei pazzo, Pete? Noi non vogliamo che abbia un ragazzo!».

«No?». Lui parve confuso.

«No! Ha bisogno di studiare, deve prendere quelle A! Santo cielo, sono l'unica a rendersene conto?». Jacks sbatté la tazza sul tavolo.

«Non è stupida, Jacks. Conosce le sue responsabilità. E la cosa peggiore che puoi fare è darle contro. Lo renderai solo più attraente».

«Renderà chi più attraente?», chiese Martha entrando in cucina.

«Il tuo ragazzo», rispose onestamente Pete.

Martha gli sorrise. Suo padre non le mentiva mai.

«Perché non lo inviti a casa per cena, una sera?», propose Pete, ignorando l'occhiataccia con cui Jacks lo fulminava dal lavello.

«Pensi sia il caso?», domandò Martha, nervosamente.

«Sì!», disse Pete. «Ci piacerebbe incontrarlo come si deve, non è vero, amore?», chiese, voltandosi verso Jacks.

«Mmh». Lei annuì con quanto più entusiasmo possibile.

«D'accordo, allora glielo chiederò. Ce l'ho una camicetta, mamma?»

«Nell'armadio asciugabiancheria».

«Maaamma, oggi non posso andare a scuola!», urlò Jonty dalla stanza da letto.

«Perché no?», gridò lei dai piedi delle scale.

«Ho mal di pancia per il ciclo!».

Jacks si accasciò sul corrimano. Martha crollò contro la parete ridacchiando e Pete scoppiò in una risata fragorosa.

«Perché ridete tutti?», strillò Jonty. «È vero! Quando ce l'aveva Martha l'avete lasciata rimanere a casa e adesso ce l'ho io!».

Questo non fece che aumentare l'ilarità degli altri tre.

Ida iniziò a suonare la campanella. «Mi serve aiuto! Ho fatto il liquido!».

Pete continuò a ridere mentre Jacks tornava in cucina e apriva il rubinetto. «Siamo la famiglia più svitata di tutto il quartiere! Dio solo sa cosa penserà di noi Giddyup o come diavolo si chiama!». Nel suo sorriso c'era un accenno di qualcosa che somigliava all'orgoglio. «Probabilmente scapperà a gambe levate!».

E addirittura Martha ridacchiò.

Possiamo solo sperarlo, pensò Jacks mentre saliva le scale di corsa armata di bacinella d'acqua, detergente, guanti di gomma e spugna.

Qualche giorno dopo, i festoni di Jacks non stavano venendo niente male. Lei fece scorrere le dita sui triangolini che aveva ritagliato da un'accozzaglia di stoffe provenienti dalle pesche di beneficenza e cucito su un nastro rosso. *Mancano ancora tre settimane a Natale*, pensò, mentre toglieva il mucchio sempre più grosso dal tavolo della cucina. Passò l'aspirapolvere, fece del suo meglio per mettere in ordine il soggiorno, accese una candela profumata sulla mensola del caminetto e apparecchiò la tavola.

Martha, nel frattempo, divideva il suo tempo tra il controllare ripetutamente il telefono e il guardarsi nello specchio del corridoio. «Mi sento cattiva, a costringere la nonna a mangiare di sopra mentre noi siamo tutti qui», se ne uscì mentre Jacks preparava il vassoio per la cena di Ida.

«A lei mangiare lassù piace, tesoro. Ed è solo per una sera. Avere intorno qualcuno che non conosce potrebbe metterle ansia, e in più intorno al tavolo ci stanno solo cinque sedie, e questo già stando stretti. Dove la metteremmo, sul frigo?».

Martha sorrise.

«O magari lì potremmo metterci Jonty? Probabilmente gli piacerebbe anche!». Jacks ridacchiò.

Il campanello suonò e Martha si precipitò verso la porta, scivolando con i calzini sul pavimento del corridoio e raggiungendola prima ancora dell'ultimo trillo.

Jacks notò il suo entusiasmo e fece un respiro profondo. Si guardò riflessa nel vetro della finestra e vide il volto di suo padre. *Oh, papà, ci sto provando, davvero.* Sorridendo, si voltò per dare il benvenuto al ragazzo di Martha.

«Salve. Grazie per avermi invitato. Le ho portato questi». Lui le porse un mazzo di minuscole roselline gialle.

Era un sacco di tempo che qualcuno non le portava dei fiori. «Oh, Gideon, non avresti dovuto! Grazie!». Il gesto l'aveva toccata e andò immediatamente a metterli nel vaso di vetro che teneva sempre nel mobiletto sotto il lavandino.

«Volevo portare una bottiglia di vino, ma a dire il vero io non bevo e non sapevo quale scegliere. Si somigliano tutti, a parte la differenza tra i rossi e i bianchi, chiaramente».

Martha rise come se si trattasse della battuta più divertente che fosse mai stata pronunciata. Pete entrò e strinse la mano di Gideon: una mano con tracce d'olio nero sotto le unghie, da lavoratore, come le sue.

«Accidenti, le hai portato dei fiori?». Indicò Jacks con il pollice. «Cos'è, stai cercando di farmi sfigurare?».

Gideon rise.

«Siediti, tesoro». Jacks gli offrì una sedia. «Jonty, la tua cena è pronta!», urlò dal corridoio.

Jonty scese le scale rumorosamente e prese posto davanti al loro ospite.

«Come va la pancia, Jonty?», chiese Pete.

«Sei stato male?», disse Gideon.

«No». Jonty fece il broncio. Non voleva parlare del malanno di qualche giorno prima, dopo che sua madre l'aveva correttamente informato mentre andavano a scuola in auto.

«Quindi, Gideon, dove abiti?», chiese Jacks mentre tagliava il timballo di rognone e manzo e gliene metteva una fetta nel piatto.

«La ringrazio, sembra buonissimo», rispose lui. «In Alfred Street. Non troppo lontano».

«Hai vissuto sempre a Weston?», domandò Pete, avventandosi sul timballo croccante, il suo piatto preferito.

Gideon scosse la testa. «No, ci siamo trasferiti qui quando mamma e papà hanno divorziato. Avevo dieci anni. Prima vivevamo a Bristol, nel distretto di Bedminster. Ma poi a mia madre hanno offerto lavoro all'ospedale generale di Weston, fa l'infermiera».

«Ah, mia madre faceva l'infermiera», disse Pete. «È morta qualche anno fa».

Gideon parve un po' a disagio, come se non sapesse se era il caso di offrire le sue condoglianze, dopo tutto quel tempo. La cosa portò a un silenzio imbarazzato, che venne infine rotto da Pete.

«Sei tipo da calcio?», chiese.

«Sì. Adoro il calcio». Gideon sorrise a Martha, come se avesse dato la risposta corretta.

«Per chi tifi?».

Ci fu un attimo di tensione mentre tutti aspettavano di sentire quale nome sarebbe uscito dalle sue labbra.

«Per il Rovers». Gideon guardò Pete negli occhi, prima di accasciarsi sul tavolo ridacchiando. «Nah, scherzavo. Per il City».

Pete sorrise raggiante. «Così mi piaci!».

Martha rise. Era evidente che l'aveva preparato bene.

«Che stagione assurda, però», proseguì Pete.

Gideon si chinò in avanti. «Non c'è coesione, è questo il problema. Tutti pensano alla gloria individuale, non danno sempre l'impressione di essere una squadra».

Pete annuì. «È vero, ma lo spirito di squadra deve arrivare dall'alto e non c'è neanche lì. Dovremmo riprenderci Russell Osman. La sapeva lunga, il Grande Russ». Fece l'occhiolino alla figlia, comunicandole la sua approvazione.

Jacks gemette dentro di sé mentre preparava il piatto di sua madre e saliva le scale con lo speciale vassoio imbottito. Il suo sorriso era scomparso non appena aveva lasciato la cucina. Era un ragazzo simpatico – educato, ed era stato carino a portarle i fiori – ma lei aveva sperato che fosse un disastro. Adesso che anche Pete era chiaramente cotto, sarebbe stato solo più difficile tenere separati lui e Martha.

Aprì la porta della camera con il piede. «Eccoci qui, mamma. Una bella fetta di timballo di rognone e manzo con piselli e patate. Non è troppo caldo. Tu mangia quello che riesci, l'ho tagliato a pezzettini piccoli. Ti aiuto a iniziare».

Le mise in mano il cucchiaio e osservò sua madre portarselo alla bocca, sbattendosi il cibo schiacciato sulle gengive e lasciando che la maggior parte ricadesse sul vassoio.

«Martha ha portato a casa un amico per cena. Un ragazzo, ci credi? Non lo so, mamma, sembrano solo cinque minuti fa che iniziava ad andare a scuola e adesso l'ha quasi finita. Mi fa sentire vecchia».

Ida schiacciò tra le labbra altri piselli, alcuni dei quali le rimasero incollati al mento in una striscia di poltiglia verdastra. Aveva sempre mangiato in modo disordinato, in effetti era disordinata in generale e i lavori di casa non le erano mai piaciuti molto. Negli ultimi anni la cosa aveva fatto impazzire Don. Aveva preso lui il controllo della situazione, diventando quasi puntiglioso nella sua ricerca di ordine. Sentiva il bisogno assoluto di tagliare il pane in fette perfette – la sua capacità di tenere dritta la pagnotta era un'arte. Allo stesso modo lo ossessionava il fazzoletto d'erba sul retro della casa: un quadrato non più grande di tre metri per lato, che non veniva mai intaccato da erbacce o foglie volanti ed era sempre chiamato amorevolmente "il prato". Jacks capiva adesso che aveva voluto controllare quelle piccolezze perché erano le uniche cose che riusciva a gestire. Non poteva costringere sua moglie a mostrarsi gentile nei suoi confronti, o a smettere di appendere i reggiseni sporchi alla ringhiera in bella vista, ma finché poteva avere fette di pane simmetriche e un prato perfetto, lui era felice. Ora Jacks trovava che la cosa avesse senso.

«Io vado via», annunciò Ida masticando il boccone.

«Oh, fantastico. Assicurati di finire la cena prima di andare».

«Vado a fare un viaggio per trovare la mia lettera».

«Non dimenticarti di mandarmi una cartolina e di portarmi a casa un bel bastoncino di zucchero». Jacks sorrise e lasciò la porta socchiusa.

Scese le scale e rimase nel corridoio, ascoltando il ragazzo che teneva banco a tavola.

«Ho fatto un sacco di ricerche. Nessuno sta facendo quello che voglio fare io a un prezzo abbordabile. Di solito i kit estetici e i lavori per personalizzare le auto sono accessibili solo alla parte alta del bacino di clienti, ma io credo ci siano un sacco di persone con auto di livello medio-basso che andrebbero matte per qualche modifica non troppo costosa. Sapete, cruscotti illuminati, subwoofer al neon, sedili di pelliccia, qualsiasi cosa!».

«Vedo che la cosa ti prende molto». Pete era colpito.

«Sì. Non voglio dipendere da altri per il mio stipendio, voglio essere il padrone di me stesso, lavorare duro e vedere dove riesco ad arrivare».

Lei sentì Pete sospirare. «Questo è parlare. Essere tu il tuo stesso padrone, dev'essere quello il sogno, è vero, potersi gestire da soli».

Jacks riprese il suo posto al tavolo e notò il modo in cui Martha guardava Gideon, facendo attenzione a ogni suo movimento, incapace di distogliere gli occhi da lui. Sentì un tuffo al cuore. La ragazza lo amava. Jacks riconosceva gli sguardi di desiderio e ammirazione. E l'amore, in confronto a una cotta adolescenziale, era tutta un'altra questione.

Salutarono Gideon sulla porta. Martha si diresse in camera con un'espressione sognante dipinta sul viso e Pete raccolse lo strofinaccio per asciugare i piatti mentre Jacks li lavava.

«Sembra un bravo ragazzo. È educato, lavora duro e ha davvero delle buone idee, è convinto che questa sua attività di personalizzazione degli interni auto abbia un futuro. Sembra sapere di cosa sta parlando».

«Quello di cui sta parlando significa restare a Weston-super-Mare per il resto della sua vita, guardando i negozi chiudere i battenti uno dopo l'altro e vivendo in una casa di merda che si può a malapena permettere, finché un giorno non si sveglia ed è vecchio e grigio! E se lo lasciamo fare, cercherà di trascinare con sé anche Martha!». Jacks pronunciò quelle parole quasi sputandole.

Pete era sconvolto. «Cioè, come ho fatto io con te, intendi?». Aveva le guance arrossate e Jacks poteva vedere il lampo di dolore nei suoi occhi. Sentì una fitta di vergogna.

«No!». Esitò, non sapendo quanto fosse il caso di ammettere. «Non è quello. Sai che ti amo, e che amo i ragazzi. Le cose per noi erano diverse. È solo che… voglio il meglio per Martha e a volte… mi sembra di essere l'unica. È come se io riuscissi a vedere cosa sta succedendo mentre voi altri tenete la testa nella sabbia». Affondò di nuovo le mani nelle bollicine e sfregò vigorosamente il piatto incrostato del timballo.

«Be', fantastico. Come chiudere in bellezza una serata assolutamente piacevole. Grazie, Jacks». Pete gettò lo strofinaccio sullo sgocciolatoio e salì al piano di sopra.

«State litigando per me, tu e papà?», chiese Martha dalla soglia.

«In un certo senso». Jacks si asciugò le mani.

«Lo sapevo che lui non ti sarebbe piaciuto. L'avevo detto, non è vero?». Martha sembrava quasi implorarla.

«In realtà mi è piaciuto. Mi è piaciuto molto. È un bravo ragazzo...».

«Lo è davvero, mamma!», disse Martha in tono enfatico.

Jacks annuì. «È solo che...».

«Cosa?». Martha incrociò le braccia sul petto, pronta a rispondere a qualunque commento.

«Niente, tesoro. Niente. Io che cosa ne so, alla fine?».

Oltrepassò la figlia e si diresse verso il bagno, l'unica stanza della casa con una porta che poteva chiudere a chiave per stare sola.

Sedette sul pavimento, lasciando che il freddo delle mattonelle filtrasse attraverso i jeans e la gelasse fin nelle ossa. Lanciò un'occhiata al lavandino, dove Martha aveva posato i flaconi dello shampoo e del balsamo girati al contrario, per lasciare scendere il sapone per un ultimo lavaggio. Vedere quel piccolo atto di parsimonia fu la goccia che fece traboccare il vaso.

Voleva così tanto di più per i suoi figli. Voleva che potessero godersi il lusso di un bagno caldo pieno di bollicine senza preoccuparsi di quanta acqua stavano usando, e che potessero lavarsi i capelli senza spremere a fatica il liquido da un flacone a prezzo scontato.

Jacks si mise la testa tra le mani e pianse. Desiderò che le cose fossero diverse, e desiderò di non aver ferito Pete, che si era sforzato e aveva fatto sentire Gideon benvenuto in casa loro. Seduta a terra, cercò di recuperare il controllo. Facendo due respiri profondi, si strofinò gli occhi.

Era lì da ben cinque minuti quando Jonty venne a bussare.

«Maaamma?»

«Sì, tesoro?». Controllò la voce, tentando di riprendersi.

«Devo fare la cacca!».

«Mi sembra logico». Jacks sorrise, si alzò e aprì la porta, tamponandosi intanto il viso con l'asciugamano.

Nell'entrare, Jonty le andò a sbattere contro e la superò di corsa, saltellando da un piede all'altro e tenendosi con la mano i pantaloni già sbottonati e con la cerniera abbassata per risparmiare tempo.

Ecco, il suo momento per sé era finito. Era ora di tornare ai piatti. Chiuse il battente dietro Jonty e si diresse verso la stanza di Ida. La porta era chiusa. Jacks bussò delicatamente con le nocche, come le capitava di fare di tanto in tanto, e la spalancò. Infilò la testa e guardò il letto. Le coperte erano in disordine, e fu sorpresa di trovarlo vuoto.

«Mamma?». Cercò dietro la porta e dall'altra parte del letto, in caso Ida fosse caduta a terra, come temeva sempre che succedesse. Si sporse oltre la ringhiera. «Pete? Mamma è laggiù?»

«No. Non penso».

«Che strano». Bussò alla porta di Martha e Jonty.

«La nonna non è qui, vero?», chiese a Martha, che stava sdraiata con le ginocchia sollevate e un libro aperto sulle cosce.

«No». Martha alzò gli occhi al cielo, infastidita dall'interruzione.

Lei scese le scale di corsa. «Pete?», chiamò, il loro brutto scambio completamente dimenticato, come sempre, di fronte a una possibile crisi. Cercò di impedire al panico di trapelare nella voce mentre lui usciva dal soggiorno per raggiungerla in corridoio.

«Non la trovo!».

«È in bagno?»

«No, ci sono appena stata. Adesso c'è Jonty».

«La stanza dei ragazzi?»

«No». Lei scosse la testa.

«Camera nostra?»

«Oh, Dio!». Lei rise nervosamente, sentendosi sollevata. Finché c'era un posto dove non aveva controllato, era ancora possibile che fosse tutto a posto. «Lì non ho guardato». Salì le scale di corsa, urtando l'alluce contro una striscia di fissaggio. «Merda!», borbottò mentre entrava barcollando nella stanza e accendeva la luce.

«Mamma?». Fissò il letto vuoto e aprì il guardaroba, nel cui spazio ristretto, già strapieno di scatoloni, valigie e vestiti vecchi, sarebbe stato difficile far entrare un'altra scatola da scarpe, figurarsi una persona. *Dove cavolo...?*

Jacks tornò di sotto mentre Pete rientrava dal giardino scuotendo la testa. «Vado a cercare in strada», disse, prendendo il cappotto appeso alla ringhiera. Fuori, Jacks lo vide guardare da una parte e dall'altra prima di andare a bussare alla porta dei vicini.

«Dove sei, mamma?», bisbigliò lei, tentando di controllare il panico crescente. Tornò a ispezionare la casa da cima a fondo, guardando sotto i letti e dentro gli armadietti, dietro le porte e anche dietro a ogni tenda, come se stessero giocando a nascondino. Ida non si trovava da nessuna parte e senza dubbio non era all'interno della casa.

Dalla cucina, sentì Pete entrare in corridoio. La sua espressione le disse tutto ciò che aveva bisogno di sapere.

Scosse la testa. «Ivor mi ha dato una mano. Abbiamo controllato rapidamente la strada, bussato alle porte e guardato nel vicolo. Niente. I ragazzi stanno perlustrando il quartiere con una torcia. Non preoccuparti, gli ho detto di restare insieme».

«Dov'è, Pete?», chiese lei, come se lui potesse avere la risposta.

«Non lo so, amore. Cioè, non può essere andata molto lontano, ma penso che dovremmo chiamare la polizia».

«Davvero?». Jacks sentiva il respiro uscire in ansiti veloci.

«Sì, possono controllare meglio di noi».

«Ma, Pete, non può essere andata lontano. Dove diavolo...? Non può essere semplicemente scomparsa». Sedendosi sulle scale, cominciò a piangere.

Pete le strinse la spalla e prese il telefono per chiamare il 999.

Quattordici

Diciannove anni prima

Seduta sulle scale in pigiama con il filo del telefono attorcigliato intorno alle dita e il ricevitore incastrato tra il mento e la spalla, Jacks ascoltava Sven parlare di come sarebbe stata la vita a Boston. Lei annuiva e sorrideva al momento giusto. Teneva i piedi appoggiati su un cesto di biancheria che sua madre aveva raccolto un paio di giorni prima ma che ancora non aveva portato di sopra e messo via.

«Ci sono teatri e musei fantastici, e poi, certo, il parco zoologico Franklin. Ci prenderemo un giorno per girare la città e poi andremo a mangiare zuppa di vongole in qualche ristorante eccentrico».

Jacks storse il naso all'idea delle vongole, chiedendosi se sarebbero state come quelle che vendevano alla Marine Parade nelle bancarelle del pesce. «Sembra un'idea carina». Sorrise.

«Carina? Sarà più che carino, sarà favoloso!». Lui traboccava d'entusiasmo.

«Sì», concordò lei, «sembra favoloso!».

«Ai tuoi l'hai già detto?», chiese lui.

Jacks scosse la testa. «No», disse, la voce poco più di un bisbiglio. Non aveva idea di come avrebbe fatto a dirgli che stava per andarsene o a chiedergli i soldi del biglietto. «Penso che forse potrei farlo questa sera…». Si morse il labbro.

«Sì! Bene! Fallo! Chiediglielo adesso, ci dà più tempo per organizzarci». Sembrava così convinto e sicuro, che le dava la fiducia necessaria a credere potesse accadere sul serio.

Terminò la telefonata e ripassò mentalmente l'atto di entrare in salotto per parlare con sua madre, convinta che la parte più difficile sarebbe stata dare inizio alla conversazione. Stava ancora seduta sulle scale, pianificando cosa dire, quando Don tornò a casa.

Suo padre entrò dalla porta d'ingresso e la salutò agitando leggermente la mano. Aveva un'aria cauta, come se stesse sgattaiolando in casa a notte fonda. Aveva le occhiaie e i suoi capelli erano tutti spettinati e pieni di polvere. Qualche tempo prima le aveva spiegato che aveva iniziato un lavoro extra.

Fermo davanti alla porta, si appoggiò pesantemente allo stipite, con addosso il giaccone da lavoro di lana con le pezze di cuoio dietro le spalle e due toppe coordinate sulle braccia. Da piccola lei gli aveva chiesto: «Perché la chiamano giacca da mulo?» e, raddrizzando la schiena di scatto, lui si era accarezzato il bavero e aveva detto: «È fatta con il mulo più pregiato». Era stato solo quando le labbra di Jacks avevano iniziato a tremare che era scoppiato a ridere, con quella sua risata forte, e aveva detto: «Non lo so, tesoro mio, ma se dovessi tirare a indovinare, direi che è perché noi che la indossiamo lavoriamo come muli, e non mi riferisco al fare avanti e indietro per il Grand Pier con in groppa un ragazzino grasso!».

Jacks ricambiò il saluto mentre lui si toglieva le calze spesse, liberando le dita dei piedi dai pesanti stivali da lavoro. Infilando le mani negli spazi tra le sbarre della ringhiera, suo padre le pizzicò le guance e sorrise. Un sorriso lungo e lento, come se stesse ricordando perché valeva la pena fare ogni sforzo. Lei deglutì il senso di colpa che provava nel sapere che l'avrebbe abbandonato per i musei di Boston e la zuppa di vongole.

«La tua cena è sul tavolo», sbottò Ida dalla sedia davanti alla TV, mentre dalle casse si diffondeva il motivetto di *Kavanagh QC*.

Jacks smise per un istante di ripensare alle parole di Sven e ascoltò suo padre.

«Oooh, grandioso. Grazie. Sto morendo di fame».

Lo sentì lavarsi le mani sporche nel lavandino, sciogliendo il fango, come faceva sempre, con una spruzzata di detersivo per i piatti, e strofinandosi i dorsi pelosi e sotto le unghie. Jacks odiava che avesse tanta fame, non le piaceva pensare che oltre che sporco suo padre fosse anche affamato. Lui si tolse il cappotto e lo appese al gancio dietro lo sportello dell'armadio del sottoscala, quello che puzzava sempre di muffa e moquette vecchia.

Dalla porta aperta del salotto lo vide rimanere catturato a sua volta dalla scena alla televisione, rimboccarsi le maniche della maglietta della salute e prendere le posate preparate da Ida. Il piatto era strapieno di sformato del pastore e carote tagliate a dadini. Lui affondò la forchetta nel purè di patate e se la portò alla bocca.

«Oh, che schifo!». In fretta si sputò nella mano e raggiunse il sacchetto appeso alla maniglia della porta, la loro pattumiera improvvisata. Rovesciando il contenuto del palmo nel sacchetto, guardò la moglie, che teneva lo sguardo fisso sullo schermo.

«Ida, è gelato!». Alzò la voce.

Jacks strinse il ricevitore e se lo tenne sotto il mento, fingendosi immersa in qualche conversazione mentre invece seguiva ogni loro parola e gesto. Non importava che ormai fosse quasi una donna, aveva ancora bisogno di un paradiso domestico, proprio come quando aveva sette anni. Desiderava che la sua fosse una casa felice.

Guardò sua madre distendere le gambe che aveva raccolto sotto di sé e avvicinarsi al tavolo. «La cosa si risolve facilmente». Ida canticchiò a bocca chiusa, con un sorriso leggero sul volto. Avrebbe fatto la cosa giusta, pensò Jacks con sollievo. Avrebbe riscaldato la cena di suo padre come faceva di solito, mettendo il piatto avvolto nella stagnola sopra una pentola di acqua bollente.

Orripilata, Jacks la vide invece prendere il piatto dal tavolo, spargendo carote dappertutto, e dirigersi verso il sacchetto della spazzatura per rovesciarvi dentro l'intero contenuto. «Se vuoi un piatto caldo, arriva a casa all'ora di cena. Semplice, davvero». Lasciò che il piatto sbattesse sullo sgocciolatoio. E con questo tornò a sedersi e riprese a fissare lo schermo.

Jacks sentiva il petto gonfiarsi. Voleva fare irruzione nella stanza e spiegare a sua madre che non era colpa di papà; che lui era fuori a lavorare, stava lavorando per loro. Ma non spettava a lei, quello. In più, la posizione del mento di sua madre e la riluttanza di suo padre a difendersi le facevano capire che non sarebbe servito a nulla.

Sollevando lo sguardo, Don incontrò quello della figlia e le lanciò un sorriso falso come per dire: "Non c'è niente di cui preoccuparsi, piccola Sonia Sognatrice. Va tutto bene".

«In questo caso, penso che mi farò un bagno e andrò a dormire». Raggiunse la base delle scale.

«Buona fortuna. Non c'è acqua calda», disse sua madre, con una nota quasi gioiosa nella voce. Si mise una sigaretta tra le labbra e fece rollare la pietrina dell'accendino sotto il pollice.

Don chiuse la porta del salotto, bloccando la visuale di Jacks. Ma nonostante avesse abbassato la voce, poteva ancora sentirlo.

«Oh, Ida, e poi ti chiedi perché...».

«No, io non mi chiedo perché! Lo *so*, il perché! Ho tutto il tempo del mondo per restare seduta a pensare al perché».

Jacks abbandonò il telefono, desiderando di colpo essere ovunque tranne che lì, ad ascoltare i suoi genitori che litigavano. Si ritirò nella sua stanza. Quello non era il momento di chiedere nulla.

Quindici

Gina agitò la mano in un saluto elaborato mentre Jacks spingeva la sedia a rotelle di sua madre oltre la soglia della caffetteria sul lungomare, facendo slalom tra i tavoli fino a prendere posto vicino all'amica.

«Santo cielo, là fuori si gela». Jacks allentò la sciarpa della madre, aprì la cerniera del cappotto e ordinò due bevande calde. Il locale era affollato e il profumo di pane tostato e caffè appena fatto creava un'atmosfera accogliente e invitante. I clienti stavano raggruppati intorno ai tavoli con i cappotti e le sciarpe appesi agli schienali delle sedie. Nessuno sembrava avere fretta di tornare fuori.

C'era un forte profumo di cannella, che a Jacks dava sempre un po' la nausea. Il soffitto era decorato con festoni di carta crespa rossa e verde e alle finestre erano stati incollati grandi fiocchi di neve argentati. Al di là del vetro, la gente che faceva shopping correva da una parte all'altra, sentendo chiaramente la pressione del Natale che con l'avanzata di dicembre si faceva sempre più vicino.

«Allora, Ida, mi hanno raccontato della tua piccola avventura di ieri notte». Gina sorrise alla madre dell'amica. «Sei andata a ballare? Perché in questo caso, la prossima volta portami con te».

«Oh, Dio, G. Adesso possiamo scherzarci sopra, ma è stata l'ora più lunga della mia vita. Non aveva senso. Sapevo che non poteva essere andata lontano, ma hai presente, no, quando non riesci a ragionare e la mente ti corre all'impazzata?»

«Sì, tutti i giorni». Gina fece una smorfia. «Comunque, tutto è bene quel che finisce bene».

Jacks cercò di ridere ma il ricordo di quanto fossero stati tutti spaventati la perseguitava ancora. Il giovane poliziotto aveva preso posto al tavolo della cucina, si era tolto il cappello e aveva aperto il blocco per gli appunti. «Quindi la donna in questione è la signora Ida Morgan e ha ottantun anni?»

«Sì». Jacks aveva annuito. «È affetta da demenza ed è molto fragile e riservata. E adesso si sta facendo tardi, è buio e fa freddo. Il suo cappotto è ancora in casa». Aveva fatto a pezzi il fazzoletto che teneva in mano.

«Ha un telefono?»

«No». Sua madre non aveva la manualità necessaria ad aprire un pacchetto di biscotti, figurarsi far funzionare un cellulare. «No, non ce l'ha».

«Qual è la sua capacità di movimento?». Il giovane poliziotto sedeva con la penna pronta.

«Ehm, riesce a camminare, ma è un po' instabile e non può andare lontano. È in grado di spostarsi dalla camera al bagno e dalla cucina al corridoio per raggiungere il montascale, ma per distanze più lunghe, come per andare a fare la spesa, deve usare la sedia a rotelle».

«Ha hobby, pratica uno sport, appartiene a qualche club?».

Jacks aveva guardato prima Pete e poi il poliziotto. *Non essere stupido! Che cavolo di sport potrebbe praticare?* Si era mordicchiata l'unghia. «No. Come ho detto, non è in grado di muoversi così tanto, né è abbastanza in sé a livello mentale, in realtà. Non dovremmo andare di nuovo a cercarla?». Aveva spinto indietro la sedia, sentendosi impaziente, desiderando di poter fare *qualcosa*.

«Quasi finito. Ha degli amici?».

Per Jacks, rispondere a quella domanda era stato difficile. Aveva scosso la testa e gridato: «No! Non ha amici! Ha molte persone che tengono a lei, ma nessun amico».

Pete le aveva preso la mano e l'aveva tenuta sotto la propria.

«Quanto tempo è passato dall'ultima volta in cui siete certi di averla vista e il primo momento in cui avete realizzato che se n'era andata?»

«Circa un'ora». Jacks aveva scosso la testa. *Perché non sono andata a controllare prima? È tutta colpa mia. Dovevo badare a lei. L'ho promesso.*

«E in lei non c'era niente di insolito? Non era turbata?»

«No. L'ho aiutata a mangiare e lei mi ha detto che sarebbe andata a fare un viaggio».

«Davvero? Quindi le ha detto che se ne sarebbe andata?». Il poliziotto sembrava confuso.

«Be', sì, ma non parlava sul serio! Non sa quello che dice!». Jacks stava iniziando a sentirsi frustrata da tutte quelle domande e dall'assenza di azione. «Avevamo un ospite per cena, forse dovremmo parlare con lui!». Aveva guardato Pete.

«Perché dovrebbero parlare con lui?», aveva chiesto Pete.

«Non lo so!», aveva urlato Jacks. «È solo che non so che altro fare. Dov'è?».

Il campanello aveva suonato. Jacks era corsa in corridoio e aveva aperto la porta per trovare sua madre sulla soglia, accanto ad Angela che la teneva per il braccio.

Jacks rabbrividì nel rivivere il ricordo. Guardò Gina. «A quanto pare, Angela è andata a buttare l'immondizia e quando è rientrata ha trovato mamma che frugava nella scrivania di Ivor, spargendo fatture a destra e a manca, dicendo di cercare qualcosa che noi avevamo lasciato lì. Non so proprio che stava facendo. Il poliziotto è stato gentilissimo, ma mi sono sentita comunque in imbarazzo per aver montato tutto quel casino».

Gina fece una smorfia. «Strano che sia andata a frugare tra le cose altrui, non è da lei. Scommetto che stava cercando quella cavolo di lettera!».

«Oh, Dio, G, non ci avevo pensato! Potresti avere ragione. Mi sento terribilmente in colpa. Ha detto che stava partendo per un viaggio e io ci ho riso sopra, non l'ho presa sul serio».

«Jacks, non puoi biasimarti per questo». Gina prese un sorso di caffè. «Forse dovresti farle mettere un microchip».

«Andiamo, non è mica un cane!».

«Lo so! Ma sai cosa intendo, tipo un dispositivo di tracciamento!».

«E non è nemmeno un piccione!». Jacks rise, nonostante i commenti goffi dell'amica.

«Che c'è nella borsa?», chiese Gina, per cambiare argomento, dopo aver notato la grossa sporta appesa alla maniglia della sedia a rotelle contenente una scatola.

«Be', non ridere, ma per Natale ho preso a Martha una piastra per panini. Non ho idea di come siano le strutture a Warwick, ma ho pensato che se a fine lezione tornasse a casa con un po' di appetito, potrebbe farsi un toast in camera, o preparare degli spuntini per gli amici».

«È una bella idea». Gina si gettò in bocca un quadratino di biscotto di pasta frolla e si voltò verso la sedia a rotelle. «Ti vedo bene, Ida. Nonostante la tua piccola avventura. Hai voglia che arrivi Natale?»

«Ho un tesoro!», annunciò Ida. «Di mio padre. L'ho tenuto nascosto!».

«Oh, emozionante! Io adoro i tesori». Gina le diede una pacca sulla mano.

«Non devi leggere la mia lettera! Non devi. Non farlo!», urlò Ida.

«Non preoccuparti, mamma. Non la leggerà nessuno a parte te, lo prometto».

Questo parve calmarla. «Don sta venendo qua?», chiese, in tono ansioso.

«No. No, non verrà», rispose sommessamente Jacks.

«Immagino che la lettera che tua madre sta aspettando non sia stata spedita con la posta prioritaria», commentò Gina.

Jacks ridacchiò. La sua amica aveva ancora la capacità di farla ridere come nessun altro. «Potresti avere ragione».

«È vero, però, tua madre ha sul serio un bell'aspetto. Ma tu, invece...». Gina fece un verso di disapprovazione.

«Cosa?». Jacks raddrizzò la schiena.

«Hai un aspetto terribile!».

«G, devi imparare a smetterla di indorare la pillola». Jacks rise.

«Ti conosco da troppo tempo per indorare alcunché. Hai l'aria sfinita».

«Così mi dicono. Non capisco perché sembrino tutti tanto impazienti di farmelo notare. Non è che non sappia quanto sono stanca. Lo so. Sono esausta! E sentirmelo ripetere da tutti mi fa sentire solo peggio».

«Te l'ho già detto un milione di volte, lo so, ma per tua madre non puoi ricorrere all'assistenza di sollievo? Fosse anche solo per una settimana, farebbe tutta la differenza. Lei non se ne renderebbe conto e a te un po' di riposo farebbe benissimo».

Jacks scosse la testa. «Sai cos'è successo quando abbiamo chiamato quell'assistente a domicilio... Ha dato di matto, l'ha odiata. Non è giusto, né per lei né per loro».

«E tu prova con un'assistente diversa».

«No. L'ho promesso a mio padre e una promessa è una promessa».

«Jacks, conoscevo bene tuo padre». Gina mescolò il caffè.

«Don era un uomo meraviglioso, e non vorrebbe vederti lavorare fino a finire sotto terra prima del dovuto, per niente».

«Non è così semplice. Se si trova intorno cose nuove o persone che non conosce si agita tantissimo. In più l'assistenza costa, e parecchio». Jacks bevve un sorso del suo caffellatte.

«E allora usa una parte dell'eredità! È lì per quello, per semplificare la vita!».

«Forse».

«Lo so che "forse" significa no», urlò quasi Gina.

Jacks rise, perché aveva di nuovo ragione.

«Ti ho già detto che sarei più che felice di tenere io tua madre per una notte o un fine settimana».

«Grazie, G, ma non ti metterei mai questo peso sulle spalle. In più sta meglio a casa, dove è tutto familiare».

«Be', l'offerta rimane. In ogni caso, cambiamo argomento. Hai più pensato all'idea di incontrare Sven nell'anno nuovo?».

Jacks si guardò intorno, come se potesse esserci qualcuno in ascolto. Chiaramente, non c'era nessuno. «No!».

«Be', dovresti farlo», insistette Gina.

«Stai cercando di mettermi nei guai?», bisbigliò Jacks.

«Penso solo che abbiate qualche questione in sospeso. E sarà divertente. Ho visto come hai reagito alla sua foto… È evidente che per te ha significato molto e questa è la tua occasione di metterci definitivamente una pietra sopra. Forza!».

Le due ridacchiarono come se fossero tornate ragazzine.

«Non posso prendere e andare a Londra come se niente fosse! Cosa racconterei a Pete e ai ragazzi? Non gli ho mai mentito e non ho intenzione di cominciare adesso».

Gina considerò il problema. «E se non dovessi mentirgli? Se ti invitassi a fare shopping nella capitale e la data coincidesse casualmente con quella di un certo evento riguardante un certo nerd svedese e biondo con gusti terribili in fatto di maglioni?»

All'idea di rivederlo Jacks sentì un sussulto allo stomaco. «Non saprei…».

«Be', tu pensaci. Fammi sapere, e se sei d'accordo, posso mettere in moto la cosa. Nessuno verrebbe mai a saperlo, solo tu e io! Ci divertiremo!».

«E che ne farei della mamma per tutto il giorno?»

«Come ho detto, fa' venire un'infermiera, l'assistenza di sollievo. Ci sono agenzie che possono mandare qualcuno che stia con lei tutto il giorno. Di certo non ti creerà problemi lasciarla per una giornata, no? Dev'esserci qualcuno con cui sarebbe felice di restare. Probabilmente il cambio di compagnia le farebbe anche piacere: dover guardare il tuo viso depresso la starà facendo diventare pazza. O più pazza!».

«Ci penserò».

«Oh, bene. "Ci penserò" di solito significa sì!».

E Jacks rise perché aveva nuovamente ragione.

«Quindi», iniziò Gina. «Pete ha detto a Rob che Martha si è trovata un ragazzo!».

«Be', sì, è così. Ma non è un ragazzino, ha vent'anni e lavora in un'autofficina in città. Si chiama Gideon».

«Non c'è bisogno di chiedere se approvi!». Gina rise. «Basta vedere come arricci le labbra. E la tua voce! Sembra che stai sputando veleno, poverino. Mi dispiace per lui e non l'ho neanche mai incontrato!».

Jacks si stropicciò gli occhi. «Oh, Dio, non è che non approvo lui. Non approvo nessuno di qui. Voglio che Martha vada via e che si faccia una vita, non che resti impantanata in una routine da cui non potrà tirarsi fuori».

Gina la fissò. «Si stanno scambiando qualche bacetto sulla Marine Parade, non stanno andando all'altare. Devi lasciare che le cose facciano il loro corso».

«Te l'ha detto Pete di dirlo?»

«No, ma se l'avesse fatto gli avrei dato retta, perché ha ragione. Ti stai preoccupando per nulla. Ascolta me, entro un anno Gideon avrà voltato pagina e Martha starà nel suo letto a piangere su quello che sarebbe potuto succedere e vorrà riappendere il poster di Justin Bieber».

«Spero che tu abbia ragione». Jacks finì il caffè.

«Di solito è così». Gina sogghignò. «Domanda a mio marito».

Ida si voltò e aprì e chiuse la bocca come se fosse sul punto di dire qualcosa. Si torse le dita, agitata. Jacks la aiutò a portarsi la tazza di tè alle labbra. Ida prese un sorso e poi parlò con tanta chiarezza da prendere sia Jacks che Gina alla sprovvista.

«Che spreco di vita, noi due sedute ad aspettarlo una notte dopo l'altra. Questo la rendeva felice? Penso di no. Penso davvero di no».

Gina e Jacks si fissarono, chiedendosi di chi stesse parlando.

«Non puoi metterti quello!», disse Jacks in tono autoritario, riportando l'attenzione sulla montagnola di patate che stava pelando.

«Che c'è che non va?». Pete le arrivò dietro di soppiatto e fece accendere il naso e le corna della sua renna. «Se non puoi indossare un maglione natalizio il giorno di Natale, allora quando puoi farlo?».

Jacks rise. «Sembri un vero idiota».

«Pensavo che non dovessimo insultare i membri della nostra famiglia». Martha entrò in cucina e prese posto a tavola.

«È Natale, le regole normali non si applicano! Io posso dare a tuo padre dell'idiota e tu puoi portarmi un bicchierone di vino, che berrò mentre preparo il pranzo».

«Bevi durante il giorno?», disapprovò Martha.

«Già. E forse mangerò anche due pudding, chi può dirlo?»

«Posso averli io due pudding?», cinguettò Jonty dal corridoio, dove stava giocando con la sua automobilina telecomandata.

«Sì». Jacks annuì.

«Se lui mangia due pudding, allora io posso avere un bicchiere di vino?», chiese Martha riempiendo quello della madre.

«Sì». Jacks annuì nuovamente.

«E io posso avere una moto?». Pete decise di sfidare la sorte.

«No!». Jacks agitò verso il marito il coltello per le verdure.

«Ma non è giusto!». Sbattendo la mano sul tavolo, lui alzò la voce di qualche ottava. «Devo dividere la stanza con Jackieeee e voglio uscire con i miei amici e lei non mi lasciaaaaa!», disse, imitando la figlia, prima di accasciarsi contro lo schienale della sedia e crollare seduto di fronte a lei. «Nessuno mi capisce e il mio ragazzo ha un nome sceeeemo!», strillò in tono lamentoso.

«Molto divertente». Martha strinse le labbra ma non poté nascondere il sorriso.

Ridacchiando, Jacks si appoggiò al lavello.

Martha prese un sorso dal bicchiere di vino bianco che si era versata. «Avrà anche un nome scemo, ma mi ha comprato questo!». Raccogliendosi i capelli, li sollevò per scostarli e mostrare una catenina d'argento da cui pendeva un delicato cuoricino in filigrana. Era chiaramente felice come una Pasqua.

«Oh! Tesoro, è bellissimo». Jacks doveva ammetterlo, era adorabile. Sua figlia le lanciò un sorriso che le fece quasi dimenticare la provenienza del regalo.

«Posso avere un po' di vino?». Jonty era in piedi sulla soglia.

«No. Tu mangi i due pudding», gli ricordò Jacks.

Voltandosi verso il fratello, Martha bevve un lungo sorso. «Ooooh, è così buono, molto meglio di due pudding!».

«Tu non hai tette!», urlò Jonty alla sorella.

Jacks sputacchiò il vino sulle patate e Pete scoppio a ridere fragorosamente.

«Jonty!», strillò Jacks. «Sono cose da dire a tua sorella?»

«L'ho sentita mentre diceva a Steph che voleva delle tette più grosse e io ho detto che non ne aveva proprio per niente, altro che averle più grosse!».

Martha si alzò dal tavolo e si avventò sul fratello, gettandolo a terra per sbaciucchiargli il viso e fargli il solletico mentre lui urlava implorando pietà. Dal soggiorno, Ida fece suonare la campanella e Pete saltò in piedi. «Vado io!». Prendendosi un momento, si voltò a guardare la famiglia riunita in cucina. Intercettando il suo sguardo, Jacks sorrise. Era davvero una bella giornata.

La casa dei Davies continuò a echeggiare di risate per il resto del pomeriggio. Tacchino e contorno erano cotti a puntino e sopra il Christmas pudding si agitava una fiammella azzurra. Jonty si servì due volte, come d'accordo. Pete tenne addosso il maglione di Natale tutto il giorno; lampeggiava mentre lui sonnecchiava sul divano, la pancia piena di zuppa inglese. Ida indossava i suoi gioielli migliori, e continuava a distendere le dita fissando il suo anello di diamanti come se fosse la prima volta che lo vedeva. Jacks guardava il viso sorridente di Jonty che fissava l'automobilina telecomandata portata da Babbo Natale, affascinato dal suo continuo sfrecciare avanti e indietro. Sapeva che avevano fatto bene a comprarla, anche se aveva significato attingere ai risparmi. All'ora di andare a dormire, dovettero separarli con la forza.

Seduta sul pavimento del soggiorno, mangiando cioccolatini senza averne davvero voglia ma solo perché erano a portata di mano, Jacks prestava poca attenzione al film natalizio. Di tanto in tanto lanciava un'occhiata a Martha, che era un po' più silenziosa del solito. Mandava messaggi a intervalli regolari, tenendo il telefono accanto a sé sul cuscino e precipitandosi a prenderlo ogni volta che un leggero ronzio la avvisava di una risposta. Jacks non doveva chiederle con chi si stava sentendo.

A fine giornata, mentre lavava le pentole, pensò all'anno a venire, un altro senza suo padre. Pete arrivò e si fermò al suo fianco, prendendo lo strofinaccio per aiutarla ad asciugare.

«Pensa, il prossimo Natale la nostra bambina tornerà a casa dall'università e quando saranno tutti addormentati, io mi siederò qui con lei, un bicchiere di vino in mano, e ascolterò i suoi racconti».

«Ti mancherà, vero?», bisbigliò Pete.

«Sì, moltissimo. Ma non la fermerei mai. È giusto che vada, che vada e viva!».

«Oggi ci hai reso orgogliosi. Il cibo era buonissimo, è stato fantastico». Attirando a sé la moglie, Pete la baciò delicatamente sulla bocca.

«Accidenti, Pete, penso che quel bicchiere di vino ti abbia dato alla testa». Lei si appoggiò a lui.

«Alla testa e alle dita dei piedi! Mi sta facendo venire voglia di ballare!». Lui le posò una mano sulla vita e usò l'altra per sollevare la sua, facendola volteggiare in circolo, sollevandola da terra e ignorando i suoi strilli.

«Che ne dici di andare a letto presto?». La guardò, gli occhi che si socchiudevano in un sorriso.

Lei ridacchiò. «Solo se prometti di toglierti quel maglione del cavolo».

«Affare fatto».

Pete si stava chinando per un altro bacio quando la voce di Jonty chiamò dal pianerottolo.

«Maaamma? Martha sta vomitando!».

Jacks posò la testa sul suo petto. «Quanto vino ha bevuto?»

«Direi troppo!». Lui rise. «Vediamo come sta e poi appuntamento tra dieci minuti sotto le coperte».

Jacks annuì. Si sentiva rilassata e soddisfatta, un'emozione rara ultimamente, e bella. Provò una fitta di colpa, ricordando i suoi sogni segreti. Non aveva bisogno di avventure, non aveva bisogno di solarium di vetro e champagne a piacimento; tutto ciò che le serviva era proprio lì sotto quel tettuccio angusto. Bevve un sorso dal bicchiere di Baileys – il quarto della serata, ma chi stava tenendo il conto? Era Natale, dopo tutto.

Sedici

Diciannove anni prima

Jacks esitò sul largo gradino d'ingresso, odiando sentirsi indegna di venire ospitata in una casa tanto imponente. E se, dopo tutti gli anni passati a chiedersi come sarebbe stato vivere in un posto del genere, fosse rimasta delusa?

Non fu così.

«Accomodati. Chiudi la porta!». Sven la fece entrare in una grande sala squadrata.

Lei abbassò lo sguardo sull'intricato mosaico floreale composto di mattonelle blu, verdi e marrone. «È un pavimento bellissimo».

«Pare sia un edoardiano originale».

Sollevando lo sguardo sugli alti soffitti a volta, lei notò il lampadario di vetro blu e poi l'ampia scalinata con i minipianerottoli su cui si affacciavano porte che conducevano a più stanze di quante sarebbero mai potute servire a una famiglia sola. «L'intera casa è bellissima!». L'arredo era minimalista. Niente in disordine, nessuna rifinitura, nessuna fantasia chintz. Solo cose semplici e dall'aspetto pulito.

«Be', non è nostro, non esattamente. Lo stiamo solo affittando, ma dentro ci sono le nostre cose». Sven scrollò le spalle e aprì la porta della cucina. «Puoi lasciare il cappotto e la borsa a terra. A meno che tu non voglia fare i compiti?».

Lei sorrise mentre si scrollava di dosso il cappotto. «Il Fondo monetario internazionale? Passo, grazie».

Sven le sorrise mentre lei si rilassava e cominciava a divertirsi.

Ogni cosa era in ottimo stato: tinteggiatura perfetta, angoli spazzati, superfici scintillanti e vetri privi di aloni. Grandi quadri moderni, del tipo che sua madre e suo padre avrebbero schernito, facevano mostra di sé sulle pareti alte. Era splendido.

La cucina sul retro non era meno impressionante. Era la più grande in cui fosse mai stata, con pensili bianchi, piani di lavoro candidi e scintillanti e un enorme frigorifero a doppia porta americano. Lei pensò alla cucinetta soffocante dei suoi genitori, malamente illuminata e traboccante di padelle annerite appese alla rastrelliera, con pile di giornali e barattoli di vetro pieni di fagioli, legumi secchi e pasta appoggiati su scaffali polverosi, insieme alla guida del telefono e a numerosi vecchi taglieri che occupavano spazio prezioso. Quella stanza era grande almeno tre volte tanto.

Appesa al muro c'era una bacheca piena di appunti e messaggi scritti in svedese. Lei studiò le lettere che formavano parole che non sapeva pronunciare, le varie O e A segnate dai puntini. Fece scorrere le dita sul doppio lavandino immacolato e cercò di immaginarsi davanti ai fornelli scintillanti, mentre preparava il pranzo e lo serviva alla famiglia riunita intorno al lungo tavolo rettangolare. Alte sedie azzurro chiaro, ognuna con un nastro blu e bianco legato allo schienale a listelli, circondavano il tavolo, al cui centro si trovava un cesto di vimini pieno di limoni. La stanza sembrava uscita dalle pagine di design del suo «Marie Claire».

«È qui che tua madre prepara le sue polpette con i cetrioli?»

«E riscalda la pizza!». Lui sorrise.

«Non riesco a immaginare come sia vivere in un posto

tanto spazioso». Allungando le braccia verso l'alto, lei rovesciò la testa all'indietro. «Voglio vivere in una casa che abbia spazio, posto per respirare, per muoversi! È il mio sogno».

«Andremo nel Montana e compreremo un ranch, con centinaia di migliaia di acri in cui potrai scorrazzare tutto il giorno. Avremo tanto spazio che, dovunque guarderai, non riuscirai a vederne la fine. E la sera ci siederemo sul portico e ascolteremo gli insetti e gli animali, guarderemo le lucciole e ondeggeremo avanti e indietro sul dondolo. E avremo dei cani, senza dubbio».

«Sembra bello». Lei sollevò lo sguardo mentre Sven le si avvicinava.

«Lo sarà. Invecchieremo e faremo insieme cruciverba e passeggiate e coltiveremo noi le nostre verdure e terremo dei cavalli!».

«Avremo dei bambini?». Si azzardava a malapena a chiederlo, ma con tutto quello spazio e una grande casa...

«No». La sua risposta fu netta. «Sarebbero soltanto una distrazione. E fidati, un tempo lo sono stato anche io... I bambini non sono poi quella gran cosa». Fece un sogghigno.

Jacks deglutì la delusione improvvisa, ma probabilmente aveva ragione lui, quel ragazzo che aveva visto la vita e sperimentato cose che lei poteva soltanto sognare e che aveva genitori ben lontani dall'essere provinciali. Che cosa ne poteva sapere lei?

Lui si diresse alla finestra, davanti alla quale c'era una dormeuse azzurro chiaro con lo schienale decorato da bottoni, rivolta verso il giardino. Alla testiera stavano appoggiati due grossi cuscini dal disegno orientale in blu e oro pallido. Sven si tolse le scarpe da ginnastica usando i talloni e si sdraiò. Sporgendosi, le prese la mano e l'attirò sul lettino.

Lei rabbrividì, nonostante il calore, e si inginocchiò al suo fianco. «Ci può vedere qualcuno?». Indicò la finestra, dalla quale filtravano i raggi del sole.

«No. C'è solo il giardino e poi un muro». Si interruppe. «Devo dirti una cosa». Aveva un tono sincero.

Jacks rimase in ginocchio, immobile, in attesa della sua rivelazione, mentre lui le massaggiava il dorso delle mani con i pollici.

«Ti amo. Ti ho amata dalla prima volta in cui ti ho parlato e sapevo che ti avrei amata ancor prima, quando ti ho visto dall'altra parte del corridoio». Si strinse nelle spalle. «Ecco, l'ho detto! Ti amo!».

Jacks sentì il volto aprirsi in un sorriso smagliante nello stesso momento in cui le lacrime minacciavano di sgorgare. «Anche io ti amo, Sven, e lo farò per sempre».

Lui scivolò sul divanetto fino a sdraiarsi nel centro. «Siamo sicuri? Protetti?», chiese in tono roco.

«Sì». Lei annuì. «Quando sono con te mi sento molto al sicuro. E nessuno sa di noi, siamo un segreto!».

Lo baciò mentre lui le tirava la gamba fino a mettersela seduta addosso. Lei si chinò in avanti, baciandolo profondamente e con una passione sfrenata, che lui ricambiò inarcandosi verso di lei, insinuando la mano sotto la camicetta dell'uniforme e sganciandole abilmente il reggiseno. Non ci furono discussioni, o piani, nessuna autorizzazione domandata o concessa; ciò che accadde in seguito venne spontaneo a entrambi. Fu l'atto perfetto e prevedibile condiviso tra due persone molto innamorate.

Mentre giacevano mano nella mano, dopo aver celebrato la loro unione, Sven le fece scorrere le dita tra i capelli.

«Possiamo prendere un divano come questo, quando vivremo nel Montana? Potremmo metterlo sul portico e restare lì sdraiati a guardare le lucciole». Lei sorrise contro il suo petto.

«Penso che sia un'ottima idea».

«Promettimi che non mi lascerai mai», bisbigliò lei.

Lui le baciò la fronte e si abbandonò sul cuscino, assopendosi. Lei gli posò la testa sul petto; si sentiva completamente al sicuro e desiderava poter restare per sempre in quell'istante.

Diciassette

«Non posso crederci che lo sto facendo!», strillò praticamente Jacks mentre salivano sul treno e cercavano i posti prenotati, ridendo come ragazzine alla minima provocazione.

Aveva passato la notte e la mattina a girare per casa completamente nel pallone, volendo lasciare tutto in ordine per le dodici ore che avrebbe trascorso lontano. Poco importava che Pete le avesse assicurato che si sarebbe occupato lui di ogni cosa. In effetti, più lui era gentile, peggio lei si sentiva all'idea di andarsene a Londra. Le aveva dato i soldi per qualche spesuccia, esortandola a comprarsi "qualcosa di carino". Lei aveva tentato di smorzare il senso di colpa lasciando le cose il più organizzate possibile. Di sotto i ragazzi avrebbero trovato i cereali nelle tazze, con i cucchiai di lato, le camicie dell'uniforme stirate e appese alla porta del soggiorno. Aveva addirittura preparato una serie di sandwich per sua madre, lasciandoli avvolti nella pellicola su uno scaffale del frigo, chiaramente etichettati con un post-it.

«Santo cielo, Jacks!», aveva osservato Pete. «Non sono neonati, la colazione possono prepararsela da soli. E la signora che verrà ad aiutarci ha detto che avrebbe preparato lei il pranzo per tua madre. Devi smetterla di aumentarti il lavoro. So che sei stanca, amore, ma così non ti aiuti di certo. Se ti rilassassi un po' e lasciassi fare un po' di più agli altri, le cose per te sarebbero molto più semplici».

«Mi piace avere il controllo, e mi piace che le cose vengano fatte nel modo giusto», aveva risposto lei, mentre passava lo straccio sullo sgocciolatoio accanto al lavandino.

«L'avevo notato». Lui si era seduto a tavola e aveva versato il latte sui cornflakes. «Cerca solo di dimenticarti di noi per un giorno. Cerca di rilassarti, e divertiti!».

Smettendo di pulire, lei aveva guardato suo marito. Il vero motivo della sua gita era come una palla da golf conficcata in gola, l'inganno duro quanto un grumo impossibile da rimuovere. «Grazie, Pete. Tornerò questa sera. Ti amo».

«Lo so». Lui aveva sorriso allegro.

«Come ti senti?», chiese Gina mentre si toglieva il cappotto, lo appallottolava e lo gettava in alto sulla retina. Sistemandosi la spallina del reggiseno, si mise comoda per il viaggio.

Jacks soffiò fuori l'aria dalle guance gonfie. «Come quando avevamo quattordici anni e saltavamo nuoto per andare in sala giochi! Eccitata, nervosa, terrorizzata all'idea di venire beccata, ma come se fossi viva. Ha senso?»

«Assolutamente. Potresti sederti tu all'indietro? A me dà la nausea». Gina fece una smorfia.

«Certo. Non ricordo quando è stata l'ultima volta che sono salita su un treno. Sono molto più alla moda di quanto fossero un tempo».

«Sì, questo non va neanche a vapore!», scherzò Gina.

«Sai cosa intendo! È piuttosto lussuoso». Jacks fece scorrere la mano sulla fodera nuova del sedile. Posandosi la borsa sulle ginocchia, frugò all'interno, trovò il portafoglio ed estrasse il biglietto, che poi tenne in mano.

«Perché hai preso in mano il biglietto?»

«Non voglio perderlo e andrei nel panico se arrivasse un controllore e non sapessi dov'è. Non voglio che mi facciano scendere».

Gina rise.

Il treno era solo parzialmente pieno. C'erano un certo numero di uomini in completo elegante, un paio di donne con il portatile aperto e qualche raro studente, con il naso infilato nel cellulare. Jacks sorrise, immaginando Martha. Partire era stata una decisione quasi improvvisa. Una volta che la magia del Natale si era acquietata, aveva accusato il familiare calo d'umore. Dopo tutta quell'eccitazione e senza potersi aspettare altro dall'immediato futuro che il brutto tempo e le ricevute delle carte di credito, aveva dovuto dare ragione a Gina e ammettere che un po' di avventura poteva essere proprio ciò di cui aveva bisogno. Fin dal giorno in cui aveva visto Sven nella rivista, quella nuova immagine di lui le si era impressa nella mente e doveva ammettere che non riusciva a smettere di pensarci, come quando si continua a toccare un dente cariato, non importa quanto sia doloroso.

«Pensi che mamma starà bene?». Jacks sventolò il biglietto tra pollice e indice.

«Hai detto che quando te ne sei andata era tranquilla?»

«Sì», confermò Jacks. «Molto calma. Quando le ho presentato l'infermiera e ho detto che andavo via per un po' non ha fatto una piega».

«E hai detto che l'infermiera era simpatica?»

«Oh, sì, è adorabile. Sembrava davvero gentile, una signora matura che dice di aver visto e fatto ogni genere di cosa. Mi è piaciuto come ha parlato alla mamma, in tono rispettoso, gentile. E ha detto che potevo chiamarla per qualunque motivo».

«Be', allora è fantastico». Gina guardò l'orologio. «Il fatto, Jacks, è che siamo insieme da quaranta minuti ed è la sesta volta che chiedi se Ida starà bene».

«Scusa».

«No, non c'è bisogno di scusarsi. Lo capisco, davvero, ma

devi cercare di rilassarti. Oggi è un giorno di avventura e tu devi godertelo».

«È quello che ha detto Pete, che Dio lo benedica».

«Non ti devi sentire in colpa, Jacks. È solo per divertirsi un po', e ti farà bene. Ora come ora Sven è la distrazione di cui hai bisogno».

Jacks scrollò le spalle. Non era sicura di niente.

«Quand'è stata l'ultima volta che ti sei presa una giornata soltanto per te? Che sei andata a pranzo fuori e hai fatto un giro per negozi, che ti sei tirata su di morale?».

Jacks guardò fuori dal finestrino e rifletté intensamente. Probabilmente era stato quando Jonty era piccolo e i suoi genitori avevano preso i bambini in modo che lei e Pete potessero avere una giornata tutta per loro. Erano andati a Bristol e avevano passeggiato lungo il porto e pranzato al *bike café* Mud Dock che dava sull'acqua. «Circa sei anni fa, credo».

«Ecco. Te lo meriti». Gina sorrise. «È eccitante, no? Sei nervosa?»

«Oh, Dio, tantissimo, ansia e senso di colpa tutti mischiati insieme. C'era Pete che mi faceva ciao-ciao con la mano e i ragazzi che dicevano: "Divertiti!" Sono stata sul punto di lasciar perdere».

«Be', io sono felice che sei venuta. Non è che stai scappando con il tizio, decisa a non tornare mai più indietro». Gina si sistemò la pesante collana multicolore sul petto ampio e tornò ad appoggiarsi contro lo schienale. «Perché non è quella la tua intenzione, vero?»

«Non essere sciocca!», urlò Jacks, senza riuscire a confessare che dentro di sé continuava a vedersi sollevare in volo dalle braccia calde e amichevoli di Sven o in una villa di San Francisco, impegnata ad arredare due stanze per Martha e Jonty. Scosse la testa. Era solo una fantasia, ma Pete meritava di meglio. Si sentì assalire dal senso di colpa. «Come sto? Vado bene?».

Gina le sorrise. «Tu stai sempre bene. È solo che non te ne accorgi. Hai un corpo da sballo».

Jacks si sfregò i palmi sulle cosce. Indossava dei jeans svasati e attillati. Aveva scelto con attenzione una t-shirt bianca di seta con scollo a cascata; le donava, ed era elegante senza essere eccessiva. L'aveva combinata con una pashmina turchese e un grosso anello dello stesso colore vinto a una pesca di beneficenza. L'interno le macchiava la pelle di verde, ma dubitava che qualcuno le avrebbe esaminato le dita tanto da vicino. Si era truccata: fard rosa pesca sulle guance e un lucidalabbra colorato che le faceva brillare il labbro inferiore.

«Dico sul serio, Jacks. Sei una donna supersexy».

Jacks agitò la mano come per scacciare il complimento.

«Dev'essere tutto quel correre su e giù per le scale!».

«Be', qualunque cosa sia, sei favolosa e hai un aspetto bello e felice. L'aria felice non ce l'hai sempre, ma oggi sì».

Jacks annuì, abbassando lo sguardo sulle ginocchia. «Sento tantissimo la mancanza di mio padre, è come una tristezza che non se ne va mai».

«Passerà, Jacks».

Lei guardò gli alberi e le siepi sfrecciare fuori dal finestrino. «Era meraviglioso, vero? Più che un padre, era un amico, la persona che chiamavo se si rompeva la lavatrice o se l'auto non partiva. Anche adesso, vorrei poter prendere il telefono e chiedergli qualcosa. Sembrava avere sempre tutte le risposte. O poter condividere con lui qualcosa che hanno detto i ragazzi. E lo shock di ricordare che non risponderà... mi lascia senza parole, ogni volta».

«So che eri legata a tuo padre e immagino quanto ti deve mancare. Ma penso...». Gina si interruppe.

«Che cosa?»

«Penso che accogliere tua madre sia stata una cosa nobile». Gina sospirò. «Ma ti conosco da quando andavamo alle elementari e tu e lei non siete mai sembrate molto legate. Non era quel genere di mamma, vero? Il tipo che ti coccola, e sistema tutto».

Jacks scosse la testa. «No, immagino di no». Gina aveva ragione. Ida non era mai stata il tipo di madre che invita i tuoi amichetti a cena o ti rende la stanza accogliente o ti abbraccia dopo una giornata schifosa dicendo che andrà tutto bene.

«E tu ti stai sforzando di essere la figlia migliore del mondo, lo so, ma stai facendo fin troppo. Ti spingi ogni giorno allo stremo e sarebbe meglio sia per tua madre che per te se lei fosse in un posto dove possa ricevere assistenza ventiquattr'ore su ventiquattro. In quel modo, tu potresti riavere indietro la tua vita e Martha la sua stanza. È importante».

«Lo so che è importante, G! Credi che non lo sappia?». Jacks tirò su con il naso, sforzandosi di trattenere le lacrime; non avrebbe pianto, non lì sul treno, in pubblico, e non dopo essersi messa mascara ed eye-liner con tanta attenzione. Non voleva arrivare al Salone nautico con l'aspetto di un panda inzuppato.

«Certo che lo sai, ma sei la mia migliore amica, Jacks, e guardarti logorare giorno dopo giorno è orribile. È come se stessi scontando una condanna. Ma non deve essere così per forza. Ida non distingue l'ora di cena dai saldi di gennaio, è persa nel suo piccolo mondo. Non le cambia niente chi le taglia il cibo o l'aiuta nella doccia, mentre per te e i ragazzi farebbe un'enorme differenza».

«In realtà, G, se ne accorge eccome. Se io non ci sono può agitarsi molto». Jacks odiava doverlo spiegare.

«Ma questa mattina non l'ha fatto, no? Forse era così l'ultima volta che hai provato, quando tutto era nuovo e un po' strano, ma adesso lei è cambiata, magari sarà diverso? Negli ultimi diciotto mesi è piuttosto peggiorata».

«Lo so. Ma ho fatto una promessa, una promessa a mio padre».

«Jacks, ti ho già detto cosa penserebbe tuo padre. E non è solo questo; quando è morto stava soffrendo molto, era strafatto di antidolorifici».

Jacks scosse la testa, cercando di scacciare il pensiero dei suoi ultimi istanti e di quel terribile giorno. Ricordava il rumore del suo respiro affaticato, inframmezzato da pause sempre più lunghe, e la confusione che aveva provato lei nel ritrovarsi a pregare simultaneamente che quel respiro fosse l'ultimo e che non lo fosse.

Gina proseguì. «Non si rendeva davvero conto di cosa diceva. Magari intendeva dire di prenderti cura di lei quel giorno, o durante il funerale. Non so cosa intendesse, non davvero, non letteralmente, ma tu hai preso le sue parole come una sorta di legge e questo ti sta rovinando la vita!».

«Non è solo quello che ha detto, era il modo. E poi, è una possibilità per…».

«Per cosa? Per avvicinarti a tua madre?».

Jacks annuì e fissò lo sguardo fuori dal finestrino, ripensando alle parole di sua madre: «Sai essere proprio egoista ed è davvero difficile amare le persone egoiste».

«Possiamo cambiare argomento, per favore?», chiese.

«Certo. Dimmi di Gideon Parks».

«Oh, Dio, devo proprio?». Jacks inarcò le sopracciglia.

«Pete a Rob ha detto che è un fenomeno».

«Davvero?». Il riassunto del marito la fece ridere. Le sembrava di sentirlo. «In realtà, G, lo è sul serio. So che pensi che non mi piaccia, ma non è così. È adorabile, ma non è quello che voglio per Martha».

Gina sbuffò. «Be', potrebbe essere un peccato. E cosa vuole Martha, per Martha?»

«Come può sapere cosa vuole? È una bambina! Potrebbe prendere una decisione che la perseguiterà per il resto della sua vita e sarà troppo tardi, sarà bloccata».

«Stiamo ancora parlando di Martha?». Gina la fissò.

«Biglietti, per favore!».

«Oh! Eccoli!». In preda al panico, Jacks sollevò il proprio per aria.

Gina scoppiò in una risata fragorosa.

Le due donne percorsero la banchina trafficata di Paddington, ammirando l'imponente tetto di metallo della stazione.

«Non è bellissimo, G?». Jacks guardava in alto.

«Certo che lo è. Progettato dal vecchio Isambard Kingdom Brunel, che ha anche progettato niente meno che il nostro ponte sospeso di Clifton. Forza, West Country!», urlò Gina.

«Per caso ha aiutato a progettare anche la torre pendente di Pisa?»

«Non penso. Perché?»

«Così». Jacks sorrise, pensando a Jonty. «In realtà, Gina, non mi dispiacerebbe fare un salto ai servizi».

Attraversarono la folla, scansando i piccioni che, barcollando su zampe instabili, si catapultavano su chiunque stesse mangiando qualcosa, e raggiunsero i servizi dall'altra parte del binario 12. Gina fissò il tornello che sbarrava l'entrata.

«Trenta pence per fare pipì? Ma è uno scherzo?», chiese a voce abbastanza alta da attirare gli sguardi. «Piuttosto aspetto di tornare a Weston e vado gratis!».

Mentre ridacchiavano una donna d'affari vestita con un completo elegante le aggirò e depositò gli spiccioli nella fessura.

«Cavolo!». Gina non aveva finito. «Questo è un furto bello e buono! Non guadagno abbastanza per fare pipì in questa città! Forza, ti toccherà incrociare le gambe». Prese Jacks per il braccio e la trascinò via.

«Amo Londra!», urlò Gina mentre entravano nell'ascensore che portava alla metro.

«La metropolitana mi fa un po' paura», confessò Jacks mentre si mettevano in fila per i loro abbonamenti giornalieri per turisti.

«Perché?»

«Non lo so». Jacks giocherellò con la sciarpa. «A parte il fatto che potrei farmela addosso, immagino sia perché è troppo affollata e temo sempre di perdermi o di venire spinta sui binari!».

Gina rise, poi prese la pashmina dell'amica e la usò per legare insieme i loro polsi. «Ecco. Adesso non puoi perderti. Sei legata a me e se cadi oltre il bordo, cadiamo tutte e due. Contenta?».

Jacks ridacchiò. «Più di prima», ammise, sollevando i polsi uniti. «Mi sembra di essere una bimba piccola!».

«Non parlare con gli sconosciuti!», urlò Gina, per il divertimento di tutti gli altri in coda.

Le donne attraversarono la città, andando in direzione est sulla District Line per poi fare cambio alla Docklands Light Railway. La quantità di persone che riusciva a stiparsi in un posto tanto chiuso e ristretto le affascinava; pianificarono cosa fare in caso fossero rimaste separate.

Più si avvicinavano al centro espositivo, più Jacks sentiva aumentare la nausea. Mettendosi una mano sullo stomaco, espirò. «Penso di stare per vomitare».

«No, non lo farai! Non ti lascerò entrare puzzolente di vomito. Andrà tutto bene, tu arriverai strafiga e sicura di te e andrai dritta da lui e gli dirai come se niente fosse: "Be', Cervellone, non l'avrei mai detto! Che casualità incontrarti qui!", o qualcosa di meno stupido, ma che sembri che ti sei imbattuta in lui per caso, d'accordo?».

Jacks ridacchiò: «Come se fosse possibile! Non vado mai in posti del genere!».

«Ma questo lui non lo sa, no?», strillò Gina.

«Non sono sicura di volerlo vedere, non ora. Possiamo non entrare e basta?»

«No! Entreremo. È una di quelle cose che prima di farle ti fanno sentire una schiappa, ma dopo sarai felicissima. Devi solo trovare il coraggio dentro di te, come per tuffarti dal trampolino più alto».

«Io non mi sono mai tuffata dal trampolino più alto. Non ho mai trovato abbastanza sicurezza». Jacks guardò l'amica.

«Be', avresti dovuto, era fantastico. E sarà fantastico anche questo. Fallo e basta. Sarà tutto okay».

Jacks annuì, sentendosi ben lontana dall'essere okay. «Mi sembra di essere di nuovo al ballo scolastico, come se stessi aspettando che qualcuno mi chieda di ballare, schiacciata contro la parete per cercare di farmi invisibile, mentre suonano Dr. Hook e tu risucchi la faccia di Richard Frost».

Gina la fissò. «Sei completamente impazzita? Di cosa stai parlando? Argh! Richard Frost? Non l'ho mai fatto!».

«Certo che l'hai fatto! Ti ho vista!».

«L'hai incontrato ultimamente? Gestisce la sala giochi sul molo». Gina rabbrividì. «Voglio dire, è attraente, se ti piace lo stile alla Elvis, ma non c'è al mondo tizio peggiore con cui fare sesso! Come baciare un polipo con due bocche! Non che io lo sappia, perché non l'ho mai baciato». Si schiarì la voce.

«Pensa, G, se fossi rimasta con lui avresti potuto fare un giro gratis sulle giostre ogni volta che volevi, avresti risparmiato una fortuna!». Jacks rise, dimenticando il senso di colpa e divertendosi.

Si accodarono a una fila serpeggiante.

«Oh, Dio, dico davvero, sul serio, non voglio entrare!».

Jacks strinse il braccio di Gina.

«Be', e invece entrerai. Ti costringerò io. Quindi a te la scelta: puoi entrare a passo deciso e con l'aria sicura, oppure ti prendo in spalla e ti ci porto io, culone in avanti, depositandoti come un sacco di patate sulla sua grossa barca da snob. Quale preferisci?».

Jacks ridacchiò di nuovo. «Smettila, G! Lo sai che devo andare in bagno!».

«In ogni caso, se ti senti nervosa, basta che pensi a quegli orribili maglioni fatti a mano che indossava sempre. Sembrava un vero coglione!».

«Sì, un coglione che è scappato da Weston e sta facendo questa vita fantastica! Scommetto che passa ore a pensare a quanto gli piacerebbe aver avuto gli stessi maglioni che avevano tutti gli altri e gestire una sala giochi sul molo come Richard Frost che ti sei sbaciucchiata!».

«Zitta! Non l'ho mai fatto!», urlò Gina con un po' troppa veemenza.

Per la seconda volta della giornata le due crollarono ridendo l'una addosso all'altra, attirando gli sguardi di tutte le persone che stavano facendo la coda con loro.

La sala espositiva era molto più grande di quanto Jacks avesse immaginato. Immensa e piena di echi, con file di stand gestiti da proprietari di yacht che sfoggiavano volti e avambracci abbronzati, e maglie dai colori pastello drappeggiate sulle spalle. Parlavano a voce alta e in tono sicuro al di sopra delle teste della folla. Jacks si sentiva come un pesce fuor d'acqua.

«D'accordo, noi ci separiamo qui. Vai a cercare il tuo ragazzo».

«Per favore, non chiamarlo così!». Jacks si guardò intorno, circospetta, anche se doveva ammettere che la probabilità di imbattersi in uno qualunque dei colleghi di Pete era piuttosto scarsa.

Gina rise. «Ti sto solo prendendo in giro. Vai a cercare Cervellone, io sarò nel bar centrale. Ti aspetto, non c'è fretta. Vieni quando sei pronta, d'accordo?».

Jacks annuì. Si sentiva nauseata e spaventata. Aggiustandosi il davanti della maglietta, lisciò qualche piega invisibile e si sistemò la pashmina per poi asciugarsi le mani sudate sui jeans e passarsi un dito sotto il naso.

«Sei bellissima, tesoro. Davvero. Abbi fiducia in te stessa, sii sexy e dagli una bella lezione!».

«Per chi mi hai preso? Angelina Jolie? Sono Jacqueline Davies di Weston. Non sono capace di essere sexy o di dare una lezione a nessuno, non faccio altro che mettere in ordine e preparare la cena!».

«Vai!». Dandole una pacca sul sedere, Gina la spinse quasi tra la folla.

Jacks studiò la piantina che teneva in mano. «L34», ripeté ad alta voce mentre percorreva corsie tutte identiche. Stand che offrivano dimostrazioni degli ultimi ausili per la navigazione e che vendevano di tutto, dalle scarpe da barca ai giubbotti di salvataggio, erano schierati l'uno accanto all'altro. Jacks camminava senza meta, cercando di ambientarsi, e si accorse che stava girando in tondo solo quando si ritrovò a osservare per la seconda volta qualcosa cui era già passata davanti.

«Merda», borbottò a mezza voce.

«Le serve aiuto?». Un ragazzo sicuro di sé vestito con la polo azzurra del Salone nautico le sorrideva agitando la cartellina.

«Grazie, tesoro. Sto cercando lo stand L34, ma a quanto pare non riesco a capirci nulla di questa piantina!».

«Ooh, ahoy! Corpo di mille balene, sembri proprio un pirata. L'adoro!».

«Scusa?»

«La tua voce! Hai un accento da pirata!».

Jacks fissò il ragazzo. Parlava in un modo così sostenuto e raffinato da essere eccessivo. Lei pensò a cosa avrebbe detto Pete: "E tu sembri una vera testa di cazzo". Sorrise e proseguì per la sua strada. Sentì la sicurezza in se stessa agitarsi nello stomaco. Un pirata, davvero!

A testa alta, esaminò i cartelli bianchi appesi in corrispondenza di ogni espositore, fino a raggiungere una grossa area recintata che ospitava uno yacht enorme, sbarrato da uno spesso cordone blu reale fissato a scintillanti piedistalli cromati – come quelli che aveva visto alle première dei film in televisione. Il tutto brillava sotto una cupola di riflettori sfavillanti.

«L34», bisbigliò. Piegò la cartina nella borsetta e inspirò a fondo. Solo in quel momento notò tutte le belle ragazze che la circondavano, con gambe chilometriche, lunghi capelli e t-shirt rosa intonate a cortissimi pantaloncini bianchi. Reggevano piccoli vassoi d'argento con sopra scintillanti bicchieri di vinello che distribuivano con inchini e sorrisi graziosi alla folla di uomini che si raccoglievano intorno alla barca, praticamente identici nelle loro giacche blu scuro e nei pantaloni di cotone chiari. Altre ragazze tenevano tra le braccia pile di brochure patinate che agitavano con aria invitante verso i visitatori carichi di sacchetti di plastica già strapieni di omaggi.

Jacks non era mai stata tipo da barche, nonostante avesse trascorso la vita in riva al mare. La sua esperienza marittima si limitava a qualche rapido giro per il Marine Lake sulla canoa dell'amico di Pete una volta ogni tanto, fatto solo per far felice il marito. Per quanto la riguardava, la terraferma era sempre meglio. Quella barca, però, era diversa. Anche solo le dimensioni toglievano il fiato. I suoi occhi arrivarono a contare lungo lo scafo quindici oblò scintillanti dai bordi cromati e si chiese che cosa si trovasse all'interno. Sollevò lo sguardo sul ponte, dove un gruppo di persone dai capelli luminosi e sorrisi da pubblicità di dentifricio alzavano i bicchieri, chiacchierando e cinguettando. In quell'istante, qualcosa attirò il suo sguardo. Sentì un vuoto allo stomaco. Espirò, la bocca asciutta, mentre le mani tremavano.

Fu solo un attimo, il tempo di intravedere nella folla una sagoma talmente familiare da toglierle il fiato. Aveva passato così tanti anni a immaginarlo ogni giorno, mantenendo fresco nella mente il suo viso e qualunque dettaglio, che dopo tutto quel tempo, le bastò vedere brevemente la sua nuca, la sua mano sollevata, un cenno leggero, per sapere che era lui. Si sentì la testa leggera finché non ricordò di respirare.

Non importava che fossero passati quasi due decenni dall'ultima volta che il respiro le era rimasto incastrato in gola a quel modo e il suo cuore aveva danzato a un ritmo tanto folle; era come se il tempo fosse stato cancellato. Cose che aveva quasi dimenticato erano tornate a essere cristalline come il vetro. Si sentiva di nuovo avvolta nell'essenza di quel profumo economico al muschio bianco che entrambi amavano. Era persa in un mondo di musicassette e innocenza, di uniformi scolastiche e corse a casa per cena, di baci disperati e veloci dovunque e ogni qual volta fosse possibile, di divanetti azzurri in cui stare sdraiati mentre il sole filtrava dal finestrone della cucina, e di notti inquiete, prese in assedio da pensieri ronzanti, la mente occupata dalla promessa di uno scintillante futuro, di un ranch nel Montana, dove le lucciole danzavano... Quel futuro aveva brillato come un globo di luce, sempre appena fuori portata – per lei, almeno. Ma da quanto poteva vedere in quel momento – il fascino, il profumo innegabile del denaro –, sembrava che Sven quel globo l'avesse afferrato e che fosse scappato con esso, proprio come si era sempre ripromesso di fare.

Jacks rimase immobile, come una preda che teme di essere stata notata, sperando che se fosse stata ferma abbastanza a lungo, nessuno l'avrebbe vista. Lui compreso. Non osò muoversi mentre studiava la folla, cercando di individuarlo di nuovo.

«Salve».

Abbassò lo sguardo verso l'uomo fermo a pochi metri di distanza. Non l'aveva visto scendere dalla barca, eppure eccolo lì, di fronte a lei, proprio come l'aveva immaginato durante tante notti. La sua voce era cambiata. Era più profonda e si strascicava in una cadenza californiana che cancellava l'accento svedese.

Jacks sollevò la mano; la lingua le rimase incollata al palato, rendendo impossibile qualunque parola. Non riusciva a emettere un suono, figurarsi dare una lezione. Decisamente più Jacqueline di Weston che la maledetta Angelina Jolie.

Lui sorrise, il sorriso tranquillo di un tempo, e intorno ai suoi occhi si formarono rughe sottili. I suoi abiti sembravano costosi e lui li indossava con un'eleganza disinvolta; gli ultimi bottoni della camicia erano slacciati e teneva le mani infilate nelle tasche dei jeans. Aveva la schiena dritta e le braccia distese, a enfatizzare le spalle larghe e la figura snella. Indossava mocassini scamosciati di Gucci, vecchi ma ben tenuti, senza calzini. Nessun maglione fatto a mano in vista. Intensamente abbronzato, aveva l'aspetto di qualcuno che fosse appena tornato da una vacanza in un Paese straniero. Intorno a lui si spandeva l'odore della bella vita.

Di colpo, Jacks fu fin troppo cosciente delle proprie zampe di gallina, dei colpi di sole fatti in casa e della fede economica che, come pulsando di vita propria, sembrava pesarle tantissimo sul dito. D'istinto, la coprì con l'altra mano.

Ripassò mentalmente il copione. Cosa doveva dire? Su cosa si era esercitata? *È passato tanto tempo... Ti ho trovato...! E quindi, eccoci qui...*. Stava prendendo fiato per parlare quando la voce di lui sferzò l'aria.

«Benvenuta in quella che per i prossimi giorni sarà la nostra casa!». Sven sollevò le mani e, allargando le braccia, indicò lo yacht alle proprie spalle. «Io sono Sven Lundgren, CEO della Somniorum Yachts. Ha un appuntamento?», domandò con noncuranza, gli occhi grandi, il sorriso caldo.

«Un... appuntamento?», ripeté lei, fissandolo. «No. No, non ce l'ho. Non sapevo che fosse necessario». Scosse la testa, gli occhi sul pavimento.

Lui lanciò un'occhiata alla barca. «Be', penso che sia fortunata. Possiamo trovarle un buco. Venga con me», ordinò.

Questo Jacks l'aveva dimenticato, il modo in cui sapeva parlare con tanta autorità da convincere sempre gli altri a fare ciò che diceva. La faceva sentire un po' debole e questo le piaceva.

«Viene da lontano?», chiese lui con disinvoltura voltandosi a guardarla, salutando le persone con la mano mentre si faceva strada tra la folla.

Sì... Ho attraversato anni, diciannove anni della mia vita, per essere qui oggi... «Non proprio. Da West Country. Siamo venute in treno, solo per oggi».

Sentì le guance arrossarsi. Era una tortura stare lì a parlare del più e del meno come se fosse uno sconosciuto. Jacks non sapeva cosa stesse succedendo. Aspettava di salutarla in un posto più riservato? Poi qualcosa si spezzò dentro di lei. Non la stava portando da un'altra parte per un incontro privato – non l'aveva riconosciuta! Si sentì la bocca secca e le si gelò il sangue nelle vene. Voleva scomparire. La mente si affannava a trovare qualcosa da dire per rompere quel silenzio imbarazzante.

«Mi sembrava di riconoscere l'accento», disse lui. «Ho vissuto lì anche io, molto tempo fa».

«Dubito che sia cambiata molto». Jacks cercò di impedire alla voce di tremare. *Per l'amor del cielo, Jacks, taci, sembri patetica. Certo che non è cambiata. Lì non succede mai niente, proprio come non succede mai niente a te.*

«Ha intenzione di comprare qualcosa, oggi?». Lui si voltò verso di lei, con la voce squillante e gli occhi grandi.

Lei fece ruotare la fede con il dorso del pollice. *Comprare! Io, che setaccio i supermercati in cerca degli sconti e calcolo mentalmente il totale prima anche solo di toccare il cestino in braccio alla mamma?* «No. Solo... Sto solo guardando».

«È quella la parte divertente, sì!». Lui annuì e si tamburellò il mento con le dita curate. «Prendere la decisione, pensare ai dettagli? È come andare a comprare accessori e penso che le donne apprezzino soprattutto questo, giusto?». Sorrise.

Jacks lo fissò. Non stava apprezzando niente, e non sapeva se l'avrebbe mai fatto. Era distrutta, sconvolta, imbarazzata oltre ogni immaginazione e avrebbe voluto non essere mai venuta. «Sì».

«Quindi vive nel West Country?», chiese lui, suonando più educato che interessato.

«Sì». *A poche strade da dove sono cresciuta, da dove siamo andati a scuola, da dove mi hai stretto e mi hai fatto sentire viva e mi hai detto che avrei fatto un viaggio meraviglioso.* Si concentrò sul mettere un piede davanti all'altro, seguendolo su una passerella stretta e scintillante quando non avrebbe voluto fare altro che correre nella direzione opposta.

«Mi permetta di farle fare un giro». Nei suoi modi ci fu un lampo di freddezza.

Jacks lo seguì sottocoperta fino a raggiungere una cucina equipaggiata con ogni possibile comfort. «È una cucina grossa per una barca», notò, a disagio, riuscendo appena a pensare a cosa dire. *Ma non grande come quella in cui abbiamo giaciuto insieme quando tu mi hai spinto ad amarti.*

«Sì, è la cambusa più grande di qualunque yacht privato in commercio. Ma ti serve qualcosa di queste dimensioni quando intrattieni un gran numero di ospiti, e la barca può accogliere fino a sedici persone, più lo staff».

«Sedici? Cielo». Lei pensò alla sua casetta di Sunnyside Road, che faticava a ospitarne cinque. «Una barca come questa quanto può costare?». Cercò di suonare interessata, sperando di riuscire a chiudere quello scambio il prima possibile in modo da potersene andare via.

Lui scrollò le spalle. «Si parte dai quaranta milioni di sterline. Dipende dal pacchetto tecnologico. Se ci si spinge al massimo, la cifra può anche raddoppiare».

Jacks scosse la testa. Erano somme esagerate, eppure le parole gli scivolavano sulla lingua in tutta naturalezza. Provenivano da mondi diversi e così era sempre stato. Pensò al loro gruzzoletto, un po' diminuito a causa del Natale, ormai ridotto a settemila sterline. Dubitava che sarebbe stato sufficiente per appena uno di quei lussuosissimi oblò cromati. «La tecnologia mi sfugge. Qualunque tecnologia. Mi confonde».

Lui allungò la mano verso una brochure patinata e la aprì per mostrarle un diagramma. Stargli così vicino era una tortura. Lei sentì un tuffo allo stomaco.

«Progettiamo i nostri sistemi in modo che siano molto intuitivi. I pannelli sono identici in tutti gli ambienti, così si deve imparare il funzionamento una volta soltanto. È possibile controllare ogni elemento della barca dalla poltrona. Per esempio, si possono alterare le luci del ponte per adattarle all'umore: c'è una vasta gamma di colori; si può accendere la vasca idromassaggio, riscaldarla; e si può addirittura programmare il sistema sonoro nei bagni. Tutto grazie a un semplice pulsante».

«Non penso che io ne sarei in grado, per quanto facile l'abbiate reso». Lei studiò le sue tempie dove i capelli si erano fatti più radi e notò l'invecchiamento della pelle, risultato senza dubbio di una vita passata al sole.

«Io sono sicuro che ce la farebbe». Lui sorrise, educato.

Jacks scosse la testa. «Non penso. Mi ci sono voluti secoli per capire come si fa a togliere il braccio del mixer, ed è un pulsante solo. Se salta la corrente, non posso usare la cucina elettrica perché non so resettare l'orologio e senza quello non si accende. Non so rispondere al cellulare dei miei figli, e non capisco perché abbiamo due telecomandi per il televisore. A volte mi andrebbe di guardare *Flog It!* mentre stiro, ma dopo aver passato cinque minuti a premere pulsanti per trovare quello di accensione, mi arrendo e metto la radio».

Si rendeva conto di blaterare, ma le sembrava di non riuscire a fermarsi, presa dall'ansia di cosa sarebbe potuto succedere se l'avesse fatto.

«Ha figli?». Lui batté velocemente le ciglia, come se quello fosse l'unico dettaglio che aveva recepito di tutto il suo discorso.

«Sì, due. Martha sta per andare all'università, diventerà un'avvocato, e mio figlio ha solo otto anni. Fa morire dal ridere». Lei sorrise e arrossì, sentendosi assurdamente in imbarazzo all'idea di aver appena confessato che aveva fatto sesso con qualcun altro. Completamente assurdo. Che importanza aveva? Era una trentaseienne sposata, era normale che avesse fatto sesso con qualcun altro, e in ogni caso che poteva fregargliene a lui, un cavolo di milionario che andava in yacht e neanche si ricordava di lei?

«E lei? Ha figli?», chiese, maledicendo la fitta di invidia malriposta che provava per la donna che avrebbe potuto dargli un bambino.

«No!», disse lui aspramente, con qualcosa di simile al sollievo. «A quanto pare, non ho mai trovato il tempo». Rise, imbarazzato. «Se capisce cosa voglio dire. Non intendo l'atto di diventare padre di per sé, per quello possono bastare pochi secondi, mi hanno debitamente informato!».

Dodici minuti, niente di più. Dodici minuti che hanno cambiato la vita di una ragazza.

«In realtà, l'idea non mi ha mai ispirato. Troppe cose da fare, troppi posti da vedere e poi le ancore non mi piacciono, a meno che non siano le nostre, certificate, offerte in formato standard con questo modello». Rise di nuovo.

«Be', sì, i figli sono un'ancora, senza dubbio. Badare a loro è un lavoro a tempo pieno, e io adesso ho anche mia madre... Non ho mai tempo di fare qualcosa solo per me». Inaspettatamente, le lacrime iniziarono a pungerle gli occhi. «Mi dispiace averle fatto sprecato il suo tempo», si lasciò sfuggire. «La cucina è...». Fece scorrere gli occhi sulle linee eleganti, sulle imbottiture di pelle bianca e sugli elettrodomestici integrati. «È bellissima».

Ritornarono sul ponte. «Buona fortuna, Sven».

«Sì, anche a lei». Lui sollevò la mano. Un saluto impersonale. Subito dopo si voltò e lei guardò le sue spalle rilassarsi. Solo a quel punto permise alle lacrime di scendere.

Pensò a tutte le volte che lui aveva pronunciato il suo nome durante quelle notti scure, scandendone teneramente le sillabe mentre si tenevano per mano sotto le stelle. Voleva scomparire. Meglio ancora, voleva riportare indietro il tempo e non mettere piede sulla sua maledetta barca. Sollevò lo sguardo, e lui era sparito. Inghiottito da una folla stilosa di proprietari di yacht che competevano per la sua attenzione.

Percorse la passerella di corsa, ignorando gli sguardi delle belle ragazze cariche di vino e brochure, senza sapere che loro si stavano chiedendo perché il loro CEO avesse portato sottocoperta quella donna in particolare e cosa l'avesse fatta piangere. Arrivò fino al centro della sala, dove Gina sedeva al bar con un bicchiere di vino.

L'amica sollevò lo sguardo verso il suo viso gonfio e macchiato di trucco. «Cosa è successo? Stai bene?»

«Andiamo a casa, G», riuscì a dire Jacks.

«Vuoi bere qualcosa?»

«No!», rispose lei, la voce un po' più dura di quanto avrebbe voluto. «Voglio solo andare a casa».

«Ti ha fatto arrabbiare?», chiese Gina in tono protettivo.

«Arrabbiare?». Lei tirò su con il naso. «No. Non mi ha neanche riconosciuto!». Si diresse verso l'uscita più vicina.

Gina tranguglò d'un sorso quel che restava del suo vino, posò in fretta il bicchiere sul bancone, prese la borsa e seguì l'amica attraverso la folla.

Tornate al parcheggio della stazione di Weston-super-Mare, salirono sulla Corsa di Gina. Nel momento in cui fecero scattare le cinture, Jacks iniziò a piangere. Dopo essere rimasta seduta in silenzio per tutto il viaggio in treno, fu un sollievo potersi finalmente sfogare nella privacy dell'auto.

«Va tutto bene». Gina le massaggiò la schiena mentre lei si piegava in avanti fino a premere la testa sul cassetto portaoggetti.

«No. Non va bene. Mi sento così idiota!».

«Be', non devi. Peggio per lui. Non vale la pena pensarci. Oggi dovevamo solo divertirci un po'. Volevo solo farti uscire di casa. Non ti ha riconosciuto, e allora? Scommetto che ti capita un sacco di volte di vedere per strada persone che pensano: "Oh, ecco quella bugiarda di Jackie Morgan che si è inventata che la sua amica ha baciato Richard Frost", e tu non hai idea di chi siano!».

«Questo era diverso». Jacks raddrizzò la schiena e cercò di riprendersi.

«No, non lo era!».

«Sì, invece, G. Tu non capisci!». Frustrata, Jacks alzò la voce.

«E allora spiegami».

Da dove iniziare? «Quando lo dico a voce alta suona assurdo».

«Questo non ti ferma, di solito». Gina sorrise.

Jacks prese aria e tirò su con il naso. «So che eravamo giovani e che è stata solo un'estate, davvero, ma per me ha significato tantissimo».

Si fermò. *Quanto raccontare?*

«Ti ho detto che penso spesso a lui, ed è vero. Ci penso molto. A volte mi sento vecchissima perché non sono riuscita a fare niente e so esattamente dove sto andando, so esattamente come sarà la mia vita finché non morirò. Non vivrò mai in una delle case sul lungomare, non vedrò mai il mondo e non avrò mai la mia maledetta veranda!».

«Quindi sei triste perché non avrai mai una veranda?», cercò di comprendere Gina.

«No!». Jacks scosse la testa. «Sono triste perché per me Sven ha sempre rappresentato la perfezione. L'esatto opposto di corridoi slavati e pieni di scatoloni o di scale senza moquette o della fatica di occuparmi di mia madre; lui è puro, il ricordo di un periodo in cui ero veramente felice, senza responsabilità, e pensavo…». *Cosa pensavo?* «Pensavo che per lui dovesse essere lo stesso. Sentivo tra noi una forte intesa. E quella intesa mi ha mantenuto sana di mente. Oggi ho scoperto che non esisteva. Sono solo una stupida vacca che per tutti questi anni si è riempita la testa di stronzate. Sono imbarazzata e triste, perché adesso è sparito, quel piccolo tunnel di speranza in cui mi rifugiavo quando il resto andava male. Adesso è scomparso e io sono davvero bloccata qui e mi sento sola».

«Ti prego, non sentirti sola. Ci sono un sacco di persone che ti vogliono bene e hai ottenuto tantissimo, Jacks. Due bambini fantastici...». Non avendo figli, Gina considerava questo il più grande successo dell'amica.

«Lo so. Lo so. E gli voglio bene, questo lo sai».

Gina annuì.

«Ma a volte non basta».

«Penso che ci sentiamo tutti un po' così, a volte».

«Ho sempre pensato a lui come a quello che è sfuggito».

«Sfuggito da cosa?». Gina si girò verso l'amica.

«Da me!». Jacks scoppiò di nuovo a piangere, inghiottendo lacrime avvelenate d'imbarazzo.

«Oh, Dio, stai davvero singhiozzando!».

«Mi dispiace, G». Tirò di nuovo su con il naso.

«Non avevo idea che ti sentissi così, Jacks. Dio, se avessi pensato che questo ti avrebbe ferito, non ti avrei mai detto niente della maledetta rivista e non avrei proposto di andare da lui. Pensavo che sarebbe stato solo divertente. Mi dispiace».

«No, non scusarti. Non mi ha ferito».

«Non si direbbe!».

«Sul serio, G, sono felice che tu l'abbia fatto. Sto bene. È solo che in questo periodo ho per la testa un sacco di cose».

«Non è da te». Gina sospirò. «Non ti ho mai vista così».

Jacks si soffiò il naso in un fazzoletto e si asciugò gli occhi. «So che è ridicolo, è solo che...».

«Solo che cosa?».

Jacks esitò, chiedendosi fino a che punto confidarsi. «È come ho detto, pensare a lui, fantasticare su di lui mi aiutava spesso a superare le giornate difficili».

«Accidenti, davvero?».

Jacks sorrise, ricomponendosi. «Sì, davvero! E so che è stupido, ingenuo, imbarazzante. Ma a volte hai storie del genere, no? Storie che ti cambiano, ti formano, e la nostra è stata così, anche se eravamo giovani. È stato molto speciale e mi ha aperto gli occhi». Guardò l'amica.

«Wow. Sapevo che avevate avuto un'avventura, ma pensavo fosse stata una cottarella, niente di più. Dopo la sua partenza, ci hai messo così poco a uscire con Pete che mi ero dimenticata fossi mai stata con lui. Se devo essere onesta, io ti penso sempre e solo insieme a Pete».

Jacks sospirò. «Oggi guardavo alcune di quelle donne al Salone nautico, con i loro vestiti firmati e le unghie finte, quelle ragazzine che saltavano sulle barche e conoscevano il mondo, e ho pensato: perché non mi è mai successo niente di grandioso? Come si fa ad andare a vivere in un posto favoloso e a non essere costretta a fare mentalmente i conti mentre si gira per il supermercato? Come si fa a diventare così?»

«Soldi», ipotizzò Gina.

«Sì, sono i soldi, ma c'è anche qualcosa di più, qualcosa come la certezza che la tua vita può essere quella, e quindi riesci a realizzarla. Sono così felice che Martha ce l'abbia, questa certezza. Voglio che lei abbia qualunque cosa». Jacks sorrise a Gina, anche solo il pensiero di sua figlia bastava a illuminarla.

Gina mise in moto. «Andiamo, ti riporto a casa».

Casa, pensò Jacks, *dove ci sarà ad aspettarmi quella maledetta campanella.*

Diciotto

Diciannove anni prima

«Quindi, che ne pensi?». Gina saltellò sul posto con le sue scarpe da ginnastica Buffalo blu con la zeppa, chiaramente eccitata.

«Di cosa?». Jacks sorrise all'amica.

«Per l'amor di Dio! È da quando abbiamo lasciato il molo che ti parlo e non mi hai nemmeno ascoltato?». Gina fece un verso di disapprovazione.

«Ti ascoltavo!», disse Jacks, ridendo.

«E allora che cosa ho detto?»

«Qualcosa sul trasferirci a Bristol per lavorare da Thekla e disegnare t-shirt e dare inizio alla tua etichetta».

«Lo sapevo che non mi stavi ascoltando, ma bel tentativo. Dove hai la testa oggi? Sei lontana milioni di chilometri».

È vero. Sono sul portico del nostro ranch nel Montana... Sto girando per il parco zoologico di Franklin a Boston. Sono seduta in riva a un lago con il mio uomo...

Si strinse nelle spalle. «Sto solo pensando, ecco tutto».

«Via!». Gina urlò a gran voce, agitando le braccia e cercando di spaventare il gabbiano che si stava lanciando in picchiata su una patatina. «Odio questi maledetti uccelli!». Si voltò verso Jacks. «In realtà ti stavo dicendo di Pete Davies».

«Pete che ha un provino per il Bristol City? Non che l'abbia mai menzionato!». Lei rise.

«Sì, be', è quello il punto. Si è distrutto il ginocchio, il provino è saltato. Non va da nessuna parte. È successo durante l'allenamento e adesso non diventerà mai nemmeno primo capitano, figuriamoci qualcosa di più. È un po' triste, no? Era il suo unico punto di forza. In tutto il resto fa schifo».

Jacks annuì. Gina aveva ragione, Pete faceva schifo in tutto il resto e la cosa era un po' triste, ma per fortuna, questo con lei non aveva niente a che fare.

«Patatina?». Gina le porse il sacchetto.

Jacks agitò la mano come se la offendesse. Al momento non aveva appetito. Giusto ieri aveva dovuto spiegare a Sven che non le andava di mangiare il sandwich che lui le aveva preparato perché aveva la nausea e non riusciva a togliersi un sapore metallico dalla bocca.

Le due ragazze camminarono a braccetto fino a raggiungere la fine del Grand Pier, dove sedettero fianco a fianco sulla panchina a guardare il mare. Una grossa petroliera attraversava lentamente l'orizzonte, diretta ai moli di Avonmouth.

«A cosa stavi pensando, quindi?», chiese Gina portandosi le patatine calde e salate nella bocca.

Jacks si strinse nel cappotto e sorrise. «Al mio futuro, immagino».

«Pensavo che avessimo già un piano per il futuro? Trasferirci a Bristol, dividere un appartamento, sposare i membri dei Take That, Jason Orange è mio, a proposito, e mentre saremo lì io disegnerò t-shirt e verrò assunta da una grossa etichetta di moda».

Jacks riuscì a fare un sorrisetto.

«Oh, capisco, hai cambiato idea. Sei *tu* quella che andrà a lavorare da Thekla e sposerà Jason Orange, vero? Farai meglio a non provarci, primo perché dovrei picchiarti per avermi rubato il mio uomo e poi perché mi mancheresti davvero».

«No. Non è il mio tipo». *Preferisco studiosi ragazzi svedesi che siedono con me su un portico in un dondolo...* «Penso solo che sia divertente il modo in cui lasci che il tempo scorra solamente e poi, *clic!*, succede qualcosa ed è come se la tua vita fosse tutta pianificata».

«È una cosa che odierei! Non sopporto che la mia vita possa essere pianificata. Mi piace l'idea del mistero, dell'avventura che aspetta dietro l'angolo, senza sapere dove andrò o chi potrei incontrare. Penso sia la parte migliore». Gina accartocciò le patatine rimaste nel sacchetto ormai traslucido d'olio e le gettò nell'immondizia, prima di cercare le sigarette e l'accendino che teneva nella tasca anteriore della giacca di jeans.

«Io avrei detto lo stesso, ma adesso non so». Jacks guardò l'amica, sentendo già la distanza che le avrebbe portate a vivere sulle sponde opposte dell'Atlantico. «Sono piuttosto contenta di conoscere il mio futuro. Mi sento calma, felice!».

«Accidenti, e cos'è che ha fatto *clic* per te, quindi? Chi sei, Maga Magò? Dov'è la tua sfera di cristallo?»

«Non è quello, non so...». Con la punta del piede diede un calcio alle assi di legno; non voleva lasciarsi scappare tutto. «Ma non ti è mai capitato di svegliarti e accorgerti di non avere paura di cosa c'è dietro l'angolo?».

Gina la fissò e aspirò un tiro dalla sigaretta. «Non posso dire di averlo fatto, probabilmente dovrò dare un'occhiata alla tua sfera di cristallo!».

Jacks si avvolse le braccia intorno al torso, stringendosi per proteggersi dal vento. *Non ho una sfera di cristallo, ma ho un segreto...*

Diciannove

Per i quindici giorni successivi al suo viaggio a Londra, fu come se Jacks trasudasse tristezza. Dipingersi un sorriso in faccia le risultava difficile, e ancor più difficile era fingere che andasse tutto bene. Pete faceva il possibile per sistemare le cose, ma la sua incapacità di risolvere problemi di cui non era consapevole serviva solo a irritarla. Traendo pieno profitto dal suo calo di concentrazione, Martha trascorreva con Gideon quanto più tempo possibile. Jonty neanche si accorgeva che qualcosa non andava, felice nel suo mondo di giochi al computer e soldatini e godendosi la stanza tutta per sé in assenza di Martha, cosa che gli permetteva di lasciar scorrazzare liberamente la macchinina telecomandata.

Due settimane dopo, Jacks sedeva a tavola e ascoltava i cereali di Pete cadere nella tazza. Le sembravano tante pietruzze, un suono forte e invadente. Poi venne il rumore del suo masticare e deglutire e lo sfregare ripetuto del cucchiaio contro la scodella prima che se lo infilasse di nuovo nella bocca ancora piena. Le dava la nausea. Era sempre così, ma quel giorno più che mai. Quando lui si chinò per salutarla con un bacio, lei si tirò indietro. Notò il lampo di sofferenza nei suoi occhi, ma le sembrava di non poterne fare a meno.

«Ce l'ho una camicetta, mamma?». La voce attraversò il pianerottolo e volò giù per le scale.

«Nell'armadio asciugabiancheria!».

«Maaamma, è pulita la mia tuta?», urlò Jonty.

Merda! No, non lo era. In effetti, era ancora nel borsone, sul sedile posteriore dell'auto. «Vado a prenderla, Jont!». Decise di piegarla di nuovo e spruzzarla di deodorante nella speranza che lui non se ne accorgesse.

La campanella di Ida suonò.

«La nonna chiama!», dissero i ragazzi in coro.

Jacks si nascose il viso tra le mani e pianse.

Quel pomeriggio, rientrò in casa spingendo la sedia a rotelle, poi aiutò la madre a scendere. Era una giornata bellissima ed erano uscite a prendere un po' d'aria fresca. Il suolo era coperto di ghiaccio, ma il cielo era immenso e azzurro: il genere di giornata che ti faceva ricordare com'era la vita in estate, che ti spronava ad andare avanti, a superare l'inverno. Dopo aver cambiato Ida e averla messa a letto per un sonnellino pomeridiano, piegò la sedia a rotelle e la stipò nello spazio del sottoscala.

«Io ho quel tesoro!», urlò Ida.

Almeno non sta più parlando della lettera, pensò Jacks.

«Non preoccuparti, mamma, quando troveremo il tesoro te lo porterò subito su».

Sospirando, portò fuori il sacchetto chiuso con il doppio nodo per gettarlo nel bidone dell'immondizia. Tornata dentro, fu sorpresa di trovare Martha seduta in cucina con la testa posata sul pugno, il gomito appoggiato al tavolo. «Oh, ciao, tesoro. Che colpo mi hai fatto prendere! Non sapevo fossi a casa. Perché non sei a scuola?».

Martha sollevò lo sguardo e si strinse nelle spalle. Jacks poteva vedere che aveva pianto.

«Stai male? Vuoi una borsa dell'acqua calda per la pancia?». Jacks diede inizio alla routine familiare.

«No. Non... Non sto male, mamma». Il respiro le rimase strozzato in gola.

L'ha lasciata. Jacks sentì uno sfarfallio di gioia all'idea che la vita di sua figlia potesse finalmente rimettersi in carreggiata. Aveva ragione Gina: la storia aveva fatto il suo corso e Gideon aveva voltato pagina.

«Qual è il problema, tesoro? Parlami. Sai che se posso darti una mano, lo farò. Sempre». Jacks sedette vicino alla figlia e posò il palmo sul dorso della sua mano snella.

Gli occhi di Martha tornarono a riempirsi di lacrime. Affondò la testa tra le braccia mentre i singhiozzi le scuotevano le spalle.

Jacks le accarezzò i capelli. «Va tutto bene, tesoro. Andrà tutto bene. Sei così giovane, Martha, e ci sono molti altri pesci nel mare, aspetta e vedrai. Per quanto fosse carino, all'università incontrerai di certo un altro Gideon... In effetti ne incontrerai uno migliore, con un futuro, con delle prospettive, e sarai felice che questa storia sia finita quando è finita».

Alla fine, Martha raddrizzò la schiena e fece qualche respiro profondo. Si asciugò le lacrime con l'orlo della maglia, lasciando sul braccio le macchie scure del kajal pesante. «Non abbiamo...», balbettò. «Non abbiamo chiuso, mamma».

«Oh. Pensavo solo... A scuola è tutto a posto?».

Martha annuì. «Ho ricevuto un messaggio dell'UCAS riguardo all'università».

«Non hanno ritirato l'offerta da Warwick, vero? Possono farlo?», ansimò lei.

«No». Martha tirò su col naso. «Non funziona così».

«Grazie a Dio!». Jacks espirò.

«Il messaggio era che ho ricevuto un'altra offerta. Da Bristol». Quelle parole la fecero singhiozzare ancora più forte.

«Sì!». Jacks batté le mani. «Lo sapevo! È fantastico! Meraviglioso! Non piangere, sciocchina. L'idea di Bristol mi piace; potrei venire a trovarti, portarti fuori a pranzo e anche farti la lavatrice se tu avessi troppo da fare. So che ho promesso a tuo padre che ti avrei lasciato andare e che ti avrei dato la tua indipendenza, ma nel giro di un pomeriggio potrei prendere la biancheria, lavarla, asciugarla e fartela avere di ritorno. Ti risparmieresti il lavoro. Così potresti concentrarti solo sui tuoi studi. E in caso di emergenza saremmo solo dietro l'angolo; sono sicura che non ce ne sarà bisogno, ma non c'è nulla di male nell'averci vicino. Potresti anche trovare posto in uno di quei bei dormitori vicino alle colline!».

«Non ce ne sarà bisogno, mamma. Non sarà un problema».

«Oh. D'accordo. Lavati le cose da sola!». Jacks rise, a disagio.

«La lavatrice non c'entra nulla!», urlò Martha.

Jacks pensò che dovevano essere gli ormoni. La sua bambina si sentiva probabilmente un po' sopraffatta dai cambiamenti a cui stava andando incontro la sua vita e questo era più che comprensibile – andarsene di casa e trasferirsi da sola lontano era una cosa grossa. Non che lei l'avesse mai fatto, non davvero; aveva semplicemente scambiato una strada per l'altra e invece di trovare sua madre e suo padre in cucina al risveglio, ci aveva trovato Pete.

Attese che l'atmosfera si calmasse, poi fece un altro tentativo. «Allora perché stai piangendo, tesoro? Devo andare a cercare un'altra bottiglia di Buck's Fizz?».

Martha raddrizzò la schiena e tossì. Si infilò i capelli dietro le orecchie, cercando di contenersi. «Non andrò a Bristol».

«Allora a Warwick, quindi? Va bene; era la tua preferita, giusto? Te l'ho detto che sono andata online per dare un'occhiata al loro sito? Hanno una caffetteria, un supermercato, addirittura un parrucchiere, proprio lì nel campus. È fantastico! Non essere triste! È una decisione semplice, sciocchina. A me e papà non interessa dove andrai, l'unica cosa che importa è che sia il corso di laurea giusto per te e che tu sia al sicuro, nient'altro». Jacks le strinse le mano.

«Non andrò neanche a Warwick».

Ci fu un istante di silenzio mentre Jacks digeriva le parole della figlia, cercando di capire.

«Non dire stupidaggini, certo che ci andrai. Riuscirai ad avere i voti, ne sono sicura! Questa è solo la tremarella pre-esame, ma ti è già successo in passato e ce l'hai sempre fatta. Sempre!».

«Non andrò all'università. Non ci andrò e questo è tutto». Martha ritrasse le dita da sotto quelle della madre e si raccolse le mani in grembo.

«Di cosa stai parlando? Certo che ci andrai! Ti ho anche già comprato la piastra per i panini!». Jacks sentì il cuore che iniziava a martellare mentre un dolore alla testa le pulsava dietro gli occhi.

Martha sospirò, la guardò e si asciugò un'ultima volta gli occhi. «Non ci andrò. Non capisci? Non andrò da nessuna parte!».

«Stai dicendo stronzate».

«Sono incinta». Le parole di Martha tagliarono l'aria e le si conficcarono nel cuore come minuscoli pugnali.

«Che cosa?». Doveva essere uno scherzo; solo che non faceva ridere per niente.

«Penso che mi hai sentita, mamma. Sono incinta».

«Non puoi… No… Io non… Dimmi che non è vero», balbettò lei, inorridita.

Martha si alzò dal tavolo. «Non posso dirti che non è vero, perché lo è».

Ci furono diversi istanti di silenzio in cui le parole di Martha rimbalzarono contro le pareti fino a mettere radici nel suo cervello. Jacks cercò di tenere ferme le mani sul piano del tavolo mentre ascoltava Martha salire le scale scricchiolanti. Dentro di sé, risentì forti e chiare le parole del suo tutore: «Per una ragazza come Martha, è il cielo il limite. Se si impegna e lavora duro, potrà scegliere lei la sua strada!».

No. No. No. No! Era impossibile che stesse succedendo. Non l'avrebbe permesso!

Aggrappandosi alla ringhiera, Jacks salì le scale, gli arti pesanti come piombo. Il suono della campanella di sua madre la fermò sul pianerottolo. Aprendo la porta della sua stanza, infilò dentro la testa e sollevò il dito, parlando un po' più duramente di quanto fosse necessario.

«Due secondi, mamma, dammi un minuto. Devo parlare a Martha, poi vengo subito da te».

Richiuse con forza, poi si appoggiò allo stipite della camera dei figli.

«Lo vuoi tenere?», bisbigliò.

Martha annuì, lo sguardo fisso. «Sì».

Jacks esitò ai piedi del suo letto, sentendo come una nebbia rossastra che copriva ogni cosa. Il respiro le uscì sempre più rapido mentre lacrime di rabbia e frustrazione affioravano in superficie. Gli arti le tremavano.

«Sei fuori di testa?».

Martha la fissò con gli occhi sgranati, ma non rispose.

Jacks si chinò verso di lei. «Devi esserlo, cazzo. Porca puttana, devi aver perso la bussola del tutto!».

«Mamma!». Avvolgendosi le braccia intorno al petto, Martha si ritrasse contro i cuscini. «Stai imprecando».

«È il momento di imprecare, questo. È il momento, cazzo! Mi hai sentito?». Parlò a denti stretti.

Martha chiuse gli occhi, come nel tentativo di bloccare le parole.

«Ti rendi conto di quello che hai fatto, di cosa stai facendo?». Jacks si voltò e uscì dalla stanza, sbattendo la porta. Al rumore, Martha sobbalzò e si portò istintivamente la mano sulla pancia.

La campanella di Ida suonò. Jacks urlò: «Per Dio, dammi

un cazzo di minuto!», e tornò indietro. Si precipitò di nuovo nella stanza di Martha e riaprì la porta con forza.

«Tutti mi dicevano di lasciare che le cose facessero il loro corso, dicevano che stavo avendo una reazione eccessiva! Ma io lo sapevo, maledizione, l'ho saputo nel momento stesso in cui ho visto come gli parlavi che avresti mandato la tua vita a puttane! Ho pregato di sbagliarmi, non hai idea di quanto ho pregato, ma nessuno mi ascoltava».

Il suono del pianto di Martha ruppe la pausa di silenzio nella sua invettiva.

«Ti rendi conto di quello che hai fatto? Eh? Ti sei messa un cappio intorno al collo. In effetti, no...». Jacks si passò le dita tra i capelli e camminò in circolo. «Un cappio sarebbe una fine troppo veloce. Tu ti sei iniettata nelle vene un veleno dall'effetto lento. Alla fine ti ucciderà, ma ci vorranno vent'anni. Venti cazzo di anni in cui ti toccherà sguazzare nella mediocrità fino ad annegarci!». Aveva il viso paonazzo, gli occhi inferociti.

Martha stava ormai piangendo sommessamente.

Jacks non aveva finito. «Anno dopo anno, l'aria diventerà più rarefatta e il tuo cuore più pesante, finché un giorno non varrà più la pena neanche di alzarti. Guarda me! Guarda la mia vita!». Si batté il pugno contro il petto. «Ho un solo reggiseno, lo sapevi? Un solo reggiseno ingrigito che lavo, asciugo, indosso, lavo, asciugo, indosso. Tutto qui, solo uno. Ho gambe pelose per risparmiare sui rasoi e la ceretta. "Perché non ti compri mai vestiti nuovi, mamma? Sembri una barbona, mamma!"». Imitò la voce dei figli. Martha singhiozzò. «Perché? Perché non ci sono i soldi per i vestiti del cazzo, non per me! E io sono lì a sognare la veranda quando neanche posso comprarmi un reggiseno nuovo. Che ridere! E i miei figli, con una differenza d'età di dieci anni, devono dividere la stanza. È tutto una merda». Strinse il pugno.

«Merda totale, e io volevo qualcosa di meglio per te. Volevo che viaggiassi, che diventassi qualcuno, che andassi a vivere lontano! E avresti potuto farlo, sei ancora in tempo! Hai l'occasione e le capacità!».

Sentendo che la forza le abbandonava le gambe, Jacks crollò sulla moquette liscia con la schiena premuta contro il letto.

«Io diventerò qualcuno, mamma, io...».

«No! No, non lo diventerai. Non dirlo nemmeno! Sarai come tutte le altre ragazze alla fermata dell'autobus, a premere tasti sul tuo cazzo di telefono prepagato con tuo figlio che dorme in un passeggino sporco. E avresti potuto avere tutto!».

Martha si alzò in piedi. «Io ce l'ho, tutto! Ho Gideon e avrò nostro figlio!».

«I bambini non ti piacciono neanche. Ricordi cosa dicevi di Jayden, il figlio dei vicini? "È una creaturina rosa e tutta contorta", dicevi questo. Dicevi che non riuscivi a capire cosa ci trovassimo di tanto dolce».

«E tu hai detto che quando è tuo è diverso».

Touché.

Gli occhi di Jacks fiammeggiarono. «Ma sentiti, Martha. Sembri così stupida! E non avevo mai pensato che lo fossi. Puoi scegliere la strada che vuoi e tu scegli *questa*?». Jacks rise, una risatina acuta e innaturale. «E lo so che sei convinta che Gideon sia quello giusto». Rise di nuovo. «Sono sicura che ti immagini di invecchiare insieme a lui con le rose intorno alla maledetta porta. Ma non andrà così. È una fregatura. Alla fine passa, questo non te lo dice nessuno. E l'amore che pensavi di aver trovato? Santo Dio, nel giro di pochi anni quella persona potrebbe addirittura non ricordarsi più di te! Non importa quanto spesso ci pensi, quanto lo desideri! Di te lui avrà solo un vago ricordo, questo ragazzo che ti ha rubato il cuore».

Martha alzò la voce. «Non puoi sapere com'è per noi. O cosa proviamo l'uno per l'altra!».

«Non lo so, Martha?». Jacks saltò in piedi, i pugni stretti. «Pensi che io sia nata così?». Si strattonò la maglia. «Nata sfinita? Certo che no. Quando ho conosciuto...». Esitò, fermandosi in tempo. «Io... ero proprio come te, a crogiolarmi nella luce del mio primo amore, con il desiderio di toccarlo, di farmi toccare, costantemente. Lo guardavo dormire, mi lasciavo affascinare dalle sue parole: era come una droga, avrei fatto qualunque cosa mi avesse chiesto, sarei andata dovunque avesse voluto, perché l'unica cosa che contava era stare con lui. Era come una droga...».

Martha guardò il pavimento. Suonava familiare.

«E sai cosa è successo? Lo sai? Di colpo mi ritrovo a raccogliere i calzini sporchi di Pete da terra, a litigare su come e dove risparmiare e a scalare il suo sedere nudo nel cuore della notte per andare a prendermi cura di mia madre. Ed è successo in un batter d'occhio». Fece schioccare le dita. «Un batter d'occhio!».

«Questo a noi non succederà. Io lo amo dav...».

«Lo amo davvero!». Jacks finì la frase per lei. «Lo so, Martha, e nessuno ha mai amato qualcuno tanto quanto tu ami lui e quanto lui ama te e nessun altro su questo pianeta potrebbe in alcun modo capire perché quello che provi tu è unico. Lo capisco. Ma quello di cui devi renderti conto è che non stai facendo altro che recitare le stesse frasi che ogni donna si inventa quando incontra un cazzo di Gideon o qualche sosia di George Clooney pieno di chiacchiere e con le tasche traboccanti di bigliettoni. Non sei l'unica, non hai neanche ragione, sei solo in quella fase».

«Non è una fase. È vero!», strillò Martha.

«No, non lo è. Ma parte della fregatura è che sembra reale! E quando te ne renderai conto, sarà ormai troppo tardi».

«Penso di essere in grado di riconoscere la differenza, mamma. Devi darmi un po' di credito».

«Devo?». Jacks sbuffò. «Non è per questo che ti ho avuta, Martha. Perché facessi questa vita».

«Per questo che mi hai *avuta*?». Martha fissò sua madre. «Neanche fossi stata creata per uno scopo preciso!». Si massaggiò la parte superiore delle braccia.

«Forse è così, forse ti ho avuta perché tu diventassi qualcuno, perché avessi una vita fantastica».

«O magari mi hai avuta perché potessi vivere i tuoi sogni per te, fare tutte le cose che tu non hai fatto e che non potevi fare, non è forse più corretto?»

«Sì, immagino di sì, in parte. Ma in senso buono!».

«Come può essere in senso buono? Cosa può esserci di buono nel prendere tutti i tuoi fallimenti e le tue lacune e passarli a me? Magari io non voglio le stesse cose che vuoi tu».

«Be', penso che questo si sia capito!», sbottò Jacks.

«È perché non ti piace Gideon? C'entra lui?».

Jacks sospirò e si stropicciò le mani. «Lui c'entra sempre, Martha! E così sarà finché non tornerai in te!».

«O non la vedrò nel modo in cui vuoi tu».

«È lo stesso».

«No che non lo è».

Jacks guardò la figlia. «Sei formata solo a metà; sei come una torta che nel centro è ancora cruda. Una che a vederla sembra perfetta ma servono altri venti minuti prima che sia cotta. Non sei ancora pronta!». Ormai stava urlando. Batté il palmo contro il muro.

«Pronta per cosa?». Martha sembrava confusa.

«Per tutto! Qualunque cosa!». Jacks fece un respiro profondo, cercando di calmarsi. «Hai solo diciotto anni. Credi di essere adulta, ma non lo sei, sei ancora così piccola. Fidati di me, so di che cosa stai parlando. E la natura può essere crudele e confonderti le idee, darti le tette, gli istinti e l'intelligenza. Ma essenzialmente sei ancora una bambina e devi credermi quando ti dico che man mano che ti allontanerai dai diciotto anni, quando ne avrai trenta, per esempio, quaranta, cinquanta, e fidati, arriveranno fin troppo presto, ti renderai conto che è la verità».

«Non vedo cosa c'entri l'età con tutto questo! Sono abbastanza grande da prendere le mie decisioni e tu mi hai sempre detto di ascoltare la voce nella mia testa ed è quello che sto facendo! Sei tu quella di cui non mi fido!».

Jacks considerò la cosa. «Ce l'ho anche io ho una voce nella testa e la mia urla che stai facendo un grosso errore!».

«Be', forse dovresti dire alla tua vocina che mia madre mi ha cresciuto bene e che mi fido dei miei pensieri e delle mie decisioni!».

Jacks aprì la bocca per rispondere ma non le venne in mente una sola cosa da dire.

La voce di Martha era poco più che un bisbiglio. «Io ti voglio bene, mamma, ma tu devi lasciarmi vivere la mia vita. È questo il punto, esattamente questo. La vita è mia. Non tua, mia».

Jacks guardò il viso determinato di sua figlia, una ragazza sul punto di diventare donna.

«Martha, ti prego», la implorò, la voce più calma, adesso. «So che sei intelligente, più intelligente di me praticamente sotto ogni aspetto, ma io ho vissuto, sono passata per tutto questo e posso parlare per esperienza».

Martha si strinse la coda di cavallo e saltò giù dal letto. Si asciugò le lacrime e raccolse la borsa.

«Ti sto implorando, davvero. Ti prego, non avere questo bambino. Sarà la tua fine, la fine di tutto».

«Tu non eri molto più vecchia di me quando hai incontrato papà», ribatté Martha. «Stai dicendo che per te quella è stata la fine di tutto?».

Ed eccolo, l'asso nella manica. Il fatto indiscutibile. Cosa avrebbe dovuto rispondere? Come poteva usare le parole che le danzavano sulla punta della lingua, parole amare e piene di rimpianto, che non si sarebbero mai potute cancellare? Lei e Pete avevano lavorato duro per proteggere Martha durante tutti quegli anni: non avrebbe confessato la verità adesso. Voleva dire qualcosa, dire: "Sì! Ho pensato che fosse la fine di tutto perché ha significato la fine dei sogni, ha significato essere abbandonata dall'uomo che amavo!", ma sapeva che non poteva farlo. Non poteva distruggere tutto adesso.

Guardò gli occhi di Martha, traboccanti di lacrime, e allungò la mano verso di lei. «No. No, tesoro mio. Certo che non è stata la fine di tutto. Perché abbiamo avuto te e quello è stato il dono più prezioso del mondo! Ma è stato difficile, a volte troppo, e abbiamo dovuto fare molti sacrifici. Li facciamo tuttora».

Martha raggiunse la porta. «Se non vuoi svegliarti tutti i giorni accanto al sedere di papà e odi tanto la tua vita, fa' qualcosa per cambiarla. Ma non confondere la tua vita con la mia. Noi avremo questo bambino e questo è tutto».

Un'ora più tardi, Jacks sentì sbattere la porta d'ingresso. Neanche a farlo apposta, suonò la campanella. Lei si diresse verso la stanza della madre.

«Sembra che ho fatto il liquido», cantilenò Ida.

«Già, anche se sai che ti dico? Quello che dici tu non esiste. Quello che intendi è che ti sei di nuovo cagata addosso o se sei fortunata hai solo pisciato». Spinse la madre sul materasso e le sollevò la camicia da notte. «Cambiarti è come avere un biglietto della riffa, non so mai cosa trovo».

«Sto aspettando una lettera».

«Non è vero». Usò un tono duro. «Non stai aspettando nessuna lettera. Non arriverà nessuna lettera. Capisci?», urlò, aggirando il letto di corsa e spalancando la finestra della stanza.

«Toto?». Ida guardò in direzione della porta.

«Sto impazzendo. Sto impazzendo, cazzo». Inspirando profondamente, Jacks puntò le braccia sul davanzale e lasciò scorrere lo sguardo sui tetti di Sunnyside Road. Il grande cielo azzurro era svanito, lasciando spazio a nuvole grigie e miserabili. Sembrava tutto tranne che soleggiato.

Quando Pete entrò in casa, Jonty stava guardando la TV dopo aver ricevuto una cena anticipata.

«'Sera, gente!», urlò lui dall'entrata.

A Jacks il suo tono gioviale diede sui nervi. Pete varcò la porta della cucina con la felpa coperta di fango e cemento asciutto, con chiazze più chiare dove si era versato addosso il diserbante. Lanciò un'occhiata al viso della moglie e le posò la mano sulla spalla. «Che succede?».

Perlustrò con lo sguardo la cucina che si andava scurendo; l'unica luce era quella della lampadina della cappa. Il forno era freddo e scuro, nessuno aveva preparato la cena. «Tua madre sta bene?».

Jacks annuì, irritata dal fatto che l'unico motivo plausibile per quell'interruzione della routine fosse che Ida aveva dato di matto.

«Hai visto Martha?», domandò, cercando di capire se avevano cospirato, chiedendosi se fosse stata l'ultima a scoprirlo.

«No. Cosa è successo? Sta bene?». Il suo viso era inciso di preoccupazione mentre prendeva posto al suo fianco. «Jacks, cosa sta succedendo? Mi stai spaventando».

«Mi sto spaventando da sola, a dire il vero». Lei fece una risatina. «È incinta».

Ecco, detto chiaramente, senza preambolo o discussione – non ne aveva la forza.

«Che cosa?». Pete socchiuse gli occhi mentre lei si appoggiava allo schienale della sedia.

«Hai sentito bene. IN-CIN-TA», scandì.

«Oh, Dio!». Pete si portò le dita asciutte e crepate sul viso. «Stai scherzando».

«Sembro una che sta scherzando?», sbraitò lei.

«Dov'è?», chiese lui, sommessamente.

Lei si strinse nelle spalle.

«Sta bene?».

Jacks sollevò lo sguardo, rendendosi conto che aveva dimenticato di chiederlo. «Non lo so. Non posso crederci, Pete».

«Di quanti mesi è?».

Non le aveva chiesto neanche questo. «Non lo so. Ho perso la testa. Le ho urlato addosso. Sono così arrabbiata! Talmente furiosa che non riesco a ragionare. Si sta rovinando la vita».

Pete si alzò e prese le chiavi dell'auto dalla credenza. «Pensi che sarà da Steph?».

Jacks non sapeva cosa rispondere. Non aveva idea di dove fosse sua figlia. L'unica cosa che sapeva è che aveva sentito la porta sbattere mentre si stava occupando di Ida. Le parole di Pete la fecero sentire in colpa.

«Vado a vedere se riesco a trovarla».

«Sì». Jacks voleva Martha a casa; erano ancora in tempo per farla ragionare.

«Posso immaginare quanto tu sia delusa. Sconvolta. Ma andrà tutto bene, Jacks». Lui le fece un piccolo sorriso, cercando come al solito il modo di calmare la situazione, di aggiustare tutto.

Lei lo guardò. «Davvero?».

Lui sorrise. «Sì. Non è la cosa peggiore che possa succedere, giusto?»

«No?»

«No. No, amore, non lo è. Lo sai». I due si scambiarono un lungo sguardo. «Dobbiamo parlare. Più tardi, quando Jonty sarà a letto. Vado a vedere se riesco a trovarla. Non ci metterò molto».

Jacks era seduta al tavolo della cucina, desiderando essere in grado di andare a cercare Martha da sola, temendo che fossero tutti riuniti da qualche parte a cospirare. Voleva intervenire, dire la propria. Aveva paura che Pete avrebbe semplicemente detto che le cose trovavano sempre il modo di aggiustarsi da sole e che non avrebbero fatto altro che restare a guardare mentre un'altra vita perdeva del tutto il controllo.

Pensò di andare ad affrontare Gideon, immaginò il loro scambio. Attingendo alla propria immaginazione, frugò nella nebbia di rabbia e turbamento per scegliere con cura le frasi che voleva gettargli addosso. "Come puoi pensare di essere degno di lei?" era quella che si ripeteva di continuo. Insieme a: "Aveva tutto il mondo ai suoi piedi e poi sei arrivato tu e l'hai fatta uscire di carreggiata, per cui adesso che si fa? Stai distruggendo le sue possibilità e un giorno ti odierà per questo!". O forse avrebbe provato una strategia più morbida, cercando di fare appello alla sua natura gentile, quella di cui aveva dato prova quando le aveva portato i fiori e si era fermato a chiacchierare con Jonty: "Non è ancora troppo tardi, Gideon; non è troppo tardi per cambiare il risultato. Tutti commettono degli errori". *Me compresa*, pensò. "Ma siete entrambi così giovani che potete sistemare tutto e lasciarvi ogni cosa alle spalle e fare la vita che dovreste avere...". *La vita che avrei dovuto avere io.* A quel pensiero, le lacrime ripresero a scorrere.

Un'ora più tardi sentì il rumore della porta d'ingresso che si chiudeva. Pete entrò in cucina. «Eccola qui, sana e salva». Sorrise, accarezzando i capelli della figlia.

Jacks lanciò un'occhiata al viso di Martha, macchiato per il pianto, le palpebre gonfie e gli occhi iniettati di sangue. Il suo cuore mancò un battito di fronte alla prova della sua sofferenza. Si sentiva combattuta tra il desiderio di stringerla e quello di urlare di nuovo, di cercare di farla ragionare.

«Vuoi mangiare qualcosa?», chiese, evitando accuratamente il contatto visivo e cercando di fare il possibile per mostrarsi conciliante.

Martha scosse la testa. «No, grazie», disse, la voce poco più che un bisbiglio imbarazzato. «Ho mangiato qualcosa da Steph».

«Steph lo sa?», le scagliò contro Jacks.

Lei annuì.

Quindi lo sa tutta Weston... Jacks tenne quel pensiero per sé, ma era un altro colpo basso. Era certa che una volta che si fosse saputo, la situazione sarebbe stata più difficile da risolvere e impossibile da ignorare.

«Di quanti mesi sei?». Si guardò le unghie, cercando di restare calma.

«Più o meno dieci settimane», bisbigliò Martha prima di una nuova ondata di lacrime.

Jacks ci pensò su. *Natale, il nuovo anno, uscivi di continuo, per vederlo, probabilmente diretta alla sua casa vuota o alla sua autofficina. Tutti quei messaggi scritti di nascosto a tavola, quel ronzio maledetto che mi dava tanto sui nervi perché sapevo che si trattava di lui. Non posso credere di essere stata così stupida!*

«Vai a letto, tesoro. Ti porterò una tazza di tè». Pete sorrise alla sua bambina.

Martha esitò, allontanandosi dalla cucina. Guardò la madre. «Mamma, mi dispiace. So che ti senti delusa, ma io non volevo che succedesse tutto questo. È solo capitato».

Jacks aprì la bocca per rispondere che queste cose non "capitavano" e basta, ma non uscì nulla.

Pete si alzò e lasciò passare Martha, appoggiandosi al lavandino e aspettando finché non ebbe salito le scale. «Devi restare calma, Jacks, per il bene di tutti ma soprattutto per quello di Martha. Dobbiamo tenercela vicina, prenderci cura di lei, e possiamo farlo solo se si sente a suo agio qui».

«Oh, bene, mi dispiace se sono io quella che incasina le cose! Come mai ho la sensazione di essere dalla parte del torto, qui? Come se fossi io quella che ha appena gettato la sua chance di essere felice nel cesso. Me lo sarei dovuto aspettare, che saremmo tornati a qualcosa che avevo fatto io!».

«Non sto dicendo questo. È solo che è già un momento difficile e sappiamo che lo diventerà molto di più, quindi dobbiamo cercare di smussare gli spigoli. Le cose hanno uno strano modo di aggiustarsi».

«Oh, per l'amor del cielo, Pete, ma ti senti? Credi davvero che sia così? E per noi quand'è che inizieranno ad aggiustarsi, eh? Quando cambieranno le nostre fortune? Sono diciannove anni che ti sento ripetere la stessa cosa e sono ancora qui ad aspettare».

Pete si voltò, dando la schiena al tavolo, e guardò fuori dalla finestra la striscia stretta del giardino.

«È questo il punto, Jacks. La mia fortuna è già cambiata, il giorno in cui sei arrivata tu nella mia vita e poi Martha e Jonty, la nostra casetta, tutto. Per quanto mi riguarda, io sono l'uomo più ricco del mondo. Magari non avrò navi e orologi sfarzosi, ma non sono stupido, Jacks». Le lanciò un'occhiata. «In effetti, sono abbastanza intelligente da sapere quando ho un biglietto vincente in mano. Alcune cose non saranno esattamente perfette, come vivere con tua madre che ti chiama ogni cinque minuti, o avere una casa così piccola che non ci si può girare, o non potermi permettere di darvi tutto quello che vorrei e di mandare Martha a Parigi con le sue amiche. Ma complessivamente, potrebbe andare tutto molto, molto peggio. Quindi per me le cose si sono aggiustate. Mi dispiace solo che per te non sia lo stesso».

«Pete...». Lei prese fiato, valutando attentamente le parole. «Non intendevo questo. Non...».

«Non importa cosa intendevi. La situazione è quella che è». Pete premette il pulsante del bollitore e si dedicò al tè per la figlia, che al piano di sopra piangeva contro il cuscino con il cuore sul punto di scoppiare, cercando di non svegliare il fratellino addormentato nell'altra parte della stanza.

Venti

Diciannove anni prima

Jacks era seduta nel salotto della villetta a schiera dei suoi genitori, con sua madre che piangeva nel fazzoletto e suo padre che annuiva quietamente al suo fianco. Aveva la sensazione che le pareti la stessero schiacciando; era come se qualcosa stesse risucchiando l'aria dalla stanza. Pensò che sarebbe potuta soffocare.

«E il ragazzo dov'è, adesso?», chiese dolcemente suo padre, mettendo da parte con calma il cruciverba e posando la matita sul dizionario tascabile in equilibrio sul bracciolo del divano.

«Non lo so. In America, penso. Forse a Boston, ma in America di sicuro. Non sono certa…».

«Questo non restringe di molto il campo; l'America è piuttosto grande. Più di Weston». Suo padre cercava di alleggerire il momento.

«Lo so che è più grande di Weston! Qualunque posto è più grande di Weston!». Cosa per lei insolita, Jacks si avventò contro il padre, che indietreggiò di fronte al suo scherno.

«Sei una sciocca se pensi che si farà mai rivedere. Io lo sapevo! L'avevo detto, no?». Ida scosse la testa, prendendo una boccata dalla sigaretta.

«Lui non lo sa, mamma! Non è quel tipo di ragazzo. Non è colpa sua. Non ho mai avuto la possibilità di dirglielo e poi la sua famiglia ha dovuto andarsene in tutta fretta. Sono sicura che se lo sapesse, sarebbe proprio qui». *E quando si metterà in contatto, glielo dirò e tornerà per me...*

Ida fece un verso di disapprovazione. «Ma adesso non è qui, giusto?».

La domanda di sua madre la fece scoppiare di nuovo in lacrime.

Ida si voltò verso il marito. «L'avevo detto, non è forse così? Trovati un bravo ragazzo di qui, qualcuno che si prenda cura di sua madre, un uomo di famiglia. Ma nessuno mi ascolta, non lo fa mai nessuno. Io volevo solo quello che era meglio per lei, per il suo futuro. Desidero che abbia la migliore vita possibile».

«Tutti e due vogliamo solo il meglio per lei, Ida».

Il sostegno di suo padre e le parole di sua madre, gentili a dispetto della delusione, non fecero che acuire la sofferenza di Jacks. Adesso si sentiva anche in colpa. Scesero altre lacrime. Lacrime che temeva non si sarebbero mai fermate, che le chiudevano la gola e le riempivano il naso e la bocca, un fiume di tristezza che non riusciva a bloccare.

Suo padre le toccò la mano. Il suo papà meraviglioso, che cercava sempre di sistemare ogni cosa. Per la prima volta capiva cosa significasse il vero dolore – al confronto, tutte le impennate di tristezza del passato non sembravano altro che esercitazioni. Jacks chiuse gli occhi, sapendo che non avrebbe mai dimenticato quel momento, né l'odore della stanza: sua madre aveva preparato i dolci e c'era un profumo forte di cannella e misto di spezie. La sua nausea non aveva bisogno di grandi stimoli.

«Che cosa hai intenzione di fare?», chiese Ida dalla sedia su cui stava accoccolata, la sigaretta tenuta alta tra due dita, la voce adesso più morbida.

Jacks scrollò le spalle. I dettagli erano vaghi, ma di una cosa era certa. «Avrò questo bambino e questo è tutto».

Più tardi, sdraiata sul suo lettino e con lo sguardo fisso al soffitto, Jacks si mise a pensare. Perché se n'era andato senza neanche salutare? Si rivide stesa sull'erba, la mano chiusa dentro la sua, con l'impressione di avere il mondo intero davanti, di poter andare ovunque e diventare qualunque cosa volesse. Era stata una bella sensazione. *Incontriamoci al lago dei Sogni…*. Guardò la luna, che dalla finestra della stanza sembrava adesso perseguitarla. Si voltò e affondò il viso nel cuscino. *Volevo che mi portassi con te. Portaci con te! Oh, Sven, ti amo. Ti amo davvero. Vorrei poterti parlare…*

Il suo biglietto arrivò una settimana dopo. La realtà della situazione la colpì come un pugno allo stomaco, facendola vomitare e lasciandola debole. Aprì il rubinetto del bagno. Non importava che l'acqua fosse solo tiepida; il punto era far sì che lo scroscio soffocasse il rumore del suo pianto.

«Tesoro, tutto a posto lì dentro? Stavi vomitando?», chiese sua madre passando davanti alla porta, bussando due volte con la mano che non reggeva la sigaretta.

Lasciami stare. Ti prego, lasciami solo stare. «Sì. Ma adesso sto bene», aggiunse lei, con il tono più allegro che riuscì a trovare. Aspettò di sentire le pantofole di Ida scendere le scale, ciabattando in direzione della sua comoda sedia.

Era andato in America, a Boston, con la sua famiglia in una casa grande dove c'era spazio per respirare. E non si sarebbe rimesso in contatto con lei né sarebbe venuto a prenderla a breve. Rilesse il biglietto che teneva tra le dita, sperando di trovare una riga che le dicesse che si trattava soltanto di un errore orribile e che sarebbe arrivato, che stava per venire a prenderla per mano e dirle che si sarebbe sistemato tutto. Studiò la sua scrittura filiforme, quelle parole poetiche e prive di significato, che sopprimevano qualunque sentimento avrebbero potuto trasmettere. Non c'era più la passione ardente che l'aveva fatta cadere tra le sue braccia e spinta a sdraiarsi con lui sotto le stelle. Non c'era più l'eccitazione dei progetti, le immagini di un futuro tanto reale che quasi poteva sentire l'odore del tramonto polveroso del Montana sotto la sua luna bassa. Non c'era nessun messaggio di speranza, nessuna parola di desiderio. Era il suo addio.

A essere onesta, sapeva che sarebbe finita così, che lui avrebbe proseguito la sua avventura mentre lei sarebbe rimasta lì, a vivere con i suoi genitori a Addicott Road, sperando in un posto al college. Anche se pure questo adesso sembrava fuori dalla sua portata. Si mise la mano sulla pancia e rilesse il biglietto.

Penso che forse non ci sbagliavamo a credere che l'inizio fosse la parte più eccitante. Stavamo iniziando tutto ed era emozionante, vero? La realtà è una lezione dura. La geografia può farci da carceriera, ma il tempo vedrà erodere questa distanza e noi danzeremo sotto le stelle fino al giorno in cui i chilometri scompariranno e chi lo sa, forse potremo imbarcarci in un nuovo inizio…

«Chi stai cercando di prendere in giro, danzare sotto le cazzo di stelle?». Jacks premette la mano sullo specchio, appoggiandovisi in cerca di forza mentre le lacrime le scorrevano lungo il viso e si infrangevano sul lavandino verde oliva. «Sono stronzate, Sven, tutte quante. Non sto danzando da nessuna parte, proprio come non andrò mai via… Sono bloccata qui senza di te e sono incinta!». Gemette, mentre quel sussurro lasciava la sua bocca. «Sono incinta, Sven, e non so cosa fare…».

Stracciò il biglietto e gettò i frammenti nel water, rimpiangendo di averlo distrutto già mentre lo guardava andare a fondo, impregnato d'acqua, prima che lo scarico lo trascinasse via.

Ventuno

Il tempo assolato e luminoso contrastava con l'umore di casa Davies. Era passata una settimana dalla rivelazione di Martha, ma l'atmosfera era ancora tesa, con ogni membro della famiglia che si sforzava a suo modo di venire a patti con la situazione. Durante il viaggio verso scuola, l'auto era stranamente silenziosa. Nessuna battuta vivace di Jonty dal sedile posteriore, nessuno scambio arguto mentre Martha si truccava e canticchiava a tempo con la musichetta della radio.

«Tutto a posto lì dietro, mister?», chiese Jacks nel tono più scanzonato che riuscì a trovare. «Abbiamo messo le cinture?».

Jonty annuì, con aria piuttosto desolata.

Lei ritentò. «Sei silenzioso, oggi. Hai in programma qualcosa di interessante?».

Jonty scosse la testa prima di aprire bocca: «Martha questa notte piangeva. Mi sono svegliato e poi lei si è messa a parlare con il suo fidanzato sotto il copriletto. L'ho sentita bisbigliare e poi piangere di nuovo».

Jacks lo fissò nello specchietto retrovisore, guardandolo giocherellare con la cerniera del cappotto. Quando sarebbe stato il momento giusto per dirglielo? Quando avrebbe dovuto arrendersi e ammettere finalmente che la sua famiglia era come quella di tutti gli altri e che non ci sarebbe stata alcuna cerimonia di laurea per la sua geniale bambina, nessuna foto formale con il cappello e la toga, nessun titolo da aggiungere al nome e nessun viaggio con la valigetta nera a rotelle per prendere parte a incontri d'affari in capitali lontane?

«Mi dispiace di averti svegliato, Jont». Martha si voltò e sorrise al fratellino.

«Adesso stai bene, Martha?», chiese lui.

«Lo sarò», disse lei, prima di uscire dall'auto, la borsa piena di inutili libri di testo gettata in spalla.

Jacks passò il viaggio di ritorno a parlare ad alta voce con suo padre.

«Oh, Dio, papà, ho la sensazione che mi stia sfuggendo tutto dalle dita. Non mi sono mai sentita tanto giù. Potrei scappare, potrei farlo davvero. Scappare e basta. Mi sto sforzando, devi credere che mi sto sforzando, ma non so quanto ancora riuscirò a resistere. Mi dispiace. Non voglio deluderti, ma mi sembra di non riuscire a respirare».

L'auto dietro di lei suonò il clacson; non si era accorta che il semaforo era diventato verde.

Ripensò ai tempi in cui era ragazzina, quando desiderava soltanto che la vita passasse più in fretta, catapultandola nell'età adulta, verso tutte le cose meravigliose che l'aspettavano. Adesso rimpiangeva quell'impazienza, si rendeva conto di aver corso alla cieca, lanciata verso un futuro che nulla aveva a che spartire con ciò in cui aveva sperato. Per anni aveva tratto conforto dai ricordi felici e cercato rifugio nei sogni della vita che avrebbe potuto avere se avesse tentato di aggrapparsi a Sven con più forza. Se solo l'avesse cercato e avesse lasciato a lui la scelta. Ma il punto era che lui di lei nemmeno si ricordava. Per lui, lei non era niente.

Seduta in auto a riflettere, inspirò bruscamente quando squillò il cellulare sul sedile del passeggero.

«Sì, pronto, sono la madre di Martha». Lo stomaco le si strinse, come tutte le volte in cui compariva un numero sconosciuto. Chi era? La scuola? L'ospedale? Era successo qualcosa a sua figlia?

«Ciao, io sono la mamma di Gideon, Allison. Spero di non averti disturbata. Pensavo che forse poteva essere una buona idea incontrarci?». La donna aveva un accento di Bristol e sembrava avere più o meno la sua età. Sembrava anche non poco nervosa.

«Sì», disse Jacks, stancamente. Era inevitabile.

Un paio d'ore più tardi, dopo aver finito le faccende domestiche e aver preparato sua madre, raggiunse in auto Grange Road.

«Adesso ci aspetta una piccola avventura, mamma. Abbiamo appuntamento con una persona per un caffè. Magari tu potresti prendere un pezzetto di torta. Che ne dici?». Entrò nel Weston General Hospital.

Ida sollevò lo sguardo sul moderno edificio di mattoni scuri. «Harptree». Pronunciò la parola chiaramente e in tono conciso.

Jacks la fissò. «Sì, giusto». Aggirò l'auto per recuperare la sua sedia a rotelle dal bagagliaio, sentendosi un groppo in gola. Harptree era il nome del padiglione in cui era stato ricoverato suo padre prima di morire.

Le due raggiunsero la caffetteria Costa, appena dopo l'entrata principale. Jacks spinse la madre verso uno dei tavolini più piccoli, ordinò tre caffè e, come promesso, una fetta di torta di carote per Ida. Impacciata, sorrise ad alcune infermiere entrate con le borsette in mano e subito dirette a ordinare qualche bevanda calda. E poi fece la sua comparsa Allison. Jacks la riconobbe istintivamente. Il modo in cui esitava sulla porta, con aria ansiosa, deglutendo e guardandosi intorno come con la speranza di individuare un viso amichevole e solidale. Jacks poteva vedere da chi Gideon avesse preso la sua bella dentatura e il sorriso ampio. Allison aveva anche una bella pelle; sembrava più giovane dei suoi quarant'anni, con i capelli tagliati in un caschetto corto. Indossava pantaloni blu scuro, zoccoli e un'uniforme blu a maniche corte con il bianco che spuntava dal colletto e dagli orli. Dal taschino uscivano un paio di forbici e pendeva un piccolo orologio appeso al contrario.

«Jackie?»

«Jacks, sì. Ciao. Ti ho preso un caffè, non sapevo quanto durasse la tua pausa o se saresti stata di fretta, così ho pensato di farti risparmiare tempo. È un caffellatte, spero vada bene».

«Qualunque tipo di caffè è sempre bene accetto, grazie». Allison sollevò la tazza di cartone e bevve un sorso. «E grazie per essere venuta fin qui. Con i miei turni è difficile organizzare le cose da un'altra parte, ma adesso sono in pausa, quindi...».

«Questa è mia madre, Ida». Jacks riempì gli istanti di silenzio in cui entrambe si chiedevano come proseguire.

«Ah, sì. Ciao, Ida. Martha mi ha parlato molto di te». Allison sorrise.

Jacks sentì una fitta di ansia. Non si era resa conto che Martha aveva conosciuto la madre di Gideon o che si erano scambiate informazioni di quel livello. Le immaginò sedute intorno al tavolo della cucina di Allison, a ridere e fare progetti come una famiglia; il solo pensiero di venire esclusa in quel modo le dava la nausea. Ma era colpa sua, lo sapeva. Sostanzialmente, si era esclusa da sola.

«È bello conoscerti. Non ho molto tempo, quindi penso che dovremmo venire al punto, discutere la situazione», suggerì Allison.

«Sì», sospirò Jacks. Era abbastanza impaziente di venire al punto. Voleva essere onesta, ma una parte di lei desiderava anche ferire quella donna che sembrava più informata di lei e più legata alla giovane coppia. «Non posso dire di essere entusiasta».

«Io nemmeno». Allison ingrandì gli occhi e serrò le labbra. Be', questo era già qualcosa, almeno non stava organizzando il ricevimento per annunciare il lieto evento o sferruzzando scarpine di lana. Jacks si chiese quale fosse il modo migliore di procedere. Aveva sulla punta della lingua tutte le cose che voleva dire. La prima della lista era che Martha stava mandando a monte l'occasione di andare all'università. Jacks inspirò profondamente, ma Allison la precedette.

«Martha mi piace molto, davvero. È una ragazza adorabile. Ma è così giovane, e non penso che a quell'età si possa veramente sapere che cosa si vuole, non davvero, e questo mi preoccupa. Gideon ha lavorato duro per imparare il suo mestiere. Ha grandi ambizioni e vuole aprire una sua attività e la mia paura, oltre al fatto che possa venire ferito da qualcuno troppo giovane per sapere cosa vuole davvero, è sempre stata che avrebbe potuto... Non so come dirlo». Abbassando lo sguardo a terra, si morse l'interno della guancia. «Immagino di aver sempre nutrito la preoccupazione che avrebbero potuto accollargli un bambino che dovrà mantenere per i prossimi diciotto anni». Scrollò le spalle.

Seduta di fronte a lei, Jacks la fissò e cercò di trattenersi dal gridare. Doveva restare calma, come le aveva ricordato Pete, per il bene di tutti. «Quindi, giusto per chiarirci, tu hai paura che Martha si sia fatta mettere incinta solo perché così Gideon dovrà mantenerla? È questo che stai dicendo?».

Allison alzò una mano come per bloccare ogni commento successivo. «Non esattamente. Non penso che l'abbia fatto di proposito.... Sai come sono i ragazzini, confondono il sesso con l'amore». Scosse la testa con aria di disapprovazione. «Ma so che per alcune ragazze è una possibilità piuttosto attraente... Non dover lavorare, avere figli, stare a casa. Non che Gideon sia stato cresciuto così. Io ho sempre lavorato a tempo pieno, non ho mai fatto affidamento su nessuno a parte me stessa, a livello economico. Mi piace essere indipendente». Allison bevve un sorso del suo caffè.

A Jacks veniva da piangere. Voleva dirle che prima di cominciare a fare la badante di sua madre a tempo pieno, lei lavorava in banca tre giorni alla settimana. Voleva urlare che andare a lavoro era una passeggiata in confronto all'essere reperibile ventiquattr'ore su ventiquattro, schiava del suono della campanella di sua madre. Si sentiva come sotto attacco e il bisogno di difendersi era istintivo. Ma lei o Allison in tutto questo non c'entravano, il punto erano i loro figli. In più, Jacks sapeva come fosse la vita di un'infermiera: durante i suoi lunghi turni Allison si occupava probabilmente di una trentina di Ide. Con determinazione, seguì il consiglio di Pete, mantenendosi calma e parlando dal cuore.

«Martha era pronta per l'università. Ha ricevuto diverse offerte ed è più che capace di ottenere i voti richiesti e ho la sensazione che stia mandando tutto a monte. Questa situazione non mi trova solo contrariata, mi sventra, mi fa a pezzi». Trovare le parole per esprimere ciò che sentiva era più difficile di quanto si aspettasse. Le stava venendo un nodo alla gola. «Non è il tipo di ragazza che resta a casa e non lavora».

«È quello che dice anche lei». Ancora una volta, Allison diede conferma del rapporto che aveva con Martha.

«Be', non è nemmeno una bugiarda, quindi se questo è quello che dice...». Jacks lasciò la frase in sospeso.

«Martha dice che a te Gideon non piace». Allison usò un tono tranquillo, per nulla aggressivo, ma ferito.

Dio, Martha! C'è qualcosa che non stai raccontando a questa donna?

«Sono sicura che questo sia ciò che pensa, ma non è la verità. Non ho avuto davvero occasione di conoscerlo, ma sembra un bravissimo ragazzo e Martha è evidentemente molto legata a lui. Direi che sono arrabbiata con lui per aver messo mia figlia in questa situazione. Ma sarei arrabbiata con chiunque fosse al suo posto».

«È davvero un bravo ragazzo, lavora duro ed è genuino. Crescendo ha dovuto affrontare parecchie difficoltà. Quando io e suo padre ci siamo separati l'ha presa molto male. È stato praticamente cresciuto da sua nonna, io lavoravo di continuo, e a suo onore, va detto che non vede l'ora di avere una famiglia tutta sua, ancora più di quanto pensassi. Ieri ha accompagnato Martha all'appuntamento con il dottore, come se fosse una passeggiata. Gli è sempre piaciuta l'idea di avere dei figli. Penso sia perché ha sofferto molto la solitudine, da bambino. Non abbiamo una famiglia numerosa, soltanto lui e suo cugino Tait, e Tait è nato e cresciuto a Sydney; mia sorella è emigrata anni fa. Ma capisco ciò che dici riguardo al provare rabbia. Per me è lo stesso».

Jacks la fissò. *Appuntamento dal medico? Che appuntamento?*

Allison sollevò l'orologio capovolto con un dito e controllò l'ora. «Senti, io devo tornare in reparto, ma sono felice che siamo riuscite almeno a incontrarci e fare questa chiacchierata. Qualunque cosa succeda, ho la sensazione che loro avranno bisogno di noi, di entrambe». Sorrise, chinandosi e posando la mano sul braccio di Ida. «Ciao, Ida, è stato bello conoscerti».

Jacks la guardò uscire a grandi passi dalla caffetteria e dirigersi verso gli ascensori. L'incontro non era andato esattamente come aveva pianificato.

Tornata a Sunnyside Road, tirò fuori la sedia a rotelle dall'auto.

«Forza, mamma, andiamo a prendere una boccata d'aria». Jacks voleva passeggiare, schiarirsi le idee mentre ripensava alla conversazione con Allison. Spingendo Ida sul marciapiede in direzione dei negozi, pensò a Martha che era andata al suo appuntamento senza neanche parlargliene. Eppure Allison, quasi una completa sconosciuta, ne era stata messa a conoscenza. Chi erano, quella donna e suo figlio, le cui vite risultavano di colpo ingarbugliate con le loro? *Oh, Dio, la sto perdendo! La sto perdendo, e quella donna, con il suo lavoro a tempo pieno e l'orologio capovolto, mi rimpiazzerà senza problemi, prenderà il mio posto. Mi estrometterà dalla sua vita... Per favore, che qualcuno mi aiuti! Non voglio perdere mia figlia.*

Sempre spingendo la madre, Jacks svoltò l'angolo e si diresse verso il parco di Beach Lawns. «Prendiamo qualcosa per cena, va bene?».

Mentre seguiva la curva, vide Gideon sul lato opposto della strada. Abbassò lo sguardo, fingendo di non averlo notato, ma lui le stava chiaramente venendo incontro. *Merda!*

«Signora Davies? Signora Davies?», chiamò.

Jacks rallentò e aspettò che la raggiungesse. «Che c'è, Gideon? Che cosa vuoi?»

«Non lo so». Lui abbassò lo sguardo.

«Mi sei corso dietro per dirmi che non sai cosa vuoi?», sbottò lei.

«Sì. Be', no, non esattamente». Lui si leccò le labbra, che erano secche per l'ansia. «Penso solo che dovremmo parlare. Voglio parlarle».

Come fa Martha con tua madre, intendi? «Be', avanti allora, parla». Lei lo fissò.

Lui esitò. «Ho fatto le prove per quello che volevo dirle, ma...».

Jacks gemette.

«Ma adesso che sono qui davanti a lei, non mi viene in mente niente».

Jacks lo guardò dare un calcio all'asfalto con la punta delle Converse nere. Lui alzò lo sguardo al cielo come se potesse ricevere ispirazione, scostandosi la lunga frangia dagli occhi. «Il punto è che so di non piacerle».

Oh, Dio, non ti ci mettere anche tu! «Non è che non mi piaci. Come ho detto a tua madre poco fa, è che non mi piaci per Martha, non mi piace che tu sia venuto a incasinare la sua vita».

«D'accordo». Gideon era calmo. «Penso che in realtà sia un po' la stessa cosa, ma il punto è che io amo Martha, la amo davvero, e lei ama me e io non lavorerò per sempre in una qualche autofficina imboscata guadagnando poco e niente. Un giorno avrò la mia attività. Ho grandi progetti».

«Pensi che il punto siano i soldi?»

«Non è così?». Lui parve confuso.

«No! Il punto è che Martha dovrebbe realizzare i suoi sogni, finire gli esami, andare all'università e vedere l'intero mondo aprirsi ai suoi piedi. Tu le stai impedendo di fare questo. Tu». Strinse i denti. «Mia figlia avrebbe potuto scegliere la strada che preferiva, è questo che mi ha detto il suo tutore. Sono state le sue esatte parole. È così intelligente che può scegliere la strada che vuole!».

Gideon annuì. «Lo so che è intelligente. Ma il punto è che lei ha scelto me. È questa la strada che ha scelto». Guardò di nuovo l'asfalto. «Succederà. Avremo un figlio e io voglio che lei ne sia felice».

«Davvero, Gideon? Vuoi che io sia felice? Be', è una bella coincidenza, perché anch'io voglio essere felice». E con questo, riprese a spingere la madre lungo il marciapiede senza guardarsi indietro.

Verso la metà del pomeriggio, Jacks sentì chiudersi la porta d'ingresso e sollevò lo sguardo per vedere Pete che entrava in cucina.

«Sei in anticipo», osservò.

«Ho finito presto, così sono andato a prendere i ragazzi». Le sorrise come in attesa di un elogio.

Jacks si limitò ad annuire, poco intenzionata a ringraziarlo per essere andato a prendere i propri figli, cosa che lei doveva fare quasi tutti i giorni.

Per evitarla, Martha era andata dritta in camera, cosa di cui Jacks era grata. In quel modo, avrebbe avuto ancora un po' di tempo per decidere se fare o meno cenno al suo appuntamento dal dottore. A passo svelto, Jonty entrò in cucina con il borsone contenente la tuta da ginnastica sporca tra le braccia.

«È per me, quello?», chiese Jacks, come se le avesse portato un regalo.

«Sì». Lui lo lasciò cadere sul tavolo e senza fermarsi chiese: «Martha avrà un bimbo?». Aveva gli occhi sgranati. «Elliot dice di sì, ma io ho detto che secondo me no perché non ha neanche un marito che potrebbe fare il papà». Arricciò il naso e aspettò di scoprire chi aveva ragione, lui o Elliot.

«È proprio così, patatino, tua sorella avrà un bimbo». Pete sorrise. «Eccitante, no? Diventerai zio!».

«Ma non sono abbastanza grande per fare lo zio, no?». Jonty sembrava perplesso.

«Gesù», borbottò Jacks tra sé e sé, coprendosi gli occhi.

Jonty rifletté sulla novità mentre infilava la mano nella scatola dei biscotti in cerca di un dolcetto precena. A metà gesto si bloccò, la mano dentro la scatola, e si voltò verso i genitori.

«Che c'è, piccolo?». Pete era preparato a una reazione negativa; aveva un sacco di risposte pronte.

«Be'…». Jonty deglutì. «Stavo solo pensando…».

«Pensando a cosa?», lo incoraggiò Pete.

«Non voglio dividere la mia stanza con Martha e un altro bimbo. Non penso che ci sarà abbastanza spazio».

«Oh, non preoccuparti per quello!». Pete rise. «Queste cose hanno uno strano modo di aggiustarsi».

Jacks lo fissò. Non gli veniva in mente nulla di meglio? Doveva ammettere che anche lei si chiedeva come diavolo avrebbero fatto a stare tutti quanti in quella villetta a schiera già tanto stretta. A meno che… *Oh, no!* Al pensiero le si raggelò il sangue. Martha forse sarebbe andata a vivere con Gideon! Era la prima volta che prendeva l'idea in considerazione. Se Martha se ne fosse andata, sarebbe stata davvero la fine.

Tranquillizzato dalla frase fatta del padre, Jonty prese il suo biscotto, se lo infilò in bocca mentre rimetteva a posto il coperchio e andò a spaparanzarsi davanti al televisore.

Jacks sospirò e iniziò a raccontare a Pete dell'orribile conversazione avuta con Allison, che l'aveva fatta sentire come un'estranea nella sua stessa famiglia.

«Mi sono sentita tagliata fuori», ammise. «Gelosa».

«Be', è un'idiozia. Tu sei sua mamma!».

Al piano di sopra suonò la campanella.

«Sì, ma ora come ora non mi sento davvero sua madre. Mi sembra di essere più che altro una nemica».

In fretta uscì dalla cucina e salì le scale. Nell'aprire la porta della stanza di sua madre, l'odore risultò insopportabile. Con gli occhi che lacrimavano, si precipitò a spalancare la finestra.

«Forza, andiamo a farci una doccia». Sollevò la madre con gesti un po' più bruschi del voluto.

«Ahia! Mi stai facendo male!», urlò Ida.

Jacks la ignorò, tenendo aperta con il piede la porta del

bagno e facendo scorrere lo sportello della doccia. Svestì la madre e ammucchiò i vestiti con la scarpa.

«È troppo calda!», strillò Ida. «Mi stai bruciando!».

Jacks spinse la mano sotto l'acqua corrente. «Guarda! Non è vero, è fresca! Per l'amor del cielo, quante volte devo ancora dirtelo?», sbottò.

Si azzuffarono nella doccia, entrambe fradice e coperte di schiuma. Tirando su con il naso, Jacks combatté le lacrime mentre litigava con la madre per convincerla a mettere il pannolino e i vestiti puliti.

«Tutto a posto?», chiese Pete dalla soglia.

«Oh, va tutto alla grande!», disse Jacks atona, raccogliendo gli abiti sporchi della madre.

«Sono preoccupato per te».

«Be', direi che hai un bel po' di cose di cui preoccuparti, no? Sarebbe anche ora, ti pare? La tua figlia diciottenne è stata messa incinta da un ragazzetto del cavolo e mia madre va a passeggio nel cuore della notte costringendoci a chiamare la polizia! Da un giorno all'altro mi aspetto la telefonata della squadra di ricerca di *Jeremy Kyle* che ci propone di essere le star di uno speciale estivo. Potremmo anche farlo, magari ci pagheranno quel che basta per permetterci di comprare una culla, e poi non è che la città intera non sappia già tutti i fatti nostri!».

«Perché state litigando?». Nessuno dei due aveva sentito arrivare Martha.

Jacks si voltò verso la figlia. «Tu che credi, Martha? Che cosa potremmo mai avere io e papà da discutere? Come se non avessimo già una vita abbastanza perfetta, adesso abbiamo anche tuo figlio a cui pensare, e Jonty prima ha chiesto dov'è che dormirà esattamente il bimbo. Tu che suggerisci? Che mettiamo un lettino in corridoio? O magari diamo a te il soggiorno e possiamo stare tutti seduti sui letti come in un monolocale studentesco! Non che tu ne sappia qualcosa, dato che non sarai mai una studentessa universitaria, giusto? L'avevo dimenticato!».

Martha iniziò a piangere.

«Perfetto, proprio quello che ci serve, altre lacrime. Perché, fidati, se le lacrime fossero la risposta, Martha, io avrei risolto tutto da un bel pezzo! Sai che ti dico, perché non racconti a tuo padre com'è andata ieri all'ospedale? Sono sicura che, come Allison, anche lui sarebbe entusiasta di conoscere tutti i dettagli!».

«Vacci piano, Jacks», intervenne Pete.

«Vacci piano? Oh, sì, dimenticavo che è tutta colpa mia. Come al solito». Stava tremando. «Sai che c'è? Sono stufa di questa storia, stufa marcia. Vado a farmi un giro». Mise sua madre sul montascale e allacciò la cinghia. «Ci vediamo di sotto, mamma!», urlò.

«Dove stai andando a quest'ora?», chiese Pete in tono preoccupato, non abituato a un comportamento tanto anomalo. «È quasi buio».

«Da qualche parte, non importa dove. In un posto in cui possa riflettere un po'. E lei me la porto dietro». Indicò la madre. «Dio non voglia che mi prenda una pausa e smetta di occuparmene per cinque minuti, sarebbe chiedere troppo!».

Pete parve ferito. «Puoi lasciarla qui, chiaro che puoi».

«Posso, Peter? Mi sono presa una giornata tutta per me e al ritorno è stato come se il mondo mi punisse per averlo fatto. Non ne vale la pena». Ricordò come, dopo essere rientrata da Londra stanca ed emotivamente distrutta, Ida, contrariata, le avesse dato il bentornato utilizzando la campanella con ancora più frequenza del solito. Quella prima notte aveva suonato ben tre volte. «Potrei anche decidermi ad accettare il fatto che sono incatenata a lei, che mi piaccia o meno!».

«Toto?», chiamò Ida.

«Dovrai gridare un po' più forte», urlò Jacks. «Sono vent'anni che sta sei metri sottoterra!». Ida la fissò. «Forza». La sollevò dal montascale e le infilò il cappotto, poi si lasciò sbattere la porta alle spalle.

Si stava facendo buio mentre uscivano dalla città e prendevano l'autostrada. Stringendo il volante, Jacks aumentò la velocità mentre premeva il piede sull'acceleratore e scalava rapidamente le marce.

«Lo sai, mamma, qual è la cosa peggiore? Il fatto che tu papà lo odiavi. È l'unica spiegazione. Gli rendevi la vita un inferno mentre lui non faceva altro che ammazzarsi di lavoro per pagarti le sigarette. Era un uomo meraviglioso, cosa aveva fatto di male per meritare un simile trattamento? Ti sei comportata in modo orribile verso di lui così tante volte, e questo influenzava anche quanto io ti volessi bene e quanto tu ne volessi a me. Non potevo amare qualcuno che lo trattava in quel modo, come avrei potuto?». Gli occhi le si riempirono di lacrime mentre accelerava sulla corsia esterna.

«Sei capace di amare? Perché mi hai avuta? Perché prendersi il disturbo? Non ti ha costretto nessuno! Uno penserebbe che avere un figlio dopo tutto quel tempo ti avesse fatta felice, eppure hai tenuto me e papà lontani come se fossimo lebbrosi. Perché non potevi unirti alle nostre risate, anche solo per una volta, invece di restare lì seduta a guardarci e giudicarci? Per tutta la vita mi sono sentita una seccatura e non è un bel cambiamento, questo? Adesso sei tu la maledetta seccatura!». Jacks lanciò un'occhiata alla madre, che continuava a tenere lo sguardo fisso fuori dal finestrino, apparentemente ignara di tutto.

«E adesso Martha… Sta gettando via la sua vita. La sta gettando via. Non ci posso credere. Non posso! E chi si credeva di essere, oggi, quella tizia? Come si permette di dirmi quello che dovrei fare o di cosa ha bisogno mia figlia!». Jacks scosse la testa, dando un colpo al volante.

Ida non fece una piega; stava guardando i graziosi lampioni che illuminavano il lato della carreggiata mentre prendevano l'uscita in corrispondenza di Gordano Services e si dirigevano verso Bristol.

«Pensavo fosse una buona idea quella di darti la campanella, per chiamarmi se fossi caduta o ti fossi spaventata o avessi avuto bisogno di qualcosa. Invece è come un telecomando a distanza: tu suoni e io salto. Lo sento di continuo. Lo sento sopra il rumore della TV, delle voci dei ragazzi, su tutto. Comanda la mia vita e lo odio, cazzo!».

Jacks guidò senza nessuna direzione precisa in mente finché non si trovò a svoltare per il ponte sospeso di Clifton. Si sporse verso lo scompartimento davanti alla leva del cambio e scelse una moneta da una sterlina dalla piccola scorta che teneva per le emergenze. La lanciò nel cestello della sbarra per poi attraversare lentamente il magnifico ponte.

«Che bello!», commentò Ida guardando sulla sinistra l'ampia curva del fiume, che si snodava verso la gola del fiume Avon.

Jacks si inoltrò tra le colline erbose e fissò con invidia le imponenti case georgiane a cinque piani schierate come sentinelle. Erano tutte splendidamente illuminate dall'interno. Guardò le alte finestre a ghigliottina, che permettevano di intravedere lampade collocate con cura e tendaggi sfarzosi. Mise la freccia e rallentò mentre superavano il Clifton College, con i palazzi antichi raccolti davanti al campo da gioco immacolato e le luci che spandevano un bagliore dorato verso l'esterno. «Sembra la maledetta Hogwarts», osservò lei, rallentando per evitare le buche della strada.

In prossimità di un antico arco di pietra si fermò per lasciar passare un ragazzo, alto e bruno, con addosso un elegante completo blu fatto su misura, una sciarpa borgogna avvolta intorno al collo e tra le braccia una pila di fogli e libri di testo, un ragazzo che le sorrise e salutò con la mano, educato, seppure avesse fretta di andare dovunque fosse diretto. Il tipo di ragazzo che andava all'università, dove c'era di certo una ragazza...

«Avrà un bambino. Non importa quante volte lo dico, continua a darmi la nausea. Perché è dovuto succedere?».

Superarono lo zoo e salirono fino a Circular Road, con la sua vista incredibile sulla gola dell'Avon e sull'estuario del Severn. Jacks accostò e parcheggiò sulle colline, che a quell'ora della sera erano deserte. Rimase lì seduta per un attimo prima di spegnere il motore e uscire. Estrasse la sedia a rotelle dal bagagliaio e vi mise sopra la madre, ignorando i suoi lamenti mentre la spostava bruscamente e le allacciava la cintura.

La spinse lungo il sentiero finché non raggiunsero un punto panoramico che si affacciava sulla gola. Era difficile, al buio, evitare le buche dove la ghiaia era quasi scomparsa. La sedia a rotelle oscillava da una parte e dall'altra. Ida sedeva completamente immobile mentre Jacks la spingeva con determinazione. Man mano che si avvicinavano alla scogliera il vento freddo le schiaffeggiava il viso, asciugandole le lacrime quasi prima che cadessero. In lontananza si vedeva il ponte illuminato. Era così bello da togliere il fiato.

Jacks rimase immobile, le nocche bianche, stringendo la maniglia della sedia a rotelle. I rumori dei clacson e dei motori che acceleravano nel traffico sottostante erano l'unica cosa che rompesse il silenzio. «È come se stesse andando tutto storto. Il cuore batte troppo veloce, pompa il sangue così in fretta che sembra sul punto di scoppiare». Fissò la testa di sua madre dall'alto. «Non mi aspetto che tu capisca, ma un amore così profondo ti rende debole, vulnerabile. E adesso so che è vero ciò che dicono: il contrario dell'amore non è l'odio, è l'indifferenza. Il ragazzo che amavo, quello che sogno ancora dopo quasi vent'anni... È venuto fuori che è indifferente, e forse lo è sempre stato. Pensare a lui, ricordare quello che c'è stato tra noi e sognare quello che ci sarebbe potuto essere, mi ha aiutato ad andare avanti per anni, durante i momenti brutti, e adesso non ho più nemmeno quello. Tutto quello su cui mi appoggiavo sta diventando polvere». Lasciò andare il sospiro che sentiva crescere nel petto. «Sono stanca, così terribilmente stanca». Giù in basso, delle luci scintillavano in lontananza. «E il povero Pete... Avevamo così tante speranze, pensavamo di essere spiriti affini, ma lo eravamo davvero? O eravamo solo una coppia di reietti che cercava di fare buon viso a cattivo gioco? Non lo so. E adesso si sta ripetendo tutto con Martha, che va dritta verso una vita che non voglio per lei». Scosse la testa. «Non so come fare a vivere con tutta questa delusione, questa amarezza».

«Ho bisogno di trovare il mio tesoro. E quella lettera. Li sto aspettando». La voce di Ida si allontanò nel vento.

«Non è vero!», urlò Jacks. «Non è vero! Proprio come io non sto aspettando uno straniero biondo che arrivi a portarmi via da questa merda, tu non stai aspettando una lettera! Lo capisci?».

Ida si voltò a guardare la figlia. Stava piangendo. «Toto?»

«Non ce la faccio più. Non ce la faccio», disse Jacks al buio. «Sono così stanca e non riesco a vedere nessuna speranza». Singhiozzando, spostò la sedia in avanti di un centimetro. Qualche pietrolina cadde rumorosamente oltre il bordo del sentiero e precipitò lungo la scogliera. «Non ho più niente a cui aggrapparmi. Niente. È come se stessi fluttuando, senza casa, senza radici. La vita scandita da quella maledetta campanella! Non ce la faccio più. Non ce la faccio. E non voglio deludere papà. Io ci ho provato, papà, ci ho provato davvero».

Jacks tirò indietro il braccio e chiuse gli occhi. Con tutta la forza che riuscì a trovare, lanciò in avanti. Tirandosi indietro, ascoltò il rumore del metallo che tintinnava e sbatteva contro le rocce finché non si sentì più niente. Silenzio. Si abbassò affondando nel terreno umido e inspirò profondamente, prima di arrendersi alle lacrime. Scivolò ulteriormente nel ghiaietto, e rimase sdraiata nel buio sul limitare freddo della scogliera. Con il viso premuto a terra, sentì il morso affilato delle pietre contro la guancia. «Cosa faccio adesso? Che diavolo faccio adesso?», pianse nelle tenebre.

Quasi due ore dopo, aprì la porta della casa di Sunnyside Road per trovare Pete in corridoio.

«Eccoti! Mi stavo preoccupando sul serio. Dove diavolo sei stata? È tardi. Continuavo a cercare di chiamarti ma poi mi sono accorto che avevi lasciato il telefono sul tavolo della cucina».

Jacks scrollò le spalle, fissando il marito, incapace di trovare le parole e troppo debole per conversare.

«Andiamo, Ida», continuò Pete. «Che ne dici se ti porto dentro così puoi cenare? Starai morendo di fame. Ho preparato i bastoncini di pesce. In cucina sembra che sia esplosa una fabbrica di cibo, ma il sapore non è male».

Afferrando le maniglie della sedia a rotelle della suocera, iniziò a spingerla lungo il corridoio. «A tua madre ci penso io, Jacks. Perché tu non vai a coricarti?».

Lei lo fissò con un'espressione vacua sul viso.

«Non preoccuparti, amore, va tutto bene. Voglio solo aiutarti, prendermi cura di te. Siamo nella stessa squadra, ricordi? Metterò Ida a letto e lei potrà chiamarci se ha bisogno di qualcosa. Prenditi il tempo che ti serve».

«Non può chiamarci, in realtà».

«Perché no? Dov'è la campanella?»

«In fondo alla gola dell'Avon».

Jacks salì lentamente le scale e crollò sul letto. Mentre si copriva la testa con il copriletto, grata per la via di fuga che il buio offriva, rivide il volto rigato di lacrime di Ida. «Dio, mi dispiace così tanto, mamma», bisbigliò, sopraffatta dal senso di colpa al pensiero di quanto doveva averla spaventata. Decise che domani per farsi perdonare avrebbe fatto ancora più sforzi del solito.

Ventidue

«Il prossimo!», urlò la receptionist nella sala d'attesa affollata del centro medico.

Jacks guardò il numero sul tabellone. La prossima era lei. Si mise le cuffie del walkman sulle orecchie e premette play, lasciandosi rapire dai suoni rassicuranti della musicassetta. Sorrise mentre *Things Can Only Get Better* dei D:Ream le riempiva le orecchie, a tutto volume. *Ain't that the truth…*

Mentre sedeva, ripassando quello che avrebbe dovuto dire e come, e pregando che fosse una dottoressa a visitarla, la porta si aprì. Lei sollevò lo sguardo e rimase inorridita dal vedere Pete Davies che entrava zoppicando, guardandosi intorno con aria noncurante in cerca di un posto libero.

«Merda», mormorò tra sé, affondando il più possibile nella sedia di plastica arancione e pensando che avrebbe dovuto portare un libro in cui seppellire la testa. Lui l'aveva quasi superata con lo sguardo quando si voltò di scatto, sorpreso, e sollevò la mano in un cenno esitante di saluto. Lei rispose con una specie di smorfia. L'ultima volta che erano stati insieme da soli era stato quando si erano baciati sulla pista da ballo del Mr B's.

«Tutto bene, Jacks?». Si lasciò cadere sulla sedia al suo fianco, tenendo la gamba destra dritta come se fosse steccata. Come suo solito, indossava una tuta.

Lei premette il tasto di pausa e si fece scivolare le cuffie intorno al collo. «Come va il ginocchio? Ho saputo che ti sei fatto male». Sentì le guance arrossire, non sapendo se fosse meglio parlarne oppure no.

«È andato». Lui sospirò, battendosi la coscia della gamba malconcia.

«Migliorerà?».

Pete rise e scosse la testa, come se la maschera dell'umorismo fosse necessaria a rendere sopportabile anche solo l'idea di pronunciare quelle parole. «No. Ho preso i legamenti e a quanto pare quello è un punto debole. Sto facendo fisioterapia, ma è solo per poter camminare decentemente».

«Che cosa farai?».

Lui la guardò per un attimo negli occhi. «Non lo so, ma so che non giocherò a calcio, almeno non per il Bristol City. Potrei trovare posto in una squadra più piccola... È troppo presto per dire come si metterà la gamba».

Jacks cercò le parole giuste. «È solo un gioco però. Giusto?»

«Il prossimo!». La voce della receptionist rimbombò da dietro la scrivania.

«Oh! Sono io. Ci vediamo, Pete». Gli riservò un piccolo sorriso mentre superava la sua gamba distesa e si dirigeva verso l'ufficio del dottore, cercando disperatamente di dare l'impressione di dover entrare per discutere un acciacco minore e non il fatto che stava per crollarle addosso il mondo intero.

Il giorno dopo, mentre tornava a casa per la strada più lunga che passava per il lungomare e si godeva l'aria fresca nella speranza che l'aiutasse a schiarirsi le idee, notò Pete seduto su una panchina.

«Mi stai pedinando?», le chiese lui mentre Jacks prendeva posto al suo fianco.

Lei rise. «No, anche se farlo sarebbe facile, dato che ora come ora non puoi scappare».

«Non hai tutti i torti». Lui sorrise e si diede una pacca alla gamba. «Ti senti meglio adesso?»

«Come?». Lei sollevò lo sguardo.

«Eri dal dottore, no? Mi chiedevo solo se adesso ti sentivi meglio».

«Oh». Lei nascose il sollievo: nessuno stava parlando, nessuno sapeva. «Sì. Grazie».

Restarono seduti insieme a fissare l'acqua, stranamente a loro agio nel silenzio che li avvolgeva come un bozzolo. Nessuno dei due sentiva il bisogno di riempirlo con conversazioni banali.

Alla fine, fu Pete a infrangerlo. «Stavo pensando a quello che hai detto».

«Quando?»

«Hai detto che era solo un gioco. Ma ti sbagliavi», bisbigliò.

«Davvero?». Lei cercò di trovare il filo.

«L'hai detto come se non avesse importanza, il calcio». Lui fece scorrere le dita lungo la cerniera aperta della giacca della tuta.

Lei annuì. «Oh, sì».

«Ma non è solo quello. Per me è di più. È l'unica cosa in cui sono più bravo di chiunque altro. È l'unica cosa che amo. E mi avrebbe dato abbastanza soldi da fare una vita fantastica. E adesso è andato, tutto quanto».

Jacks si girò verso di lui, sedendosi di traverso sulla panchina. «Mi dispiace, Pete. Non stavo cercando di essere divertente. Non sapevo cosa dire».

Con suo orrore, lui iniziò a piangere. Premendosi le dita nelle cavità oculari, cercò di bloccare il flusso. Non funzionò. Le lacrime continuarono comunque a sgorgare.

Lei si fece più vicina, posandogli la mano sulla schiena e dandogli qualche pacca come per consolare un bambino piccolo.

«Non dirlo a nessuno», mormorò lui, la voce carica di emozione.

Jacks non sapeva se si riferiva alle lesioni o alle lacrime.

«Non lo farò. Lo prometto».

Lui prese un respiro profondo e gettò la testa all'indietro nel tentativo di ricomporsi, tirando su con il naso e asciugandosi gli occhi, mortificato dal proprio sfogo.

«Anche io ho un segreto», bisbigliò lei.

«Quale?»

«Non puoi dirlo a nessuno».

«Non lo farò», disse lui sinceramente.

«Mi sono infilata un po' in un casino».

«Che tipo di casino?», chiese a bassa voce.

«Avrò un bambino».

«Porca puttana!», ansimò lui.

«Già, porca puttana». Jacks sospirò. «Non l'ho detto a nessuno, neanche a Gina. Non so perché l'ho detto a te, ma adesso che l'ho fatto, mi sento un po' meglio».

«Il padre chi è?». Pete sedette con la schiena più dritta.

«Sven». Il nome le rimase incastrato in gola come uno spillo.

«Non è possibile! Non sapevo che voi due…». Si mosse sulla panchina.

«Be', sì, è così, l'abbiamo fatto, un paio di volte, ecco tutto», ammise lei, come se la gravidanza non fosse prova sufficiente.

«Non si è trasferito in America?».

Jacks annuì e fu il suo turno di singhiozzare.

«Dio, guardaci, seduti qui a piangere. Che roba!».

«Siamo un disastro!». Jacks sorrise tra le lacrime.

«Non piangere, Jacks», le disse lui gentilmente. «Queste cose hanno uno strano modo di aggiustarsi».

Lei sollevò lo sguardo su di lui e si soffiò il naso in un fazzoletto. Sperava che avesse ragione, lo sperava davvero tanto.

Ventitré

Posando il cestino sulle ginocchia di sua madre, Jacks usò le rotelline anteriori della sedia per aprire le porte del supermercato.

«Eccoci qua, mamma. Cosa ti va per cena? Io stavo pensando che potrei fare il prosciutto affumicato con l'ananas, a te piace, no?». Era determinata a farsi perdonare per lo spavento che le aveva fatto prendere la notte precedente. «Era il preferito di papà, vero? Con patatine e ketchup a parte. Penso che farò questo».

Mentre avanzava lentamente, studiava con attenzione gli scaffali, cercando le etichette rosse che indicavano prodotti fortemente scontati o offerte del tipo due-al-prezzo-di-uno; qualunque cosa fosse, l'avrebbe comprata e si sarebbe inventata qualcosa per incorporarla nel menù. Nel corso degli anni quel metodo aveva portato a combinazioni piuttosto interessanti: sia la sua pasta con gli hot dog che la crema pasticcera con le meringhe erano ancora leggendarie. Pensieri del genere normalmente l'avrebbero fatta ridere, ma quel giorno era diverso. Il cuore le batteva ancora troppo forte per sentirsi bene e il corpo intero sembrava soffuso di tristezza. Non riusciva a togliersi dalla testa l'immagine del viso di Allison, che chiacchierava allegramente di Gideon e del suo amore per i bambini.

«Jacks?».

Lei si voltò per vedere Lynne che le veniva incontro, con

Caitlin-Marie che camminava a papera al suo fianco. La ragazza indossava leggings neri così tesi su cosce e pancione da lasciar intravedere l'ombelico e le mutandine; sembrava sul punto di scoppiare.

«Come state?». Lynne era esuberante come suo solito. Voltandosi, si rivolse a Ida. «Salve, signora Morgan!».

Jacks sorrise. «Stiamo molto bene, grazie. Wow, Caitlin, ma guardati! Stai benissimo. Quanto ti manca?»

«Questione di giorni». Caitlin-Marie, cupa come sempre, si massaggiò la pancia gonfia e sospirò. «Voglio solo che esca, subito».

Lynne ridacchiò. «Io gliel'ho detto, aspetta solo che sia uscito, poi vedrai quanto desidererai farlo tornare dentro! Non avrai più un attimo di pace! Ne vale la pena, però. Non vedo l'ora». Saltellò sul posto.

Jacks guardò il pancione di Caitlin e cercò di immaginare Martha in quelle stesse condizioni. Inghiottì la bile che le saliva in gola.

«La settimana scorsa ha chiamato la nostra Ashley. È in Repubblica Dominicana, dovunque si trovi! Alloggia con qualche amico in un resort tutto compreso, una breve vacanza dalla crociera. Io le ho detto che deve fare una vita dura, per aver bisogno di un resort tutto compreso come pausa dalla crociera! Una mezza fortuna!», disse Lynne.

Jacks la fissò e ripensò a Ashley Gilgeddy, che soltanto l'anno prima era stata arrestata per una rissa sul molo. Che a sedici anni si era fatta fare un tatuaggio illegale; che aveva cannato la sua unica battuta nello spettacolo natalizio. Era lei, la ragazza che adesso stava girando il mondo.

«Jacks, ti senti bene? Sembri un po' pallida», chiese Lynne, in tono preoccupato. «Deve essere lo shock». Esitò, come se si aspettasse una risposta. «Martha come sta? L'ha presa bene?».

Sentendo le gambe tremare, Jacks rivide la madre di Gideon, vispa e allegra. Lynne sapeva cosa era successo, lo sapevano tutti. «Sta bene», disse, con le guance che andavano a fuoco e le spalle che cedevano.

Di colpo, si accorse di aver sempre considerato la propria famiglia – sua figlia – un gradino al di sopra degli altri. Quella consapevolezza era stata come un segreto, un segreto che le permetteva di camminare a testa alta, le spalle larghe e un sorriso sicuro sul volto. Com'era quella frase... "Prima della caduta lo spirito altero"? Be', lei era caduta di certo. Ora come ora si trovava così in basso che non sapeva come avrebbe fatto a rialzarsi. O se mai ci sarebbe riuscita.

«Salutacela tanto, d'accordo? Sai che ti dico?», disse Lynne in tono enfatico. «Quando i bambini saranno nati, potremo portarli a passeggio sul molo insieme, una bella coppia di nonne!». Rise. «Prenderemo quei cappellini di plastica pieghevoli e passeremo ore sedute davanti a una tazza di tè a dividerci una *teacake*, eh, Jacks?».

Jacks si sforzò di ridere ma non ne fu capace. Al contrario, girò la sedia della madre e si allontanò in fretta nella direzione opposta, verso l'uscita, sentendo il bisogno disperato di un po' d'aria fresca. Fu solo quando una mano forte e mascolina le afferrò il braccio che si rese conto di dove si trovava.

La voce dell'uomo era alta, minacciosa. «Signora, posso chiederle di fare ritorno all'interno del negozio?».

Lei sollevò lo sguardo sul volto del robusto addetto alla sicurezza e vide che stava osservando il cestello per la spesa posato sulle ginocchia di sua madre.

«Oh, non si preoccupi, non stavo scappando. Avevo solo bisogno di una boccata d'aria. Adesso torno dentro e pago».

«Quindi è consapevole di essere uscita senza pagare?», chiese lui, serio, nel suo pesante accento esteuropeo. La visiera del cappello era inclinata verso il basso, a coprire le sopracciglia.

«Sì! Ma torno dentro subito. Ho bisogno solo di un attimo». Lei sorrise, cercando di liberare il braccio.

L'addetto alla sicurezza, "Mateusz", stando al nome indicato sul distintivo scintillante, afferrò la radio e chiese rinforzi.

Jacks sbuffò, divertita. «Non farà sul serio? Oh, per l'amor del cielo! Cosa crede che voglia fare? Darmela a gambe con mia madre sulla sedia a rotelle per rubare una lattina di fette d'ananas e una confezione di savoiardi?».

Mateusz non sembrava darle retta. Senza parole, Jacks si lasciò riportare nel negozio a passo deciso, il braccio stretto nella sua presa. Era vagamente consapevole del fatto che Lynne e Caitlin stessero vedendo tutto, in piedi accanto al tizio con i rasta del banco del pesce, la bocca spalancata.

Gina accostò davanti alla casa dei Davies. «Vuoi che entri con te?»

«No». Jacks scosse la testa. «Ce la caveremo. Grazie per essere venuta a prenderci».

«Nessun problema, tesoro. Quando vuoi. Almeno non ho dovuto pagarti la cauzione».

«Dio, spero che non ce ne sarà più bisogno. Mi sento così in imbarazzo». Jacks tirò su col naso.

«Il responsabile si è reso conto che è stato tutto un fraintendimento, era evidente», disse Gina. «Io una volta sono arrivata a casa e ho scoperto che avevo lasciato una scatola di birra nel carrello e non l'avevo pagata. Di solito se c'è qualcosa di troppo pesante da sollevare dico alla ragazza di chinarsi con la sua pistoletta per il codice a barre, ma quella volta devo essermene dimenticata».

«Sei tornata indietro?».

Gina rise. «Col cavolo!».

«Hai visto come mi guardava Lynne?». Jacks abbassò lo sguardo. «Lo racconterà a tutti».

«E allora? Chi se ne frega?»

«A me frega, G. Cosa dirà Pete?»

«Spiegagli cosa è successo. È stato uno stupido errore e se il vecchio come-si-chiama dell'addetto alla sicurezza non fosse stato così interessato a guadagnare punti, saremmo andati tutti a casa molto prima. Non farci caso».

«Mi hanno chiesto di trovare un altro negozio per fare la spesa». A Jacks tremavano le labbra per l'umiliazione.

«Be', peggio per loro. Non ci andrò più neanche io, questo è sicuro!». Gina sembrava indignata. «Vedranno che picco avranno le loro vendite di Jaffa Cakes e vino bianco. D'ora in poi la mia birra la ruberò da un'altra parte e loro potranno incolpare soltanto se stessi!».

Jacks si sforzò di sorridere. «Immagino che tu abbia saputo di Martha».

«Già». Gina annuì. «La nostra è una piccola cittadina di mare, dove le voci si spargono in fretta perché non c'è nient'altro di interessante. In effetti, se c'era di mezzo quella Stephanie Fletcher, la storia avrà iniziato a girare nell'istante in cui lui si è chiuso la cerniera».

«Gina!».

«Che c'è? È la verità». Gina sospirò. «Cerco solo di tirarti su di morale, Jacks. Lei sta bene?»

«Non lo so. Siamo tutti un po' sotto shock, credo».

«È comprensibile. Quando avrai voglia di parlarne, sai dove trovarmi».

«Grazie, G». Jacks uscì dall'auto e aprì il portellone posteriore per recuperare la sedia a rotelle.

«Questo te lo dico, però», urlò Gina da sopra lo schienale del sedile. «Se intendi portare avanti la tua carriera criminale passando, per dire, a rapinare una banca, fammelo sapere, che ti preparo una torta con dentro una limetta!».

Jacks scoppiò a ridere, nonostante la situazione orribile. Mentre spingeva sua madre sul vialetto e iniziava a piovere, la risata si trasformò presto in lacrime.

«C'è la mia lettera?», chiese Ida mentre lei frugava in tasca alla ricerca delle chiavi.

Jacks non le fece caso, incapace di trovare la forza di rispondere.

Quando Pete entrò in cucina, Jacks stava sorseggiando cautamente il suo tè. Notò la sua postura agitata, il modo in cui le sue dita si contraevano sul fianco. Era evidente che avesse saputo.

«Bella giornata?», gli chiese.

Lui rispose con un breve cenno affermativo. «Rob mi ha chiamato a lavoro, mi ha detto cosa è successo. Siamo andati a prenderci una birra. Ti ho lasciato un paio di messaggi». Aveva il respiro veloce.

«Non ho controllato il telefono». Aveva preferito nascondersi, evitare contatti eccessivi con il mondo esterno.

«Cosa è successo?».

Jacks sospirò. «C'è stato un fraintendimento. Sono uscita un attimo dal supermercato per prendere una boccata d'aria. Non stavo pensando».

Pete si sedette. «Ero così preoccupato».

«Non ti preoccupare, non si è fatto male nessuno, a parte il mio orgoglio».

«Di positivo, Jacks, c'è che adesso almeno avrai altre cose da raccontare al *Jeremy Kyle Show*!», disse lui, cercando di alleggerire l'umore.

Jacks allontanò la sedia dal tavolo con una spinta. «Molto divertente».

Pete si passò la mano sul viso e si strinse il setto nasale. «Oh, e prima che me ne dimentichi, Gina ha chiesto se potresti raggiungerla al molo. Sembrava tutto molto misterioso. Le ho detto che saresti stata lì per le venti. Farai meglio ad andare». Accennò un sorriso.

Jacks si chiese cosa potesse volere Gina a quell'ora della sera. Soprattutto dato che si erano viste poco prima. Ma non era tipo da rifiutare l'opportunità di raccontare all'amica cosa la stava tormentando.

Decise di andare al molo a piedi, sperando che dieci minuti di camminata all'aria fresca l'avrebbero aiutata un po' a calmarsi. Mentre usciva nella sera gelida, sentiva le mani tremare nelle tasche. Era stata una lunga giornata.

Gironzolando per la Marine Parade, sotto i cerchi di luce che pendevano da un palo all'altro, Jacks sorrise. Aveva sempre amato quel posto di notte. Non importa quante volte l'avesse visto, il molo luccicante in lontananza come un albero di Natale e la ruota di Weston che brillava contro il cielo scuro avevano ancora qualcosa di magico. Le gocce di pioggia riflettevano le luci e, con la brezza fresca e salmastra che soffiava dal mare, Weston trasmetteva un senso di promessa che si perdeva durante il giorno, quando i raggi del sole svelavano la sua natura di villaggio turistico umido e decadente, fatto di cartelli e glorie sbiadite che soltanto i boccali di birra da poco e gli shottini ancora più economici potevano trasformare nel paradiso marittimo che i visitatori si aspettavano di trovare.

Jacks ricordò le molte volte che, da piccola, aveva camminato con suo padre lungo la passeggiata. Un giorno in particolare le era rimasto impresso. Lei indossava la sua giacca a vento rosa con cappuccio e guanti intonati appesi ai polsini con un filo. Aveva insistito per camminare all'indietro, confidando nel fatto che suo padre l'avrebbe avvertita se fosse stata sul punto di andare a sbattere contro qualcosa. Lui aveva riso le due o tre volte in cui lei aveva perso l'equilibrio o si era voltata per guardarsi alle spalle, la fiducia intaccata dal timore dell'ignoto. Chinandosi su di lei, le aveva parlato dolcemente. «Sai, Jacqueline, le persone che guardano all'indietro non possono vedere dove stanno andando ed è facile che si perdano. Devi guardare in avanti, guardare di fronte a te e il sentiero sarà sgombro. Guardare indietro ti farà finire soltanto nei guai».

Strano che lo ricordasse ancora. «Mi manchi, papà», disse all'orizzonte. «Mi manchi tutti i giorni. Mi dispiace se ieri ho perso la pazienza con mamma. So che non è colpa sua. E che cosa devo fare con Martha? Come potrò farle capire ciò che sta gettando via?». Si massaggiò il lato del viso, rendendosi conto che era macchiato e appiccicoso per i resti del mascara.

Parcheggiata da quelle parti c'era un'auto sportiva, rossa e sciccosa. Jacks vi prestò poca attenzione, abituata a vedere veicoli del genere, appartenenti di solito all'élite di Bristol, che si divertiva ad arrivare sfrecciando in autostrada, parcheggiare e respirare aria marina mangiando *fish and chips* nella comodità degli abitacoli lussuosi. La portiera sul lato del passeggero si aprì. Jacks borbottò qualcosa e fece una deviazione a sinistra per evitarla.

«Jacks!», chiamò una voce dall'interno. Una voce che lei riconobbe all'istante.

Fermandosi dove si trovava, rimase in ascolto, lo sguardo fisso sul mare, chiedendosi se avesse frainteso il nome urlato nel vento.

«Jacks!». Riecco la voce, e questa volta non c'erano dubbi. *Che diavolo...?* «Sven?».

L'uomo uscì dall'auto e si appoggiò al tettuccio. «Per favore, entra».

Lei rimase lì, incredula, socchiudendo gli occhi, come nel tentativo di afferrare il fatto che lui era davvero lì, e la riconosceva. «Che vuol dire "entra"? Perché dovrei entrare nella tua auto? Non ci vediamo da una vita e quando ci siamo rivisti tu evidentemente non mi hai riconosciuto. Che vuoi?», sbottò.

«Voglio parlarti».

«Vuoi parlarmi? Dopo tutti questi anni, tu vuoi parlarmi?»

«Sì». Lui annuì.

«Di cosa, della tua superbarca da quaranta milioni di sterline e di quante persone possono stare nella tua cucina? Perché non me ne frega un cazzo, a dire il vero, ho un paio di altre cose a cui pensare, al momento».

«Tu entra in auto e basta. Per favore!». Lui tamburellò con le dita sul tettuccio e rabbrividì.

«Come hai fatto a trovarmi? E cosa c'entra Gina con tutto questo? Pensavo di dovermi vedere con lei». Jacks lanciò uno sguardo verso il molo, confusa.

«L'ho rintracciata grazie al suo biglietto. Tra i dati c'era il suo numero di cellulare, così le ho chiesto di organizzare questo appuntamento. Mi dispiace, so che sembra diabolico. Non sapevo come altro fare per mettermi in contatto con te».

«Be', mi dispiace che tu abbia sprecato un viaggio. Non ho niente da dirti».

«Per favore, Jacks».

«Per favore cosa?», urlò lei. «Non so cosa vuoi da me. Non so perché sei qui!». Lo colpì sul petto.

«Mi dispiace per come ti ho trattata al Salone nautico». Lui aveva gli occhi sgranati, le labbra serrate, i palmi rivolti verso l'alto. Sembrava sincero.

«Che significa "come mi hai trattata"?». Era confusa.

«Non è colpa tua. È stata una cosa stupida, saltare su un cavolo di treno e sprecare una giornata intera. Perché pensavo che ti saresti ricordato di me? Non è che siamo rimasti in contatto, in fondo, ed eravamo solo ragazzini, giusto? È passato molto tempo. Facciamo finta che non sia mai successo». Si voltò per andarsene.

«È colpa mia». La sua voce era pacata. «E devo dirti una cosa».

«Cosa? Che cosa mi devi dire? Fallo in fretta, perché devo andare». Lei lo fissò.

«Non ti ho mai dimenticato. Neanche per un istante».

«Perché stai dicendo questo? Non mi prendere in giro, Sven. Mi sento già abbastanza umiliata così».

Jacks avvertì di nuovo la minaccia delle lacrime. Voltandosi, iniziò a camminare in fretta verso l'argine, mantenendosi vicina al bordo, il più lontano possibile dall'uomo e dalla sua auto lussuosa.

Sven iniziò a rincorrerla. Lei sentì il *bip* dell'auto che si chiudeva e poi il rumore leggero delle suole che colpivano l'asfalto.

Oh, Dio! Vattene! Non ce la faccio! Non mi parlare, non mi toccare!

Lui la raggiunse, afferrandole il braccio.

«Dico sul serio. Non ti ho dimenticata».

«Davvero?», bisbigliò lei.

Sven scosse la testa. «Vorrei averlo fatto. Vorrei esserne stato capace».

Jacks soffocò un sorriso. Qualcosa di simile al sollievo le gonfiò il cuore, ma quell'emozione si trasformò rapidamente in rabbia, man mano che si rendeva conto di cosa era successo. «Aspetta un attimo, quindi hai solo *fatto finta* di non riconoscermi?»

«Lo so». Lui esitò. «Sembra orribile, ma so anche che sei andata fino a Londra per cercarmi e questo mi dice qualcosa. C'è qualche possibilità, forse, che tu nutra ancora dei sentimenti per me? So che suona ridicolo, ma è così?»

«Sentimenti per te? Sì, in questo preciso momento nutro sentimenti di pura rabbia! Come hai potuto farmi questo, farmi sentire così di merda! Come se non valessi niente! Come ti permetti? Come hai potuto prendermi per il culo in quel modo?»

«Dammi solo mezz'ora, Jacks. Lasciami parlare e se dopo non vorrai più sapere nulla di me, allora non ti contatterò più, lo prometto. Ma dammi solo mezz'ora».

Jacks perlustrò la Marine Parade in lungo e in largo per assicurarsi di non essere stata vista da nessuno, poi si diresse verso l'auto. Scivolò nel sedile di pelle morbida, apprezzando il calore e la pace che offriva; era piuttosto diverso dalla sua piccola Skoda.

Sven le sorrise e accese il motore. L'auto si scaldò quasi istantaneamente.

«Non mi stai rapendo, vero?», chiese lei con un lampo di eccitazione negli occhi.

«No. Gina sa dove siamo».

Jacks sorrise. «Bada bene, non penso che i miei potrebbero permettersi un gran riscatto».

Sven rise. «Sei ancora divertente».

«Divertente e strana», disse lei, ricordando gli eventi delle ultime trentasei ore. «Non riesco a credere che sei qui. Non riesco a credere che sono seduta nella tua auto! Ieri a quest'ora stavo sdraiata in cima alla gola dell'Avon con la faccia nel fango, chiedendomi perché debba essere sempre tutto così maledettamente difficile».

«Non deve esserlo per forza», rispose lui.

«Forse non nel tuo mondo. Ma nel mio…». Sentì il labbro tremare. «Oh, Dio, in questi giorni mi sembra di non sapere fare altro che piangere. Non so perché. Mi dispiace».

«Non c'è problema. Vuoi un fazzoletto?». Ne fece apparire uno da uno scompartimento della portiera.

«In realtà, perché sto piangendo lo so». Sospirò.

Lui inarcò un sopracciglio con fare interrogativo.

«Piango perché so che se anche non ci fosse la mia famiglia, se anche avessi tutto il tempo del mondo per fare quello che voglio, sarei ancora bloccata qui perché non so qual è la mia passione. Non lo so».

«È triste». Sembrava sincero.

«Sì. È triste, maledettamente triste». Lei annuì vigorosamente. «Non ricordo quand'è stato che mi sono svegliata una mattina e mi sono accorta che la mia vita non sarebbe mai cambiata. In effetti, non penso sia successo in un giorno preciso, è stato più un processo graduale, come ingrassare o diventare calvi, presumo, quando ti abitui progressivamente ai cambiamenti nel tuo aspetto finché non ti ritrovi a essere così e basta. Presumo sia andata così. Come ogni ragazzina, passavo ore a fantasticare su ciò che sarei potuta diventare. Ma non si pensa necessariamente a come fare per realizzare quei sogni, vero? Si immagina solo di aver già ottenuto il successo, ci si vede pronunciare il discorso di accettazione dell'Oscar, o chiacchierare al programma di Lorraine della propria ultima avventura».

Sven rise. «Io non fantasticavo e basta. Ho trovato il modo di realizzare il mio sogno. Sapevo cosa volevo ottenere, l'ho visualizzato e mi sono buttato».

Jacks batté le ciglia. «Be', buon per te! Sei fortunato».

«Non intendevo in quel senso. Suonavo come uno spaccone, e non lo sono».

«No, va bene. Probabilmente hai ragione. Io non l'ho realizzato, non ho realizzato niente ed è colpa mia, giusto?». Lei si lasciò affondare nella pelle morbida, che sembrava accogliere ogni parte del suo corpo come un cuscino. Era bellissimo.

«Ho una vita piccola, ma sotto vari aspetti è anche bella. So che rendo tutti felici. Ma non c'è spazio per ciò che fa felice me, non c'è tempo per me».

«Quindi tu saresti l'agnello sacrificale? Rinunci ai tuoi sogni per dare possibilità ai tuoi figli?».

Jacks scosse la testa. «Non proprio, no. Così suona terribile, e non lo è».

«Davvero? Non si direbbe». Lui fece un verso quasi di scherno.

Jacks lo guardò e si rese conto, con orrore, di stare piangendo di nuovo. «Ho una famiglia. E non sono perfetti, ma sono l'unica cosa che ho». Senza pensarci, mise la mano nella borsa ed estrasse una foto di Martha e Jonty, seduti sull'argine in estate, Martha con lo sguardo piantato dritto nell'obiettivo e i capelli legati in una treccia che scendeva sulla spalla, mentre Jonty faceva la linguaccia. Gliela porse. «I miei figli, la mia vita. Qualunque cosa io faccia, loro non penserebbero mai male di me, lo capisci?»

«Sì». Lui fissò la foto per poi restituirgliela. «Ma non sono più neonati e tu hai bisogno di pensare anche a te stessa».

Jacks scosse la testa. Non c'era bisogno di tirare in ballo anche questo, era già abbastanza confusa.

«Non piangere, Jacqueline, ti prego».

Lei annuì. «Non posso farne a meno. Mio padre è morto e non l'ho ancora superato. In questo periodo ho così tante cose per la testa». Si soffiò il naso nel fazzoletto umido. «E sto piangendo perché sei una delusione, Sven».

Lui la guardò. «Davvero?».

Lei sostenne il suo sguardo. «Vorrei non essere mai venuta a cercarti, perché averti visto è stata come una grossa sveglia. Hai distrutto ogni mia ancora di salvezza, bloccato la luce alla fine del tunnel, fatto scoppiare la bolla. E questo significa che adesso, quando sto immersa fino al gomito nella biancheria sporca di merda e sono così stanca che non ricordo perché ho fatto le scale, non ho più il tuo viso, il tuo bellissimo viso di ragazzo, nella mente, che mi incoraggia a proseguire. Adesso devo pensare a qualcos'altro per spronarmi. Non a te. Non più».

Lui la fissò con uno sguardo interrogativo. «Eri incinta, vero?».

A questo seguì un silenzio pesante e incredulo. Entrambi crollarono fisicamente nei sedili.

«Cosa?». Lei sentiva la voce tremare.

«Quando sono partito con i miei genitori per andare a Boston, tu eri incinta». Lui studiò i suoi occhi, in cerca di qualche segnale.

Lei rimase a fissarlo a bocca aperta. «Come...?»

«Lo sapevo, Jacks. Ricordo che non riuscivi a mangiare niente, avevi sempre la nausea, c'era quella cosa del sapore metallico. E sembravi diversa, come se stessi sbocciando. Lo sapevo».

«Lo sapevi?», ansimò lei. Si rivide a diciotto anni, seduta nel salotto dei suoi genitori. «Lui non lo sa, mamma! Non è quel tipo di ragazzo. Non è colpa sua. Non ho mai avuto la possibilità di dirglielo. Sono sicura che se lo sapesse, sarebbe proprio qui...».

«Cazzo!». Prendendosi la testa tra le mani, Jacks si piegò in avanti. «Cazzo! Oh, Dio!».

«E poi, qualche mese dopo che me n'ero andato, ho chiamato e mi ha risposto tua madre che mi ha detto che ti eri sposata... con Peter Davies». Lui arricciò le labbra, tamburellando con gli indici sul volante.

«Hai parlato con mia madre?». La voce di Jacks si alzò di un'ottava.

Lui annuì.

«Mi viene da vomitare. Sto per vomitare!». Jacks annaspò contro la portiera nella penombra, cercando il modo di aprirla.

Sven premette un bottone e il finestrino si abbassò.

Lei inspirò boccate profonde dell'aria fredda che frustava i lati dell'auto, poi si voltò a guardarlo. «Ma... questo significa che mi hai abbandonato! Tutte quelle stronzate sul fatto che potevo venire con te, quando poi hai preso e te ne sei andato! Maledetto bastardo! Come hai potuto farmi questo?»

«Ero così giovane, troppo giovane...».

«Tu? E io? Io non avevo l'opzione di darmela a gambe, giusto?». Lei fissò lo sguardo sull'orizzonte, pensando a Pete, che era stato lì, al suo fianco, e che aveva continuato a farlo da allora. Di nuovo armeggiò a tentoni con la portiera, riuscendo finalmente a individuare la maniglia. «Devo tornare dalla mia famiglia».

«Io ti amavo, Jacks». Lui si sporse a toccarle il braccio.

«Non mi toccare! Tu non sai niente dell'amore. Quando ami qualcuno resti al suo fianco e gli offri sostegno, non te la dai a gambe al primo ostacolo, non è amore quello! Fottiti, Sven. Tornatene a San Francisco, alla tua bellissima casa di vetro e ai tuoi yacht da quaranta milioni di sterline. Qui per te non c'è niente, non c'è mai stato».

Lui parve ferito. «Volevo darti questo». Estrasse un pezzetto di carta rettangolare dallo scompartimento più alto e glielo porse.

Lei lo aprì con cura. Era un assegno. Un assegno per duecentocinquantamila sterline. Jacks fissò lo sguardo su di lui, le dita tremanti. Strinse in mano l'assegno e pensò alla moto che avrebbe potuto comprare a Pete, alla nuova stanza per Jonty e al cavolo di lampadario da cambiare in camera da letto. Poi ripensò ai frammenti del biglietto che tutti quegli anni fa aveva eliminato con lo sciacquone nel bagno dei suoi genitori. Piegò l'assegno e lo strappò in pezzettini minuscoli che gli gettò addosso come coriandoli.

«Non puoi comprarmi come se fossi uno dei tuoi accessori stravaganti, non funziona così. E non puoi farti perdonare per essere stato uno stronzo dandomi questo. Non ho bisogno dei tuoi soldi e non ho bisogno di te! Mai avuto. Stai alla larga da noi».

A Sunnyside Road, Jacks infilò la chiave nella porta e venne accolta dalle tenebre. L'unica luce proveniva dalla cucina. Quando entrò, trovò Pete seduto a tavola. Stava tamburellando leggermente con le dita.

«Tutto a posto? La mamma? I ragazzi?», chiese nervosamente lei, il viso scarlatto come se fosse possibile leggervi il suo raggiro.

Pete annuì. «Gina come stava?», bisbigliò, la voce spessa e rauca, come se fosse un po' di tempo che non parlava.

Jacks andò dritta al lavello e aprì il rubinetto, rimanendo a fissare il flusso costante dell'acqua, qualunque cosa piuttosto che dover mentire guardandolo negli occhi.

«Bene».

«Sì, anche a me sembrava star bene quando ho fatto un salto a vedere se ti serviva un passaggio a casa. Pensavo che l'avresti apprezzato, dopo la disavventura di oggi. Ero preoccupato per te. Quindi, come ho detto, lei era forse un po' nervosa, sorpresa di vedermi, ma in generale stava bene».

Jacks cercò di interpretare l'asprezza che sentiva nella sua voce. Chiuse il rubinetto e si voltò lentamente verso di lui, appoggiandosi al lavello con le braccia incrociate sul petto. Che cosa gli aveva raccontato Gina?

«Guardati, hai pianto. Sei tutta rossa». Pete la squadrò dalla testa ai piedi. «Che cosa è successo?».

Jacks ripensò a quell'auto elegante e al suo conducente,

che ormai stava sicuramente tornando a una vita che non era mai stata per lei. Deglutì e si guardò le mani, come se potessero essere macchiate di colpa. «Io… ho lasciato che le cose si incasinassero un po'».

«Così ho sentito». Lui indicò la sedia di fronte a sé. «Siediti».

Lei si sedette. «Pete, io…».

«No. Ascolta e basta. Da quanto tempo mi conosci, Jacks?», chiese lui.

«Cosa? Non fare lo stupido! Lo sai benissimo da quando ti conosco».

«Oh, non faccio lo stupido. Tu rispondi alla domanda». Nella sua voce c'era un tono che Jacks aveva sentito raramente.

Lei scosse la testa e rifletté. «Da quando avevo undici anni».

«Esatto. Venticinque anni. Molto tempo».

Lei annuì. Era vero.

«In tutto questo tempo, Jacks, ho sempre messo te e i ragazzi al primo posto. Ho lavorato duro per darci una vita».

«Questo lo so», rispose lei.

«Pensi che io non avessi dei sogni?».

Jacks lo guardò, senza sapere come rispondere.

«Pensi che da bambino mi immaginavo con la schiena dolorante, a trascinare zolle fradice di erba artificiale per cantieri fangosi?».

Lei continuò a fissarlo, con il cuore che martellava.

«Perché non è così, te l'assicuro. Sai che volevo diventare un calciatore, lo sanno tutti, ma quando ho saputo che non mi sarebbe stato possibile, sai che cosa volevo fare?».

Lei scosse la testa.

«Volevo andare al college. Mi piaceva l'idea di indossare un completo e lavorare in un ufficio. Lo sapevi?»

«No». Lei si guardò le mani.

«No», ripeté lui. «Ma non sono potuto andare al college, non ho potuto sviluppare una qualche competenza o studiare Informatica o niente del genere, perché avevo una moglie e una figlia, una bambina a cui tenevo più che a qualunque altra cosa al mondo, e dovevo portare a casa i soldi per pagare il mutuo e mettervi un tetto sopra la testa e il cibo in tavola».

«Lo so, Pete, e ti sono grata per il tuo duro lavoro». Era sincera.

Lui sollevò il dito per zittirla.

«Ogni giorno entro nel furgone, accendo la radio e mi sparo aria calda sui piedi, cercando di immagazzinare un po' di calore per il giorno che mi aspetta. Odio il freddo. Lo odio. E ogni giorno passo davanti a uomini e ragazzi in giacca e cravatta, tutti presi a leggere il giornale o a guardarsi intorno con le loro pettinature eleganti e le scarpe pulite e mi chiedo come si fa a diventare uno di quei tizi che si svegliano, si mettono la cravatta e vanno a sedersi dietro una scrivania, a spostare documenti invece che palate di terra, a rispondere al telefono invece che urlare in cantiere a qualche capomastro. A volte penso che, se le cose fossero state diverse, sarei potuto essere anche io uno di loro. È quello il mio sogno nel cassetto, Jacks, fare il manager. Sembrerà assurdo, lo so, ma chi può dirlo, se non mi fossi innamorato di una ragazza quando ero così giovane...». La sua voce adesso era densa d'emozione. «E quella ragazza... Adesso la guardo, vedo come si tira indietro ogni volta che la sfioro, la mascella più stretta ogni giorno che passa, l'irritazione se faccio troppo rumore mentre mangio o se non metto a posto gli stivali, o per una qualunque delle mille cose che faccio che la infastidiscono, e devo costringermi a non ricordarle che sono stanco anche io e che sono pur sempre un uomo, che a volte anche io posso fare qualche sbaglio».

«Mi dispiace».

Lui la ignorò, forse non aveva sentito. «E il punto è che non c'è bisogno che mi dici quanto sei delusa dalla tua vita. Lo so, te lo leggo in faccia e nelle tue azioni e nel modo in cui sogni costantemente a occhi aperti. La tua delusione non fa che farmi sentire ancora più inutile».

«Non ho mai voluto farti sentire così».

«Be', l'hai fatto, continui a farlo. Non ti ho mai rifiutato niente, non ho fatto una piega quando hai portato tua madre in casa nostra, pur sapendo che avrebbe messo sottosopra la mia vita e quella dei ragazzi. Non mi sono neanche lamentato della nostra patetica vita sessuale. Ho trentasei anni, Jacks, non novanta! Pensi che sia normale che viviamo senza avere rapporti intimi? Perché non lo è».

«Lo so». Lei annuì.

«Ma tutto questo, tutto quello che è successo, adesso è irrilevante perché abbiamo per le mani un problema molto più grosso. Un problema che hai creato tu».

Lei fissò il marito, le ginocchia tremanti sotto il tavolo.

«C'è una linea molto sottile tra l'essere gentili e tolleranti e l'essere un babbeo, uno zerbino, e tu stai per scoprire la differenza».

«Pete, io…».

«Non ho finito». Lui sollevò di nuovo la mano, la voce più alta adesso. «Ho paura. Per la prima volta in vita mia, ho paura sul serio». Batté velocemente le ciglia.

«Di cosa hai paura?». La voce di lei era dolce. Si appoggiò allo schienale, gli occhi sgranati, temendo quello che sarebbe successo.

«Ho paura di perdere mia figlia. La mia bambina, che in questo momento ha bisogno di me più che mai, la mia bambina che è incinta e smarrita».

«In che modo potresti mai perderla?»

«Gliel'hai detto?», ribatté lui.

Oh, Dio! Lo sa! Sa dove sono stata e con chi! «No». Lei scosse la testa, le dita allargate, le braccia premute sul tavolo. «Te lo giuro, non ho detto niente. Ma l'ha indovinato, più o meno. Ti giuro che io non ne ho parlato! Non devi preoccuparti...».

Pete sembrò crollare sul tavolo, il viso solcato da lacrime di sollievo. Stringendosi il setto nasale, si asciugò gli occhi. Prima di quel momento, Jacks non l'aveva mai visto piangere così.

«"Non devi preoccuparti"?», la interruppe lui. «Sono suo padre. Sono suo padre, Jacks!». Sbatté la mano sul tavolo. «E la amo più di ogni altra cosa. Tutte le notti in cui mi sono alzato per controllarla quando era piccola, le ho dato il biberon, l'ho abbracciata quando stava male. Ogni minuto libero che non passavo a lavoro lo trascorrevo a farle disegni, a incollare pezzi di pasta su dei cavolo di bigliettini d'auguri, a giocare agli squali nella vasca da bagno. Le ho insegnato a nuotare. Abbiamo coltivato insieme la verdura nell'orto. La portavo in giro, come un maledetto taxi. Sono suo padre!», urlò.

«È vero! Certo che lo sei, lo sei sempre stato. Sei suo padre!». Anche Jacks piangeva, adesso.

«Non invidio nessuno, Jacks. Non l'ho mai fatto. Non ho bisogno dei milioni. Non ho mai desiderato altro che questa vita, la nostra, qui in questa città, in queste strade, dove ci conosciamo tutti quanti e ci prendiamo cura l'uno dell'altro. Questo è sufficiente, per me. L'unica cosa di cui ho bisogno è sapere che tornerò a casa da te e che i miei figli sono felici. Solo questo». Pete sollevò le braccia e le lasciò ricadere lungo i fianchi. «È l'unica cosa di cui ho bisogno». Altre lacrime scendevano. «Ma forse per lei non è così. Non posso competere con yacht e soldi e auto costose, come potrei?

Non sono nemmeno in grado di mandarla a una cavolo di gita scolastica o di darle una stanza tutta per lei!».

«Lei non ha bisogno di quelle cose. Ha bisogno solo di te. Proprio come io avevo bisogno di mio padre. Non è mai stato ricco, erano le cose che faceva a essere importanti, non quelle che poteva o non poteva comprarmi. Chi altri mi avrebbe fatto ogni sera un'infossatura nel cuscino con il pugno dicendo: "Ecco, Sonia, un nido per fare la nanna"? Nessuno può competere con questo, è chiaro. Facevo sogni bellissimi sapendo che in fondo al corridoio c'era mio papà, pronto a tenermi al sicuro. E per Martha è lo stesso, quelle cose non le servono! E tu non devi competere con nessuno. Non succederà mai. È tutto finito!».

Pete si alzò in piedi, facendo strusciare la sedia sul pavimento e indicandola con il dito. «Sarà meglio. Perché, credimi, non ho intenzione di accettare niente del genere. Mi hai capito?».

Jacks annuì.

«Vedi di assicurartene, Jacks. Assicurati che sia tutto a posto, perché altrimenti questa scelta potrebbe non essere più nelle tue mani».

Ventiquattro

Diciannove anni prima

Passeggiavano per il porto di Bristol. Era una giornata grigia e l'acqua piovana si era raccolta in pozzanghere che luccicavano negli spazi tra i ciottoli.

«Ti piacerebbe salire su una di quelle grosse barche, salpare per andare chissà dove?», chiese Pete, avvicinandosi pericolosamente al bordo del muretto.

«No! Non mi piace molto il mare. E non ho nemmeno voglia di venire a ripescarti, quindi torna qui!», ordinò Jacks.

«Agli ordini, capo! Hai paura che mi farò male?». Lui rise, avvicinandosi ancora di più al muro.

«Sì!». Jacks distolse lo sguardo.

«Perché tieni a me?», chiese Pete, guardandola da sotto le ciglia, nervosamente.

«Certo che tengo a te. Sei mio amico». Lei gli sorrise. Il dolce Pete, che era stato così buono con lei, mantenendo i suoi segreti e portandole i cracker a scuola per aiutarla a combattere le nausee mattutine.

«Bene, perché anche io tengo a te».

Jacks sorrise. «Siamo fortunati, davvero, Pete. C'è gente che passa la vita senza che nessuno le voglia bene o sia gentile nei loro confronti». Riflettè sulla cosa. «Vorrei che mamma e papà fossero più gentili l'uno con l'altro».

Pete tossì, imbarazzato. «Non lo sono?»

«Non sempre», ammise lei. «A volte ho la sensazione di non piacere a mia madre. Specialmente quando io e mio padre ci divertiamo insieme». Era la prima volta che ne parlava a qualcuno, ma con Pete aveva la sensazione di poter condividere qualunque cosa.

«Forse rimpiange in qualche modo il fatto di averti avuto. Forse la loro vita stava diventando più semplice, e poi sei arrivata tu e le cose sono tornate economicamente difficili? O potrebbe essere gelosa di te e tuo padre? Forse si sente messa da parte? Dopo tutto, prima del tuo arrivo loro hanno avuto tutta una vita insieme. Non so».

Una serie di forse, ma, forse, aveva ragione. «Non lo so neanche io», disse lei.

«Penso che questo provino con i Weston potrebbe andare bene», esclamò Pete, deciso a cambiare argomento. «Voglio dire, d'accordo, non sono una squadra di serie A come il City, ma se la cosa mi permette di continuare a giocare e significa che intanto posso anche lavorare, è il meglio di entrambi i mondi. Guadagnerò qualcosa e giocherò a calcio, che non è un semplice gioco…».

«Lo so! È qualcosa di molto, molto più importante». Lei rise. «Il fisioterapista sembrava abbastanza speranzoso, no?»

«Sì». Pete fece un piccolo sorriso. La delusione per aver perso l'occasione di avere successo era ancora forte.

«Non so che avrei fatto senza di te queste ultime settimane, Pete». Era sincera.

«Be', non voglio che tu debba fare nulla senza di me, e per me è lo stesso».

«Be', allora è deciso, ci impegniamo ufficialmente a sopportarci l'un l'altra. Prendiamo una tazza di tè?»

Pete avanzò di un passo e le strinse il braccio. «Ti amo, Jacks». Quelle parole arrivarono senza preavviso e la colsero di sorpresa.

«Davvero?». Lei si portò la mano sulla pancia, cercando di non pensare a che genere di uomo avrebbe mai voluto accollarsela. Non aveva niente da offrire ed era incinta di un altro.

Lui annuì.

«Oh, Dio, Pete, non so cosa dire. Ho così tante cose per la testa...». Era agitata.

«Lo so e credo che l'amore possa iniziare nei modi più strani. Le cose non sono sempre semplici, prestabilite. Mia madre mi ha sempre detto che essere amici è la cosa più importante».

«Penso che tua madre abbia ragione». Lei rise, cercando di alleggerire la tensione.

«E chi sa cos'altro potremmo diventare. Il punto non è come iniziamo, Jacks, è come finiamo, e io voglio finire con te».

«Sarebbe una proposta?»

«Tu vuoi che lo sia?».

Jacks rise di nuovo. Col pensiero, tornò al ragazzo che le era sfuggito. *Forse l'inizio non è sempre la parte migliore...*

«Ho paura, Pete, e non voglio prometterti niente che non mi sento in grado di garantire».

«Non c'è niente di certo, Jacks». Lui le diede un colpetto alla gamba. «Niente. Ma se pensi di voler fare un tentativo, io ci sto». Sorrise.

Lei gli sorrise a sua volta. «Penso di volerlo».

Lui si avvicinò di un passo e la strinse tra le braccia. «Allora ci sposiamo?», bisbigliò.

«Sì, direi di sì, se riusciamo a trovare un vestito che copra il mio pancione!». Lei ridacchiò, poi si tirò indietro per baciarlo. Fu un bacio sorprendente che la lasciò in preda alle vertigini e con il desiderio di avere di più.

Venticinque

Dopo la discussione su Sven e tutto il resto, Jacks rimase seduta da sola nella cucina buia e fredda, riflettendo su quanto era appena accaduto. Restò lì finché il sole non si insinuò nel loro giardino strisciando sulle piante dei vicini e Jonty comparve sulla soglia alla ricerca dei cereali per la colazione. Aveva i capelli spettinati dal sonno e i pantaloni del pigiama che pendevano dalla figura esile.

«La signora Palmer dice che devo portare a scuola delle foto dei miei genitori da bambini per il collage che dobbiamo fare», annunciò, portando il latte in tavola.

«Per quando ti servono, Jon?», chiese lei. *Non oggi, ti prego. Ti prego, non oggi...*

«Per oggi», rispose lui, spargendo gocce di latte per tutto il pavimento.

«Perfetto». Lei gli riservò un debole sorriso.

«Toto?», chiamò Ida, a voce altissima.

«La nonna sta urlando!», gridò Jonty, nonostante fosse seduto solo a qualche metro da lei.

«Sì, l'ho sentita, piccolo. Mangia i tuoi cereali».

Jacks salì le scale ed entrò in camera di Ida.

«Buongiorno, mamma». Si sforzò di trovare un tono gioviale, tirando le tende e aprendo la finestra con un sorriso. Sedendosi sul lato del materasso, prese la mano sottile della madre nella propria.

«Mamma, voglio chiederti scusa. Mi dispiace se l'altra notte ti ho spaventato. Non avevo alcun diritto di portarti fino a Clifton a quell'ora. Non avrei mai dovuto urlarti addosso e mi dispiace tantissimo».

Ida si sporse a scostarle i capelli dalla fronte. Fu un gesto così dolce, così commovente e inaspettato, che le tolse il respiro. «Bellissima. Sempre bellissima», mormorò.

Era una delle poche occasioni che Jacks ricordasse in cui le avesse fatto un simile complimento. Chinandosi in avanti, posò la testa sulla sua spalla. «Ti voglio bene, mamma». Le parole le sfuggirono, pronunciate di rado e mai così sincere.

«Ho dei tesori», rispose sua madre.

«Sì, lo so».

«Voglio quella lettera...», bisbigliò Ida.

Jacks rise e annuì, alzandosi in piedi e tirando via il copri-letto per dare inizio alla nuova giornata.

Mezz'ora dopo, mentre prendeva le chiavi dell'auto dal corridoio, Jacks trasalì alla vista di sua figlia sulle scale. Martha era pallida e aveva grandi cerchi scuri sotto gli occhi.

«Come ti senti?», chiese lei, incapace di mantenere il contatto visivo con la sua stessa figlia, in presenza della quale al momento si sentiva un po' intimidita.

Martha scrollò le spalle, come sul punto di scoppiare in lacrime. Jacks non voleva litigare, non ne aveva la forza. Le si avvicinò di un passo. Poi Martha parlò.

«La mamma di Gideon dice che se avermi qui è un problema possiamo andare a stare a casa sua».

«Ma davvero?». Jacks immaginò Allison che puliva la stanza degli ospiti, approfittando di ogni occasione per dare giudizi. «Un problema averti qui, nella casa in cui sei cresciuta? La casa in cui vivi con la tua famiglia? Non essere sciocca».

Si sentiva insultata, imbarazzata dal fatto che non ci fossero apparentemente limiti a ciò che Martha discuteva con quella sconosciuta. Parlò in un tono più aspro del voluto. «Chi si crede di essere, Allison, per incoraggiarti in questo modo? E posso ricordarti che hai appena diciotto anni e devi frequentare la scuola, dare degli esami e rispettare delle regole?».

Martha si voltò per risalire le scale. «Non penso che le regole si applichino più, mamma. Aspetto un bambino».

«Come se non lo sapessi!». Jacks sbuffò. «Tu darai quegli esami, Martha. Abbi il buonsenso almeno di capire che sono importanti!». Un'immagine della caffetteria dell'università di Warwick le balenò nella mente. «Oh, Dio!». E la colpì di nuovo come una scossa, la consapevolezza di quante cose fossero cambiate e quante porte si fossero chiuse.

Jacks lanciò un urlo a sua madre e ordinò ai figli di darsi una mossa. Uscì per raggiungere l'auto, accese il motore e rimase ad aspettarli lì seduta, guardando Ivor che saltava nel furgone e si allontanava rombando. Arrossì, sentendosi come un'intrusa, nel notare il bacio che Angela gli lanciava dalla finestra del piano di sopra.

Jonty saltò nel sedile posteriore. «Non penso che siano queste le foto che dovrei portare». Sfogliò le stampe che teneva in mano. «In queste foto tu e papà siete ragazzi e non bambini e la signora Palmer ha detto che dovevamo portare foto di voi da bambini. Queste non vanno». Sospirò.

«Tu di' alla signora Palmer che per ora dovrete farvi bastare queste e che nel fine settimana darò un'occhiata in soffitta, d'accordo?»

«Ma il fine settimana è troppo tardi, a me servono adesso», mormorò lui, per poi aprire subito dopo il suo fumetto.

Martha ci mise un secolo a uscire e quando infine fece la sua comparsa, aveva con sé un borsone dall'aria pesante. «Ti serve una mano? Che cos'hai lì dentro?», chiese Jacks mentre lei lo posava sul sedile posteriore accanto al fratellino.

«Soltanto un po' delle mie cose», disse Martha al finestrino, allacciandosi la cintura.

«Che significa, "un po' delle mie cose"?».

Martha tirò indietro le spalle, come se una postura più determinata potesse darle la sicurezza che stava cercando. «Te l'ho detto cinque minuti fa! Ho deciso di andare a stare per un po' da Gideon e sua madre».

Jacks rise, uno sbuffo improvviso e incredulo. «Non fare la sciocca, Martha! Non ci andrai affatto. Riporta in casa la borsa!».

Martha scosse la testa, aggiustandosi la cintura. «Non sto facendo la sciocca. E se non hai voglia di accompagnarmi a scuola, lo capisco. Dirò a Gideon di venire a prendermi».

Jacks si voltò fino a premere la schiena contro il finestrino del lato del conducente: voleva guardare sua figlia in faccia. «A che gioco stai giocando? Non c'è bisogno di essere drammatici. Non puoi parlare sul serio. Pensi che ti lascerò andare a giocare all'allegra famigliola con il tuo ragazzo e sua madre, Dio solo sa dove, facendo Dio solo sa cosa? Certo che no! Sei una bambina! Stai ancora andando a scuola!». Le ultime parole uscirono più simili a uno squittio.

«Mamma, voglio andarci. Ho bisogno di una pausa».

«Tu hai bisogno di una pausa?». Jacks non sapeva che dire, si sentiva completamente intontita.

«Sì, esatto! Ogni volta che mi guardi mi sento in colpa, ho la nausea, e non voglio sentirmi così». Si accarezzò la pancia. «So che sei arrabbiata e ferita, ma non puoi punirmi costantemente, non è giusto e mi fa stare male e ansiosa e così non posso andare avanti».

«No, non è così, Martha! Io ti voglio bene. E voglio esserci per te e per il tuo bambino. Hai bisogno della tua mamma!». Suonava disperata anche alle proprie orecchie.

«Oh, Dio!». Esasperata, Martha si passò le mani sul viso. «Questa è nuova! Non è quello che hai detto finora e non ho intenzione di cascarci adesso soltanto perché tu vuoi tenermi d'occhio e impedirmi di vedere Gideon. Che, tra l'altro, non è il nemico ma il mio ragazzo, ed è dolcissimo, cosa che sapresti se ti fossi presa il disturbo di conoscerlo, ma non l'hai fatto. Sta leggendo un libro sulla gravidanza e tutte le sere prima di andare a letto mi chiama e mi racconta cosa ha imparato e che cosa sta succedendo al bambino e cosa dobbiamo aspettarci. Ma invece di poter stare insieme a lui, a guardare le foto e fare domande, io devo restarmene sdraiata, a bisbigliare in una stanza strapiena che divido con il mio fratellino, con le pareti coperte di poster dell'Uomo Ragno!».

«Se vuoi li posso togliere», disse la vocina di Jonty dal sedile posteriore. Jacks si era quasi dimenticata della sua presenza.

Martha stava piangendo, adesso, lacrime calde e arrabbiate, ma gli sorrise in risposta. «No, non ce n'è bisogno, Jonty. Vanno benissimo. Volevo solo dire che è un po' troppo piccola per tutti e due».

«Potrei andare a dormire con mamma e papà?», suggerì lui.

Jacks sentì le labbra tremare, travolta dalla dolcezza del figlio. Mise la freccia e partì, non volendo rischiare di farlo arrivare in ritardo.

Quando raggiunsero i cancelli della scuola, Jonty corse dentro con il fumetto in mano. Sul sedile anteriore Martha esitò, sganciando lentamente la cintura.

«Non voglio rendere le cose più difficili del necessario. Ma onestamente, mamma, questa è la cosa più difficile e spaventosa che io abbia mai fatto. Ed è come se tu non te ne rendessi neanche conto».

Ci fu un momento di silenzio.

«Sono andata a fare la mia prima ecografia... è stato incredibile! Ho una foto di questo bimbo perfetto. Ma non potevo condividerla con te. Riesci a immaginare come ci si sente?»

«Sì». Jacks sentì la voce incrinarsi. «Lo immagino. E mi dispiace così tanto. Per favore, posso vedere la foto?».

Martha uscì dall'auto e recuperò la borsa dal sedile posteriore. Ormai piangeva apertamente. Aprì la cerniera e gettò sul sedile una granulosa immagine in bianco e nero, tutta accartocciata. «Tienila pure. A casa di Gideon ce n'è un'altra copia».

Per Jacks, quelle parole furono come un coltello rigirato nel cuore. «Quando tornerai a casa?». Cercò di trattenere le lacrime, per non mettersi a piangere lì.

La testa di Martha fece capolino dalla portiera posteriore. «Quando la sentirò di nuovo casa mia, credo».

Jacks la guardò farsi strada lungo il vialetto che portava alla scuola superiore, trascinandosi dietro la borsa. Stephanie Fletcher apparve quasi dal nulla, prendendola sottobraccio e camminando a testa alta, come se l'amica fosse un trofeo ambito da tutti.

Lei dispiegò la stampa accartocciata dell'ecografia e tracciò con le dita il contorno della minuscola figurina bianca.

Jacks era quasi a metà strada quando cambiò direzione di colpo, ripercorrendo mentalmente le conversazioni avute con Sven, con Pete e infine con Martha. Le informazioni e le parole che si erano detti le vorticavano nella testa come la trasmissione di una radio mal sintonizzata, con tutte e tre le voci che litigavano per farsi sentire. Voleva schiarirsi le idee e pensò che andare a parlare apertamente con un certo meccanico avrebbe potuto aiutare.

Entrò nella via dove lavorava Gideon. Spense il motore, raggiunse a piedi il vialetto e rimase in attesa vicino al muro, chiedendosi se fosse il caso di entrare e cosa avrebbe dovuto dire, quando sentì la sua squillante risata e subito dopo le sue parole, forti e chiare.

«Quindi va tutto bene. Tutto bene, papà. Lei è fantastica, so che la adorerai».

«Be', non vedo l'ora di incontrarla».

«Merda!», mormorò Jacks. L'uomo assomigliava a suo figlio: affabile, calmo e sicuro di sé.

«È un passo importante, figliolo».

Un passo importante? Che eufemismo! Jacks dovette mordersi la lingua per non intromettersi e strillare addosso a entrambi.

«Avere un bambino non è il genere di cosa che fai preso dall'entusiasmo, è un impegno che durerà tutta una vita».

«Lo so. Lo so benissimo». Il tono di Gideon era fermo. «Ma io la amo, papà. È pazzesca. È intelligente e non riesco a credere che sia innamorata di un tipo come me, ma così è e non la lascerò mai andare. Voglio darle una bella vita. Voglio prendermi cura di lei e del nostro bambino. Mi fa venire voglia di essere una persona migliore, se questo ha senso».

«Ha senso, sì. Sono fiero di te, Gideon. Ho sempre avuto paura che, viste come sono andate le cose tra me e tua madre, saresti stato scoraggiato dall'idea di diventare padre e mettere radici. Sono felice che non sia così. E so che hai passato momenti difficili. Ma sei un ragazzo, e un uomo, meraviglioso».

Gideon rise. «È questo il punto, papà. Non voglio prendermela con te o con la mamma, ma so cosa significa trovarsi preso nel mezzo quando le cose vanno male e non metterò mai il nostro piccolino in quella situazione. Mi impegnerò. Se riesco a fare felice Martha, il resto dovrebbe venire automatico, no? E so che probabilmente non abbiamo avuto il migliore degli inizi, ma non è quello l'importante, no? È la fine, il modo in cui finiremo, l'importante».

L'uomo ridacchiò. «Sai che ti dico, figliolo? Sembri avere le idee molto più chiare di me che ho il doppio dei tuoi anni!».

«Ho un progetto, papà. Nel giro del prossimo anno voglio aprire la mia prima autofficina. Inizierò in piccolo, ma ho fatto le proiezioni e sono convinto che potremmo espanderci piuttosto in fretta. Poi in un paio d'anni, quando il marchio sarà ben avviato e funzionerà, lo darò in franchising».

«Wow! È evidente che ci hai riflettuto parecchio». Suo padre sembrava impressionato. Seppur controvoglia, anche Jacks lo era.

«È così. Non vedo l'ora di iniziare, di diventare il padrone di me stesso. Ho messo a punto una serie di servizi e voglio organizzare un corso di formazione per le persone che sono interessate all'argomento ma non hanno le qualifiche necessarie, per aiutarle a iniziare e poi coinvolgerle nella mia attività così da non disperdere le competenze».

«E sarai in grado di fare tutto questo?». Suo padre pareva un po' scettico.

«Tutto questo e molto di più. Ho amici che sarebbero ben felici di quei lavori. Voglio dire, potremmo fare anche cose più esclusive, completo restauro dei furgoncini per i surfisti, renderli abitabili, quello che ti pare!».

«Quanto ti serve per iniziare, iniziare davvero?»

«Ho trovato la sede perfetta e la banca è disposta a farmi un prestito, ma chiedono un deposito massiccio ed è questo l'intoppo. Voglio dire, che si credono, che tengo i contanti nascosti sotto il materasso? Sto risparmiando tutto quello che posso per il bambino». Gideon sospirò.

«Vorrei poterti aiutare…».

«No, papà, non dire sciocchezze. Chi ha tanti soldi? È un peccato, però. Sarebbe stato perfetto. È un vecchio garage con laboratorio al pianterreno, un bello spazio e un appartamento al piano di sopra. Intelligente, sai, come un loft americano. Ho portato Martha a vederlo e lei ha afferrato subitissimo. Ha un occhio fantastico. Voleva appendere insegne di metallo di vecchie autofficine alle pareti e mettere un grosso frigo rétro nell'angolo e un biliardino...».

«Sono tutte ottime idee», concordò suo padre.

«Sì, ma è inutile, perché non ho i soldi per il deposito e non vedo come potremmo trovarli. È straziante. Volevo solo fare la cosa giusta per Martha e il piccolino».

«Ce la farai, figliolo. Vedrai».

Jacks si abbottonò il cappotto e ripercorse lentamente il vialetto in direzione dell'auto. Tornò a casa, la voglia di sbranare il ragazzo della figlia un po' smorzata. Lungi da lei essere felice della situazione; ma adesso era più confusa che mai. Era evidente che lui non fosse un teppistello pronto a darsela a gambe e lasciare Martha, e questo se possibile non faceva che irritarla ancora di più. Lo immaginò chiamare Martha ogni sera per raccontarle quello che aveva imparato. Le stava rendendo davvero difficile odiarlo. Sospirò, pensando all'assegno che aveva distrutto con tanta prontezza e alla differenza che quei soldi avrebbero potuto fare per la giovane coppia. «A volte sai essere davvero stupida, Jacks», bisbigliò tra sé. «Perché non pensi prima di agire?». Mentre pronunciava quelle parole, l'immagine di suo padre le attraversò la mente, ostruendo la visuale dello specchietto retrovisore; prima di poter svoltare a destra, dovette chinarsi per scansarla.

Ventisei

Diciannove anni prima

Gina scivolò verso il fondo del letto dell'amica, spalancò la finestra ed estrasse le sue sigarette.

«Qui non puoi fumare, G!». Jacks aveva preso il cuscino da sotto il copriletto e se l'era messo dietro le spalle per costruire una specie di schienale.

«Perché no? I tuoi genitori fumano, non sentiranno l'odore. E se entrano, la butto dalla finestra». Fece scattare l'accendino e prese un tiro, lasciando che le volute di fumo le riempissero la bocca e uscissero dal naso.

«Preferirei che non lo facessi, ecco tutto», insistette Jacks.

«Si può sapere che problema hai? È tutto il giorno che sei lunatica e adesso non posso neanche fumarmi una sigaretta in camera tua, come ho fatto milioni di volte!».

Jacks represse un conato e si premette una mano sulla bocca.

Gina la fissò. «Stai per vomitare?». Guardò in giro per la stanza, cercando un recipiente adatto, poi diede un ultimo tiro e gettò il mozzicone dalla finestra, soffiando all'esterno quel che restava del fumo.

«Stai bene?». Incrociando le gambe, si sedette nella posizione del loto e studiò il volto cinereo dell'amica.

Jacks annuì. «Devo dirti una cosa».

«Quale cosa?». Gina sfogliò il quaderno, studiando velocemente le consegne dei compiti.

«Sono incinta».

Gina le sputacchiò addosso una risata e si appoggiò alla parete. «No che non lo sei, scema!».

«Lo sono». Jacks la fissò.

Gina assunse una posizione più eretta e scosse il capo, come cercando di decidere quale domanda fare per prima. «Mi stai prendendo in giro? Non puoi esserlo!».

Jacks scosse la testa. «Non sto scherzando. Lo sono, G».

«Il padre chi è?»

«Pete».

«Che cosa?», strillò Gina.

Jacks annuì. «Pete Davies».

«Ma... Pete Davies? Non è possibile! Sapevo che vi eravate baciati al Mr B's, ma non facevi che dargli dell'inutile e adesso mi vieni a dire che te lo stai scopando?». Gina era a bocca aperta.

Per la seconda volta, Jacks annuì.

Le due ragazze rimasero qualche secondo in silenzio. Tra loro c'era un imbarazzo che non avevano mai provato.

«Pensavo che mi raccontassi tutto». La voce di Gina era sommessa, ferita.

«L'ho fatto! Lo faccio!», implorò Jacks.

«Evidentemente no». Gina raccolse i suoi libri e li infilò nell'enorme borsa a tracolla.

«G, non andartene! Ti prego!».

Gina ignorò la sua richiesta. «Onestamente non so cosa dirti. È come se mi avessi dato un pugno. Io e te non abbiamo segreti. Non posso crederci!». Scosse la testa.

«È solo successo». Jacks sedeva con lo sguardo basso.

«Queste cose non "succedono" e basta. Le fai succedere tu». Gina si immobilizzò. «I tuoi lo sanno?»

Jacks annuì.

«Lo ami?».

Jacks si strinse appena nelle spalle e annuì di nuovo.

«Cristo santo». Gina riprese la borsa e se la gettò sulle spalle. «Cristo santo. Finirai la scuola?».

Jacks annuì per la terza volta.

Gina fissò un punto della tappezzeria, i pensieri lontanissimi. «È come se avessi appena perso il mio sogno. Pensavo che saremmo andate a Bristol come d'accordo, avremmo preso insieme un appartamento, trovato un lavoro. Immaginavo che sarebbe andata così. Pensavo che se l'avessimo fatto insieme sarebbe stato possibile, ci saremmo prese cura l'una dell'altra. Lo volevo davvero». Lasciò la stanza senza guardarsi indietro.

«Lo volevo davvero anche io», bisbigliò Jacks, lasciandosi scivolare sul letto e affondando il viso nel cuscino.

Ventisette

Dopo il suo tentativo abortito di prendersela con Gideon, Jacks andò dritta a Sunnyside Road. Fermandosi davanti casa notò la Corsa di Gina parcheggiata poco più avanti lungo la strada. Si incontrarono sul marciapiede.

«Oh, Dio, Jacks, stai bene? Ieri notte è stato un incubo totale. Mi dispiace così tanto!». Gina la guardò, il sorriso solito rimpiazzato da un'espressione preoccupata. «Pete è passato da noi e io non sapevo che fare! Non potevo mentirgli, non sapevo che cosa gli avevi detto tu o neanche se eri già tornata dall'appuntamento con Sven. Ho pensato che aveste litigato e che fosse venuto a cercare Rob. Scusami se ti ho messo nei casini».

«Non è stata colpa tua. Eri in una posizione terribile. Mi dispiace che tu ci sia finita in mezzo». Jacks aprì la porta d'ingresso e urlò verso le scale. «Mamma, sono a casa! Salgo subito!».

«Un po' colpa mia lo è, in un certo senso. Sono stata io a suggerire di andare a Londra. Non ti avrei mai dovuto portare quella cavolo di rivista. Ho iniziato io!». Gina sospirò.

«No, G, non è vero. Questa storia è iniziata anni fa, molto prima che tu lo vedessi in una rivista. Non ci pensare». Jacks era sincera. Raggiunse la cucina e riempì una tazza di fiocchi d'avena istantanei, pronti per il forno a microonde.

«Pete sta bene? Ieri sera sembrava davvero furioso».

«È furioso e ne ha tutto il diritto. Questa mattina se n'è andato presto, senza fare colazione. Io non l'ho visto. Ma tanto dovevamo comunque parlare, e chiarirci in quel modo deve essere stato positivo. Avremmo dovuto farlo molto tempo fa».

«C'è un'altra cosa». Gina si mordicchiò il labbro, spostando gli occhi da Jacks al pavimento.

«Cosa?».

Gina sospirò pesantemente. «Ho cercato Sven su Google, ieri sera, ho spulciato bene in giro».

«Be', ecco Miss Marple! Che hai scoperto? Qualcosa di succoso?». Cercò di mantenere l'umore leggero, nascondendo la rabbia che sentiva ogni volta che pensava al modo in cui l'uomo aveva cercato di comprare il suo perdono.

«Ho stampato questo». Gina estrasse dalla borsa un foglio di carta A4 e lo aprì. «Ecco». Indicò l'inizio di un paragrafo.

«Leggi quel pezzo». Prese posto a tavola.

«Sven Lundgren *bla bla...*». Jacks diede una scorsa alle parole. «Il cui primo superyacht si chiamava...».

Gina sorrise. «Sì. Quel pezzo».

Jacks rilesse la riga. «Si chiamava *Lady Jacqueline*».

«Capisci? Ha dato il tuo nome alla sua cavolo di barca!».

Jacks annuì ma non ci stava prestando davvero attenzione. Era impegnata a studiare il paragrafo successivo: "La *Lady Jacqueline* è stata la prima componente della flotta Somniorum Yachts, un nome che deriva dal latino, *Lacus Somniorum*, che significa 'Lago dei Sogni'".

Jacks era combattuta. Una piccola parte di lei voleva saltare di gioia a quella rivelazione, ma ciò non cambiava il fatto che lui l'avesse lasciata. Sapeva che era incinta eppure l'aveva abbandonata, lasciandola a raccogliere da sola i pezzi della sua vita distrutta.

«E c'è un'altra cosa, questa è l'ultima, lo giuro!». Gina si mosse, agitata.

Jacks la guardò. «Che altro hai scoperto?»

«Niente. Non ho scoperto niente, ma gli ho parlato».

«A Sven?»

«Sì. Mi ha chiamato questa mattina». Gina tamburellò con le dita sul tavolo.

A Jacks sarebbe piaciuto che il suo stomaco non conti- nuasse a contorcersi ogni volta che sentiva pronunciare quel nome.

Gina proseguì: «Ieri sera è rimasto in città e tornerà a Lon- dra oggi. Il suo volo per San Francisco parte domani, ma ha chiesto se potreste incontrarvi di nuovo».

«Che motivo avrebbe per volermi incontrare? Pensavo di essere stata abbastanza chiara sulle nostre posizioni ieri sera». Jacks mescolò il porridge della madre e poi riempì il bollitore per prepararle il tè, pensando a come lui l'aveva delusa.

«Io sono solo il messaggero». Gina sollevò i palmi. «Ma sembrava piuttosto disperato. Sarà sulla Marine Parade, dove ha parcheggiato ieri sera».

«Quando?».

Gina guardò l'orologio della cucina dietro le spalle dell'a- mica. «Adesso. Ha detto che avrebbe aspettato un'ora e poi se ne sarebbe andato».

Jacks ricordò le parole di Pete: «Vedi di assicurartene, Jacks. Assicurati che sia tutto a posto». Doveva metterci una pietra sopra una volta per tutte.

«Porto soltanto questo dalla mamma. Ti dispiace farle compagnia per una mezz'oretta, G?»

«Certo. Prenditi il tempo che ti serve». L'amica le strinse il braccio.

Jacks arrivò alla Marine Parade e parcheggiò la Skoda dietro l'auto lussuosa di Sven, che alla luce del giorno poté identificare come una Ferrari. Dandosi un'occhiata nello specchietto, si pettinò la frangia con le dita, prima di scendere, girar furtivamente intorno alla macchina e salire sul sedile anteriore.

«Grazie di essere venuta», bisbigliò lui, il tono sollevato.

Lei annuì, intenzionata a non dargli la soddisfazione di un sorriso. «Gina ha detto che eri in partenza, così ho pensato fosse meglio non lasciare niente di non detto».

«Non sono riuscito a dormire, questa notte».

«Io neanche. Vederti mi ha turbato. E disturba Pete».

«Mi dispiace». Lui premette un pulsante sul cruscotto. Il motore rombò.

«Dove stiamo andando, Sven? Ho molte cose da fare. Dimmi quello che devi, così poi possiamo andare ognuno per la sua strada».

«Per favore, Jacks, vieni a fare un giro con me. In onore dei vecchi tempi».

Lei sospirò e scosse la testa. «Okay, ma fai in fretta».

Lui mise la freccia e, nel sole del mattino, puntò nella direzione opposta al lungomare. L'auto era molto bassa e sembrava scivolare sulle strade che Sven evidentemente ricordava ancora piuttosto bene. Jacks pensò a quanto sarebbe piaciuto a Jonty fare un giro su quell'auto sportiva. Si sentì in colpa a pensare alla famiglia, lontana solo pochi chilometri eppure a un mondo intero di distanza. Vedeva le vie che percorreva quotidianamente, ma sembrava diverso guardarle attraverso i finestrini oscurati di un veicolo così bello.

Sven accostò vicino al sentiero che portava al campo da gioco.

«Oh, no!». Jacks rise, nonostante tutto. «Che ci facciamo qui?». Scosse la testa.

«Andiamo, assecondami». Sven saltò fuori e aprì il bagagliaio, da cui estrasse due giacche argentate, morbide come seta e molto vaporose. «Mettitela», ordinò.

Jacks prese il giubbotto, leggero come una piuma, e fece come le era stato detto. Era sorprendentemente caldo.

Passarono per i cancelli aperti. Sven camminava davanti a lei mentre attraversavano il campo da gioco, inciampando nelle buche e incespicando nei dislivelli. La goffaggine e l'ansia li fecero ridere.

«È questo il posto!», annunciò lui, prima di sedersi sull'erba bagnata. «Forza». Batté il palmo a terra accanto a sé.

«Non posso. Sono troppo vecchia per impiastricciarmi così di fango, Sven».

«Forza! Siediti e basta!».

Jacks si sedette, abbassandosi sull'erba e stringendosi le ginocchia, un po' a disagio. Rimasero per un po' in silenzio, come per non spezzare l'incantesimo che li aveva riportati indietro nel tempo.

Alla fine, quando i loro respiri si furono sincronizzati, Sven bisbigliò: «Quando penso a te, ti rivedo qui, in questo prato. Sono ancora convinto che sia pazzesco che siamo così piccoli, minuscoli, in questo universo immenso!».

Lei sorrise mestamente. «Io ricordo quando mi hai insegnato a riconoscere la Stella Polare. Mi capita ancora regolarmente di cercarla e ancora adesso, ogni volta che guardo in alto e vedo quella stella grande e vecchia, penso a te».

«Credevo che avremmo conquistato il mondo», disse lui, a bassa voce. «Insieme».

«Pare che alla fine tu non abbia avuto bisogno di me», ribatté lei. «Sembra che te la sei cavata». Il tono era duro, velato di sarcasmo. «C'è una cosa che non capisco: perché hai finto di non riconoscermi, al Salone nautico? Mi sono sentita così ferita, Sven. Imbarazzata».

«Volevo ferirti. Dio, suona così infantile. Sono uno stupido e mi dispiace davvero, davvero tanto. Ma volevo punirti per non avermi aspettato. Mi ero ripromesso che non sarei mai tornato da te, che dovevi essere tu a venire da me, a desiderarmi».

«Ma eri stato tu ad andartene, non io», disse lei, in tono calmo.

Restarono qualche istante in silenzio finché lui non scrollò le spalle e si voltò verso di lei. «Il punto, Jacks, è che ero solo un ragazzino. Un ragazzino spaventato che aveva davanti questo grande futuro, un futuro progettato per me dai miei genitori. E non sapevo di avere delle opzioni. Potevo anche comportarmi da adulto, ma avevo solo diciotto anni ed ero spaventato».

«Lo ero anche io!», replicò lei, accalorandosi. «Lasciata a crescere il bambino da sola, letteralmente». Serrò la mascella, rivedendo Sven quando era studente, cercando di mettersi nei suoi panni di ragazzino. Ammorbidì il tono. «E lascia che ti chieda una cosa: se avessi avuto delle opzioni, Sven, te ne saresti andato comunque?». Sostenne il suo sguardo.

Lui sospirò e annuì rivolto al terreno. «Probabilmente». Scuotendo la testa, proseguì, esitante. «Quando ho trovato il coraggio di chiamare tua madre, non riuscivo a credere che ti fossi già sposata con uno di quei pecoroni. Davvero, non potevo crederci! Ci ho pensato molto, in tutti questi anni. Avevo tutto ciò che avessi mai desiderato, sai, ma ieri notte potevo ancora risentire il gusto di quella gelosia, la sua crudezza... il fatto che avessi preferito uno della squadra di calcio a me...». Rise ironicamente.

«Tu potevi avere delle opzioni, Sven, ma quali erano le mie? Incinta e single a diciotto anni – quali erano le mie prospettive? E non ti permettere di insultare Pete! Ha fatto una cosa incredibile. Mi ha salvato, mi ha dato una casa e una famiglia. È un uomo buono. È stato splendido, ha fatto tutto quello che poteva per facilitarmi le cose. Era più di quanto meritassi». Lo guardò in viso, apertamente. «Ha amato me e tua figlia fin dal primo momento, è stato il miglior padre che una bambina potesse desiderare. Siamo state fortunate entrambe ad avere lui».

Sven fece una smorfia e voltò la testa. «Lo amavi?».

Jacks scosse il capo. «No. Non allora, non subito. All'inizio facevo quasi finta. L'amore è arrivato più tardi, quando abbiamo avuto la bambina. E adesso sì. Lo amo moltissimo». Rivide il marito che spingeva sua madre in corridoio per accompagnarla a mangiare la cena che le aveva preparato, risentì la sua voce mentre si offriva di andarle a prendere gli occhiali. Un uomo gentile, buono, con cui aveva condiviso una vita, una famiglia.

«Capisco».

«Non fraintendermi, la tua partenza mi ha lasciato devastata». Lei fissò l'orizzonte. «E penso di averci ricamato sopra, in questi anni, trasformandoti nel mio cavaliere dalla bianca armatura, fantasticando che con te la mia vita sarebbe stata perfetta».

«La vita non è mai perfetta», disse lui.

«Penso di averlo capito. Ho anche realizzato che non deve esserlo, perfetta, l'importante è solo essere felici». Rise, come se quella fosse una rivelazione. Le parole di sua madre le fluttuarono nella mente: *È davvero difficile amare le persone egoiste.* Guardò Sven, rendendosi conto di quanto fosse facile amare Pete, l'uomo meno egoista che avesse mai conosciuto.

«Sono d'accordo e ho quasi ottenuto la mia formula perfetta per la felicità». Lui le si avvicinò leggermente.

«Davvero?», chiese lei, sospettosa.

«Sì. Per essere felice ho bisogno di sentir scorrere l'adrenalina, che le cose si muovano in fretta e di avere un grande letto e un bicchiere di champagne ghiacciato che mi aspettano dovunque decida di posare la testa. Nessun fardello, nessun legame». Sven le fece scorrere un dito lungo l'orlo della giacca. «Vieni con me, Jacks. Solo io e te, nessuna distrazione. Inseguiamo l'avventura!».

Jacks lo fissò, quello sconosciuto che la stava guardando con tanto entusiasmo. «Non hai capito niente di quello che ho detto, Sven? Nella mia vita c'è già tutta l'avventura di cui ho bisogno. La mia formula perfetta è stare sul letto accanto a Pete, guardare il nostro orribile lampadario e sapere che i miei figli sono al sicuro, addormentati nella stanza di fianco».

Si rese conto solo mentre le pronunciava di quanto quelle parole fossero vere. «Lui era lì quando avevo bisogno di qualcuno e non mi ha abbandonato. È rimasto al mio fianco, l'ha sempre fatto».

«E io no».

«No, Sven, tu no. Tu te ne sei andato in America. Continuavi a ripetermi quanto mi sarebbe stato facile fare i bagagli e partire, ma mi rendo conto adesso che per te sarebbe stato altrettanto semplice disfare i tuoi e restare».

Sven fece scorrere lo sguardo sul prato con un'espressione rassegnata. «Io ti amavo, Jackie Morgan. Ti amavo davvero. Ci legava qualcosa di vero, di eterno. Qualcosa di magico. E pensavo che tu sentissi lo stesso».

«Era così», bisbigliò lei.

«Ma adesso non più?». Era l'ultimo lancio di dadi.

«Adesso non più». Lei scosse la testa, con rassegnazione. C'era solo un'ultima cosa da chiarire. Inspirò a fondo, facendosi forza. Sapeva che doveva chiederlo, era solo giusto, non importa quanto fosse doloroso.

«Vuoi vedere Martha? Sapere qualcosa di lei?». Il cuore le martellava mentre aspettava la sua risposta. Temeva la prospettiva di dover rivelare la verità a sua figlia in un momento in cui la ragazza era tanto vulnerabile e odiava pensare a quanto sarebbe rimasto ferito Pete nel processo.

Sven scosse la testa.

Jacks espirò lentamente e sentì un leggerissimo capogiro per il sollievo. «Immagino che "niente fardelli, niente legami" faccia riferimento a questo?»

«Immagino di sì. Sarebbe tutto troppo complicato», mormorò lui.

Lei si alzò, abbassò la cerniera della giacca argentata e gliela porse. «Non ti dimenticherò mai, Sven. Ma per me è giunto il momento di voltare pagina. Non siamo più bambini. Ho una famiglia, dei figli e un marito che ha rinunciato a tutto per la nostra felicità. È lui il mio vero cavaliere dalla bianca armatura».

La bocca di Sven si serrò; lui parve ferito. Rimase dov'era mentre Jacks si incamminava verso il cancello. «Posso darti un passaggio?», urlò.

Jacks immaginò di tornare alla Marine Parade e salire sulla piccola Skoda di suo padre, e sentì qualcosa di simile alla gioia. Rise ad alta voce. «Penso di no».

«Jacks?», gridò lui.

«Cosa?».

Lui si girò. «Il primo yacht della mia flotta si chiamava *Lady Jacqueline* ed era una barca bellissima. Strana, unica, diversa da tutte le altre. Era pronta a prendere il largo e conquistare il mondo».

Oh, lo era, Sven, lo era davvero.

«Non ho mai pensato che si sarebbe fermata, incagliata sulle stesse coste da cui avrebbe dovuto allontanarsi...». Le sue parole erano affilate.

Jacks si voltò, stringendosi nel cardigan da quattro soldi e fissando la figura triste al centro del campo. Quando parlò, la sua voce era ferma.

«No, Sven, non è questo che è successo. Ha solo deciso di restare dov'era e di lasciare che fosse il mondo ad andare da lei. E così è stato. E ti sbagliavi, sai: la casa non è uno stato d'animo o un sentimento, è un luogo. E per me, è qui. Io sono a casa».

Quando arrivò a casa, la Corsa di Gina non si vedeva da nessuna parte, ma Jacks notò il furgone di Pete. Era strano che a quell'ora della mattina non fosse in cantiere, soprattutto dato che non era un giorno da cricket. Si sporse nella cucina deserta e poi salì silenziosamente le scale fino a fermarsi sulla soglia della stanza di Ida.

Sua madre era sotto le coperte con addosso la sua ordinatissima vestaglietta e la testa poggiata sul suo cuscino preferito. Pete era sulla sedia a lato del letto, con i pesanti stivali da lavoro ancora addosso. Era chino in avanti con i gomiti puntati sulle ginocchia e teneva tra le mani un foglio di carta. Ida lo fissava intensamente. Le sue dita nodose stringevano l'orlo del copriletto rosa di ciniglia. Appoggiata allo stupite, Jacks rimase ad ascoltare. La voce di Pete era bassa e gentile.

«E quindi, tesoro mio, le novità da parte mia sono queste. Ricordo il giorno in cui ci siamo incontrati? Eri così bella. Te lo ricordi?». Pete si interruppe e sollevò lo sguardo su Ida, che aveva un accenno di sorriso sulle labbra. Lui tossì e tornò al foglio di carta. «È stato il giorno più bello della mia vita e non ne dimenticherò mai un solo istante. Prenditi cura di te, Ida. Sentirò la tua mancanza ogni singolo giorno. Tieni questa lettera al sicuro e sappi che ti penserò anche quando non potrò starti vicino. Ti amo per sempre. Il tuo adorato marito, Don».

Jacks sentì le lacrime sgorgare mentre guardava il suo uomo gentile che leggeva per sua madre. Il suo uomo meraviglioso, che lavorava duro per la sua famiglia ed era rimasto al suo fianco in salute e in malattia, in ricchezza e in povertà. Sapeva che era fortunata ad averlo.

Pete piegò il foglio e lo ripose nel cassetto del comodino di Ida. «Se vuoi che te la rilegga, basta che lanci un grido».

«Caro, caro Toto». Ida sorrise e chiuse gli occhi.

Sollevandole le coperte fino al mento, Pete le diede una pacca sul braccio. «Brava, Ida, fatti un sonnellino». Uscì lentamente dalla stanza, indietreggiando, e si voltò per trovare sua moglie che piangeva in corridoio.

«Mentre guidavo mi è venuta un'idea brillante», disse lui. «È stata un'illuminazione: perché costringerla ad aspettare una lettera? Perché non farla arrivare e basta? E il trucco ha funzionato. Sembra essersi calmata».

«Grazie. Grazie, Pete».

Lui l'attirò a sé e la strinse nelle sue braccia forti. Rimasero così per qualche minuto, in piedi, a sentire ciascuno la solidità dell'altro sotto i palmi.

«Perché piangi? Non dirmi che hai visto le analisi post partita del match del City del fine settimana! È stato un colpo terribile!». Lui le baciò la testa mentre lei gli si appoggiava contro.

«Ti amo, Pete. Ti amo davvero».

«Lo so». Lui la strinse forte.

Jacks si tirò indietro e sollevò lo sguardo sul marito. «Mi dispiace. Mi dispiace!».

Pete annuì, tenendo gli occhi fissi su di lei. «Siamo a posto, adesso? Tutto sistemato?».

Jacks sorrise e annuì. «Sì».

«Bene». Pete sospirò. «Allora chiudiamola qui. Una tazza di tè?»

«Sì, grazie. Una tazza di tè sarebbe perfetta». Gli toccò il braccio. «Ti ho sentito mentre leggevi alla mamma. È stato un pensiero bellissimo».

«Be', come dicevo, ho pensato che se avesse ottenuto quello che voleva, forse avrebbe smesso di agitarsi tanto».

«Sei molto saggio».

«Non saprei. Penso che se fossi più saggio, avrei tenuto Martha lontano dal vecchio Giddyup».

Jacks sapeva che prima o poi avrebbero dovuto affrontare l'argomento. «È andata a stare da lui, con sua madre».

Pete annuì. «Lo so. Mi ha mandato un messaggio».

«Questa mattina mi ha parlato un po' di come si sta sentendo e mi ha fatto pensare...».

«Andiamo sotto a chiacchierare». Le afferrò la mano e continuò a stringergliela mentre scendevano lentamente le scale spoglie e scricchiolanti fino ad arrivare in cucina.

Jacks prese posto su una sedia. «Credo che tu abbia ragione. Non è la cosa peggiore che poteva capitare, vero, Pete? Non davvero».

Pete parlò, mentre le posava la tazza davanti. «No, amore, non lo è. La maggior parte dei ragazzi se la sarebbe squagliata, ma non lui. La ama davvero e lei ama lui. E quando ami qualcuno davvero è così che ti comporti, per quanto possa essere difficile rimani al suo fianco».

Jacks gli strinse la mano, pensando all'incontro di poco prima. «Lo so. È solo che non è quello che volevo per lei. È così intelligente!».

«Sì, è vero, ed è per questo che dobbiamo darle fiducia e lasciare che scelga lei cosa fare della sua vita».

«Lo so, lo so», ammise Jacks, fissando il suo tè come se fosse possibile trovare lì dentro la risposta.

La voce di Pete era ferma. «Stavo pensando alla reazione dei tuoi genitori. All'inizio erano sconvolti, ma poi sono stati bravissimi e comprensivi, e questo ha reso tutto più semplice, vero? E poi sono arrivato io e non hanno fatto storie neanche per quello. Pensa se avessimo dovuto fare i conti anche con la loro ostilità. Sarebbe stato difficile. Per come la vedo io, abbiamo due scelte: o le diamo sostegno, l'aiutiamo, l'amiamo, come abbiamo fatto fin dal giorno in cui è nata, o la perdiamo. E quella sarebbe la cosa peggiore. Tutto qui».

«Non voglio perderla! È l'ultima cosa che voglio», disse Jacks tra le lacrime.

«Allora è una scelta facile, amore». Pete si sfregò le mani. «Lo sappiamo che l'importante è restare uniti, sistemare le cose».

«Dobbiamo farlo, sì».

«E sei sicura che tra noi sia tutto a posto?». Lui la guardò, le parole cariche di implicazioni.

Jacks sostenne il suo sguardo. «L'ho rivisto, solo per dire addio». Tirò su col naso.

«Ha ancora i vecchi maglioni di sua madre?».

Jacks rise e scosse la testa. «Ho la sensazione di aver messo a tacere qualche fantasma».

«Bene». Il suo tono era fermo. «Voglio soltanto farti felice. È l'unica cosa che ho sempre desiderato».

Jacks si alzò e gli avvolse le braccia intorno al collo. «E lo fai, amore mio, lo fai». La baciò con forza sulla guancia. «Si è offerto di darci dei soldi, ha detto che voleva aiutare. Gli ho risposto che non li volevamo, che non abbiamo bisogno di niente».

Pete annuì. «Non possiamo sentire la mancanza di quello che non abbiamo mai avuto, vero, piccola?».

Jacks sospirò e si sedette al suo fianco.

Dal piano di sopra si sentì il rumore di qualcosa che sbatteva.

«In nome di Dio, e questo che sarebbe?», chiese Jacks.

«Ah, sì, ho dato un bastone a tua madre, le ho detto di picchiarlo per terra se le serve qualcosa».

«Quasi preferivo quella cavolo di campanella!». Jacks si alzò in piedi. «Arrivo, mamma!», urlò mentre saliva.

Più tardi, quella notte, Jacks rimase seduta in auto con il motore spento a fissare la finestra della casa dei Parks in Alfred Street. Non che ci fosse qualcosa da vedere. Era una notte blu come l'inchiostro e in casa c'erano le luci accese e le tende tirate. Lei immaginò Martha lì dentro insieme a Allison e Gideon, mentre cenava, guardava la TV, o stava sdraiata a letto in pigiama, vivendo in quella casa con cui non aveva alcun legame. Immaginare quelle scene domestiche era come conficcarsi un coltello nelle viscere. Passò mezz'ora e poi il cellulare vibrò sul cruscotto, facendola sobbalzare.

«Amore, dove sei?». La voce di Pete era sommessa.

«Sono ad Alfred Street», ammise lei, «seduta davanti a casa loro».

«E perché sei lì?».

Jacks scrollò le spalle. «Voglio solo vederla».

«Vuoi che venga a farti compagnia?», si offrì lui.

«No. Ma grazie. È meglio che resti a casa, in caso mamma si svegliasse. E Jonty dorme».

«Finora hai visto qualcosa?». Pete odiava avere la figlia lontana tanto quanto lei. Jacks l'aveva visto, prima, premere il palmo sul suo cuscino e sistemare i suoi pupazzi ai piedi del letto, come faceva quando Martha era piccola.

«No».

«Hai intenzione di bussare alla porta?»

«No».

«Oh, Jacks, a questo ti sei ridotta? A rimanertene in strada tentando di intravederla? Non aiuterà, lo sai».

Lei sentì le lacrime sgorgare, calde e familiari. «Mi manca. Mi manca mia figlia e ho la sensazione che stia andando tutto a pezzi, Pete. Continuo a pensare a quando ero piccola e mio padre mi aveva costruito una casetta sul prato, sul retro. L'adoravo. Me ne stavo lì dentro e facevo finta di preparare la cena e occuparmi degli ospiti. Ma poi la lasciammo fuori, all'aperto, per un inverno intero, e la colla si bagnò e marcì il compensato. La casetta crollò e rimase sul prato a pezzi. Non era più la mia casetta, soltanto un mucchio di assi piatte e inutili, non più adatte al loro scopo. E la mia vita è così. Ogni cosa si è appiattita, è crollata, e non so come fare a rimetterla insieme. Non so da dove cominciare».

«Puoi cominciare venendo a casa. Stare lì tutta sola per strada non può farti bene».

«Ha detto che sarebbe tornata quando l'avesse sentita di nuovo casa sua. Ma questo non succederà mai, se lei non c'è e non mi parla».

«Tornerà, Jacks, te lo prometto».

Jacks avviò il motore. «Dio, spero che tu abbia ragione».

«Vieni a casa, Jacks, e vieni a dormire. Sei stanca».

Lei lanciò un'ultima occhiata alle finestre prima di lasciare, riluttante, Alfred Street.

Ventotto

Diciotto anni prima

All'ospedale generale di Weston-super-Mare erano le prime ore della sera quando Ida distolse lo sguardo dal piccolo televisore appeso alla parete nell'angolo della sala d'attesa. Era sintonizzato sulle notizie locali, ma con il volume spento poteva basarsi solo sulle immagini e sulle espressioni dei presentatori per capire di cosa si stava parlando. Guardò Don rientrare attraverso le porte scorrevoli, scrollando le spalle e torcendosi le mani come se si sentisse ancora addosso il freddo che faceva fuori.

«Dove sei stato?», sbottò lei, la voce piena di diffidenza. Venti minuti erano un tempo più che sufficiente per combinare qualcosa.

Lui si voltò a guardarla, si tolse il cappotto e lo posò sulla sedia vuota al suo fianco. «A fare una telefonata». Aveva un tono pacato. Tirandosi su i pantaloni, prese posto e si appoggiò la caviglia sul ginocchio opposto.

Ida scosse il capo.

«Oh, ci risiamo con lo scuotere della testa? Anche qui, oggi?». Don mosse la mano nell'aria, come se lei potesse non aver notato dove si trovavano.

«Credi che io ci tenga, a comportarmi così?», bisbigliò lei, risistemandosi la borsetta in grembo, grata di avere qualcosa da fare.

Lui incrociò le braccia sul petto. «Penso che tu non sappia comportarti in altro modo, ormai».

«E di chi è la colpa?». Lei lo fissò.

«Mia». Lui chiuse gli occhi e chinò la testa. «La colpa è sempre mia. Credo che l'abbiamo stabilito molto tempo fa».

«Sai, hai ragione». Lei sospirò. «Non so essere una persona diversa ed è questa la parte peggiore, per me». Le tremava il labbro. «Non ho mai voluto essere così, vivere in questo modo!».

Don aprì il giornale con un rumore secco, sollevandolo per schermarsi il viso e la parte superiore del corpo. Ci fu una breve pausa nel loro bisticcio, poi Ida ruppe di nuovo il silenzio.

«Sembra impossibile che siano già passati diciotto anni da quando ero *io* quella che stava dando alla luce. Ricordo ogni istante di quel giorno, come se fosse ieri. Ogni singolo istante». Sorrise al ricordo.

«Ah, sì». La voce di lui arrivò da dietro il tabloid. «Te l'eri presa con me anche allora, ricordo».

«Ricordi pure il motivo?».

Lui rise con forza e lasciò cadere una metà del giornale, liberando una mano in modo da potersi massaggiare gli occhi stanchi. «Come se potessi dimenticarlo anche solo per un momento».

Rimasero in silenzio per qualche altro minuto.

«Pensi…». Lei esitò. «Pensi che, se le cose tra noi fossero state diverse, e fossimo stati genitori diversi, se avessimo dato un migliore esempio, magari, ci saremmo trovati lo stesso seduti qui?».

Prima che Don avesse la possibilità di rispondere, l'infermiera allungò la testa da dietro la porta. «Solo per informarvi, vostra figlia sta andando benissimo. Ancora nessuna novità, ma non dovrebbe mancare molto!». Sorrise e si ritirò, impaziente di tornare dove fosse stata richiesta.

«Forza, spingi!», urlò Pete, stringendo la mano di Jacks.

Jacks serrò gli occhi e si sforzò, si sforzò davvero. Aveva il viso contratto e paonazzo, la testa china sul petto. Poi ansimò e si lasciò ricadere contro il cuscino, di colpo molle e senza fiato. «Sono troppo stanca. Non ce... Non ce la faccio più».

Erano state sette ore di fatica. Sentiva i muscoli stanchi, la forza di volontà la stava abbandonando e aveva un bisogno disperato di dormire. L'entonox si stava rivelando inefficace e il procedimento era troppo inoltrato perché un'epidurale potesse servire a qualcosa.

Chinandosi in avanti, Pete le mise la mano sulla schiena e le parlò vicinissimo al viso. «Sì che puoi farcela, Jacks! Puoi fare qualunque cosa. Qualunque. E hai quasi finito. Ci sei quasi, amore. Non è vero, Cath?». Lanciò un'occhiata all'ostetrica, che sedeva su uno sgabello con i piedi di sua moglie sulle spalle e muoveva su e giù la testa tra le staffe.

«Sì, ha ragione. Un altro paio di spinte e il piccolino sarà con noi!».

Jacks gettò la testa all'indietro e sorrise nonostante la stanchezza, immaginando suo figlio, che presto avrebbe conosciuto. Il sudore le incollava la lunga frangia al viso; aveva sete ma non se la sentiva di bere perché non voleva complicare la situazione con il bisogno di urinare.

«Pensa, un tempo avresti semplicemente scodellato il piccolo dietro un cespuglio e poi avresti ripreso a lavorare nei campi!». Pete sorrise.

«Non sono sicura che sia utile». Cath sorrise bruscamente all'ansioso futuro papà, che fino a quel momento si era dimostrato bravissimo a sostenere la giovane moglie.

«Sto solo dicendo che è la cosa più naturale del mondo, no?». Lui si sistemò il camice, che gli era scivolato lungo le braccia.

«Ora come ora non sembra naturale». Sua moglie sospirò. «Sembra difficilissimo! Non credo che potrei tornare a lavorare nei campi!». Sbuffò.

«Di quello non ti devi preoccupare, Jacks. Tu hai me». Lui sorrise, raggiante. «Andrò io a lavoro e ti porterò tutto ciò di cui hai bisogno. Badare a te è il mio compito, e lo farò sempre, sempre». Le strinse la mano. «Sono un calciatore». Pete lanciò un sorriso orgoglioso all'ostetrica. L'eccitazione di poter parlare del suo nuovo ruolo come attaccante per l'Associazione Calcistica di Weston-super-Mare non era ancora passata.

«Oh, Dio, ci risiamo, ecco, ne sta arrivando un'altra, la sento!». Jacks spinse il sedere verso il materasso e si piegò in avanti. A denti stretti e con gli occhi di nuovo fermamente chiusi, tornò a far forza, con il viso sempre più rosso. «Oh! Oh, merda!», riuscì a dire, ormai senza fiato.

«Ci siamo! Respira, amore mio! Stai andando benissimo, Jacks! Respira!», ansimò Pete, con le guance gonfie e le labbra arricciate. Dimentico di ogni inibizione, era perso nel momento. Mentre le teneva la mano e le stringeva la spalla per darle sostegno, non pensava alla sua carriera calcistica; era suo marito, sul punto di diventare papà. Loro non erano due semplici neodiplomati, adesso; erano adulti, neogenitori.

«Non mi lasciare!», strillò lei.

«Non lo farò! Non vado da nessuna parte. Resterò qui. Siamo una squadra, io e te».

«Non adesso, non lo siamo». Lei sospirò. «Non mi lasciare! Mai!».

Lui la guardò negli occhi. «Non lo farò. Mai. Ti amo».

Lei fissò il marito. «E io amo te, Pete, davvero, ti amo davvero! Ti amo!», singhiozzò.

«Davvero?», chiese lui, raggiante di gioia.

Lei annuì. «Sì! Oh, Dio! Oh, Dio!», ansimò. «Sta succedendo davvero, lo sento!».

«Ci siamo!», disse Cath. «Sta spuntando la testa. Ci siamo quasi! Forza, Jackie, ancora una spinta! Ci siamo quasi!».

E poi, nel giro di pochi secondi, dopo un grido gutturale che sembrò uscire dalle profondità del suo corpo, sentirono il suono di un pianto. Era il saluto balbettante di un paio di polmoni nuovi. Cath sollevò la neonata e la mise sul petto della madre, ancora attaccata a quel cordone ombelicale che era stato la sua ancora di salvataggio durante le ultime trentanove settimane.

Jacks si lasciò ricadere sul cuscino con la bambina bagnata sul petto, baciandole la testa umida mentre lei fletteva i suoi ditini nell'aria e cercava la pelle della madre con la boccuccia.

«È... così bella!», riuscì a dire Pete tra le lacrime. «Ciao! Ciao, tesoro mio», bisbigliò mentre le baciava la testa coperta di peluria morbida.

«Qualcuno potrebbe andare a dirlo ai miei genitori?», chiese Jacks.

«Certo». Cath sorrise. Percorse il corridoio e arrivò nella sala d'aspetto. Sia Ida che Don saltarono in piedi, fianco a fianco, impazienti di ricevere notizie. «Salve, nonno e nonna! Avete una bellissima nipotina. La mamma e la bimba stanno entrambe bene».

Don si voltò verso la moglie e l'attirò a sé. Sollevando le braccia, lei lo strinse forte, godendosi il momento e inalando l'odore dell'uomo che amava, l'uomo che aveva sempre amato.

«Che roba! La nostra geniale bambina, eh?», bisbigliò Don nei suoi capelli, baciandole la testa.

Nel frattempo, avevano tagliato il cordone ombelicale e la bambina era stata sottoposta ai vari controlli. Era perfetta.

L'ostetrica si lavò le mani nel lavandino all'angolo della stanza. «Abbiamo già un nome?», chiese.

«Sì». Jacks strusciò il naso e la bocca contro la figlia. «Si chiama Martha».

La dottoressa si avvicinò asciugandosi le mani, e sorrise alla famigliola stretta in un abbraccio e impegnata a scambiarsi sguardi increduli e felici. «Be', allora salve, signorina Martha. Benvenuta in questo vecchio e strano mondo!».

Alle sue parole, Jacks sentì le lacrime sgorgare di nuovo. «Ciao, Martha, sono la tua mamma. Sì, proprio così, sono la tua mamma e sono tanto felice di conoscerti. Ti stavamo aspettando, io e il tuo papà, e ti amiamo già così tanto».

«È vero», confermò Pete. «Ti amiamo davvero».

Sorrise alla moglie. «Sei la donna più incredibile del mondo!». La baciò fermamente sulla guancia. «È stato pazzesco. Semplicemente pazzesco. Non riesco a credere che ce l'abbiamo fatta, non riesco a credere a quello che hai fatto tu! Sei stata fantastica!». La baciò di nuovo. «Sono papà, Jacks! Riesci a crederci? Sono papà!».

Lei sorrise al marito. «Proprio così, Pete. Sei il papà della signorina Martha».

Don sedeva piegato in avanti sulla sedia del salotto, massaggiandosi le mani. «Devo accendere il fuoco? Farà abbastanza al caldo?». Si chinò sulla culla portatile e fissò la nipotina addormentata. «Ma guardala. Ha una settimana ed è già un vero schianto!».

Jacks sorrise al padre, senza sapere bene se essere uno schianto fosse una cosa positiva. «No! Non ha freddo, papà, sta bene». Sorrise, felice per gli effetti del post parto e sentendosi orgogliosissima di aver dato alla luce una bambina così bella. Neanche a farlo apposta, Martha sollevò i pugni ed emise un gridolino con il visetto tutto rosso e arrabbiato.

«Qualcuno sa che è ora della pappa», commentò Pete dal tavolo, dove stava studiando le ultime pagine del giornale. Jacks sentì i capezzoli stringersi e il latte che iniziava a scorrere. «Sì, forza, facciamo la pappa». Sollevò con attenzione la bambina dalla culletta e la portò di sopra, nella sua vecchia stanza.

Sua mamma si affrettò a precederla e le sistemò altri due cuscini contro la testiera. «Vuoi una coperta?», chiese, stringendosi le mani al petto, come se sentisse il bisogno disperato di offrire qualche aiuto.

«Se hai voglia di portarmela, mamma. Poi magari vieni a chiacchierare un po' con me?».

Ida annuì e ricomparve con il copriletto rosa di ciniglia, che le rimboccò intorno alle gambe. A disagio, si appollaiò ai piedi del letto, distogliendo lo sguardo mentre Jacks premeva i bottoncini automatici della maglia e scioglieva la linguetta del reggiseno da allattamento. Jacks notò che sua madre rimase girata finché Martha non si fu attaccata al capezzolo e la mussolina ebbe coperto la maggior parte del seno. La faceva sorridere notare quanto fossero pudici i suoi genitori, anche quando si trattava di dare da mangiare a sua figlia. Sospettava fosse una questione di età. Per lei andava bene; non ci teneva particolarmente a mostrar loro il suo corpo e non aveva assolutamente alcun interesse nel vedere il loro.

«È adorabile, Jackie».

«Sì». Non c'era spazio per la modestia, quando si trattava di sua figlia; Martha era, per quanto la riguardava, la bambina più perfetta che fosse mai stata creata.

«E Pete sembra volerle molto bene».

«Sì, è meraviglioso. Io mi tiro il latte e lui si occupa delle poppate notturne, e di tutto. Non so cosa farei senza di lui».

«Be', non penso che dovrai scoprirlo. Non sembra intenzionato ad andare da nessuna parte». Ida scosse la testa, il tono e la scelta delle parole erano l'accenno più diretto che si sarebbe mai permessa di fare a Sven e al suo comportamento.

«Martha è fortunata», disse Jacks. «Ha il papà migliore del mondo».

Ida inarcò un sopracciglio. «Pensavo che fosse il tuo, quello», disse, in tono duro.

«Be', sì, certo, ma credo che Pete finirà per essere bravo quanto lui». Jacks accarezzò la testa della figlia che si rimpinzava.

«Possiamo solo sperarlo!». Ida strinse i denti.

«Essere un bravo papà è molto difficile. Penso che il sostegno sia la cosa più importante», disse Jacks. «Non credi?».

Ida rifletté sulla domanda. «Penso che sia la felicità della mamma a determinare un papà felice, bravo. Un papà che considera l'unità familiare come un intero, che non esclude nessuno».

«O forse è la mamma che non deve lasciarsi escludere». Jacks sostenne lo sguardo della madre.

Ida si alzò e sistemò le coperte, poi si diresse verso la porta. «Se solo fosse così semplice». Sorrise e lasciò Jacks sola ad allattare la figlia.

Sentì Don e Pete urlare contro la TV mentre guardavano insieme la partita; stavano facendo un gran rumore. Ida scese l'ultimo gradino proprio mentre in corridoio squillava il telefono.

«Pronto?».

Si sentì un *bip* prima della voce e quando infine questa arrivò, era accompagnata da un'eco debole, come se fosse molto, molto lontana.

«Signora Morgan?»

«Sì?»

«Sono Sven…». Lo sentì deglutire. «Sono…».

«So chi sei».

Ci fu una pausa. «Posso parlare con Jacks? È importante». Sembrava di fretta.

«No, sei tu che devi ascoltare me, è importante. Jacqueline non ti vuole parlare. In questo momento è con suo marito...».

«Suo marito?»

«Sì, esatto. Non lo sapevi? Ha sposato Pete Davies, un ragazzo meraviglioso».

Ventinove

Jacks si svegliò quando il sole iniziò a filtrare tra le fessure sopra le tendine, ben venti minuti prima che la sveglia suonasse. Litigò con la vestaglia nel buio, allarmata dal rumore di vomito che proveniva dal bagno. Forse Jonty non si sentiva bene?

In fretta attraversò il pianerottolo e si fermò davanti alla porta aperta. Lì, seduta a terra, c'era Martha! Tornata dopo due mesi di lontananza che erano sembrati una vita intera! La poverina era piegata in due per i conati e gemeva vomitando nella tazza del water, ma Jacks non riusciva a pensare che all'ondata di felicità che le provocava vederla. *La mia bambina. È qui, è a casa!*

«Oh, Martha!», ansimò. «Tesoro, stai bene?».

Lei scosse la testa. «Mamma…», fu l'unica cosa che riuscì a dire prima dell'attacco successivo.

Jacks si sedette per terra alle sue spalle, appoggiandosi alla vasca e massaggiandole la schiena, proprio come aveva fatto nel corso degli anni ogni volta che si era ammalata. La ricordò bambina, con la colonna vertebrale nodosa coperta da un pigiama di nylon con il disegno di una principessa Disney.

«Ricordi quando volevi farti chiamare Kida, come la protagonista di quel cartone, *Atlantis. L'impero perduto?*», chiese.

Martha annuì.

«E per settimane non hai risposto che a quel nome. Io stavo lì sulle scale a urlare: "Kida, la cena è pronta!". I vicini mi avranno presa per matta».

«Grazie per non avermi cambiato nome come ti avevo chiesto», mormorò Martha tra i gemiti.

«Non c'è di che».

Martha si chinò in avanti, spinta dal violento attacco di nausea. Jacks raccolse i suoi lunghi capelli in una coda di cavallo che sostenne nel palmo mentre la natura faceva il suo corso. Alla fine, Martha si tirò indietro, sedendosi sui talloni, e Jacks le porse un po' di carta igienica con cui pulirsi la bocca. Le gettò un asciugamano sulle gambe tremanti. Impossibile ignorare il pancione, ormai.

«Mi sento malissimo. Mi fa male il seno e mi viene da vomitare». Martha si voltò e appoggiò la testa sul grembo di sua madre. Sembrava essersi dimenticata che erano in conflitto.

Jacks le scostò i capelli dal viso, sussurrando dolcemente per consolarla.

«È così difficile, mamma. So che devo studiare, ma ho tanta nausea».

«Di solito passa, amore, e dicono che può essere segno di una buona gravidanza». Ricordava i suoi attacchi di nausea mattutina, quando cercava di vomitare in silenzio, per non far sapere a nessuno che c'era qualche problema. E Pete che arrivava a scuola e le dava un pacchetto di cracker. Le sorrideva mentre bisbigliavano in corridoio; Martha a quel punto era ancora il loro piccolo segreto. Avevano deciso così, finché lui non fosse riuscito a prenotare l'Ufficio di Stato Civile e avesse zittito i pettegolezzi.

«Papà ha detto che sarei dovuta tornare a casa, che ti stavo rendendo triste, e io non voglio che tu sia triste».

«Non ti ho sentito tornare. Se l'avessi saputo sarei rimasta alzata».

«Papà dice che Gideon può passare qualche notte sul divano, e che io posso andare da lui quando voglio. E io voglio stare con lui tutto il tempo», borbottò Martha, «ma non posso, perché devo andare ancora a scuola e non voglio farti arrabbiare e so che tu non vuoi che lo veda. Ma è pur sempre il papà del bimbo e non voglio che si perda niente e lo amo. Ho bisogno di lui, mamma. Ne ho bisogno davvero».

Jacks chiuse gli occhi e bisbigliò alla figlia: «Lo so. E andrà tutto bene». Pensò a quanto le cose sarebbero state più difficili se non ci fossero state le braccia forti di Pete e le sue parole gentili a calmarla ogni notte. «Queste cose hanno uno strano modo di aggiustarsi».

Sentì una breve risata dal pianerottolo e si guardò alle spalle per trovare Pete in piedi, con addosso la vestaglia e i pantaloni del pigiama. «Adesso hai scoperto il mio segreto. È quello che dici quando non ti viene in mente nessuna soluzione».

Lei gli sorrise. «Non mi viene in mente davvero».

«La troveremo insieme». Lui le accarezzò la testa.

Jacks si sporse verso di lui e gli baciò il palmo calloso. «Come sempre».

Arrivò Jonty, che sedette a terra dietro suo padre chiudendosi la porta alle spalle. Passò qualche secondo prima che domandasse: «Perché siamo tutti in bagno?».

E tutti risero, anche Martha, che riuscì a sogghignare nonostante la nausea.

Jacks lasciò i ragazzi a scuola, felice di sapere che nelle ultime settimane Martha non aveva fatto un solo giorno di assenza. In auto c'era un'atmosfera vivace, tutti si stavano chiaramente godendo il ritorno alla normalità. Lei guardò Martha mettersi la borsa davanti al pancione. Il suo imbarazzo la intristiva.

«Sono io, mamma!», urlò, non appena tornò a casa. «Salgo subito!».

Era grata che Ida avesse dormito fino a tardi, lasciando a lei e ai ragazzi il tempo di chiacchierare. Anche Pete sembrava essere tornato quello di un tempo. In effetti, sembrava stare ancora meglio: pareva più felice di quanto non fosse stato da secoli.

Lei mise la tazza di porridge sul vassoio di sua madre e salì le scale.

«Buongiorno! È una bellissima nuova giornata! Martha è a casa. Ti rendi conto? È finalmente a casa». Le diede il vassoio e andò a tirare le tende. «Ho pensato che oggi potremmo andare a fare una passeggiata, che ne dici? Un bel giretto e un po' d'aria fresca, ci farà un mondo di bene».

Jacks fece la doccia alla madre e la cambiò, avvolgendole una coperta morbida intorno alle gambe e infilando i suoi piedi pieni di chiazze nelle scarpe con la chiusura a velcro. Mentre la spingeva fuori di casa e lasciava cadere il sacchetto chiuso con il doppio nodo nel bidone dell'immondizia, si imbatté nella vicina, Angela, che stava varcando il proprio cancello.

«Buongiorno, Ange».

«Buongiorno, signore. Come stai, Ida?»

«Sta benissimo», rispose Jacks per conto di sua madre. «E Jayden?»

«Sta diventando grande! Ieri sera è riuscito a sedersi. Avrai probabilmente sentito lo scoppio dei tappi di champagne e le trombe delle fanfare: Ivor è impazzito! Avresti detto che il bambino avesse vinto una medaglia d'oro alle Olimpiadi, guardando suo padre».

«Ah, che bello». Jacks rise. «Forse un giorno lo farà, chi può dirlo».

«Dio, mi sembra di sentire Ivor. Ha già cercato su Google i voli per tutte le principali capitali del mondo, cercando di capire quanto potrebbe costare andarci nel 2032!».

«Esilarante! E in cosa vincerà la medaglia, Jayden?».

Angela sbuffò. «Ma nei cento metri piani, logico».

«Logico!». Jacks rise. «Apprezzo la sua sicurezza e i suoi piani. E perché no? Chissà che direzione potrebbe prendere la sua piccola vita?».

Ci fu un silenzio imbarazzato mentre entrambe le donne consideravano il cambiamento di direzione che aveva subìto quella di Martha, pensando a quanto erano stati emozionati quando aveva ricevuto l'offerta di Warwick.

«Jacks, spero che non sia un problema, ma volevo lasciare queste per Martha». Angela sollevò le braccia per mostrare una culla di vimini, una pila di canottiere bianche e tutine minuscole e un paio di pigiamini.

«Oh, Ange!». Jacks fissò l'attrezzatura. Davano più concretezza alla cosa, tutti quegli accessori per bimbi. Il bimbo di Martha. «È gentilissimo da parte tua. Lei è impegnata con la scuola, gli esami iniziano la prossima settimana». Prese gli oggetti tra le braccia protese.

«Oh, Dio, non vorrei essere nei suoi panni. Augurale buona fortuna, in caso non riuscissimo a vederla». Indicò la culla di vimini. «Jayden è ormai troppo grande per tantissime cose, ma se Martha non le vuole, nessun problema, dille di passarle a qualcun altro o darle in beneficenza, come preferite. Ho solo pensato che le sarebbero potute servire».

«Grazie, Ange. Sarà commossa».

«Nessun problema! Meglio che rientro, sua signoria è sul seggiolone in cucina, probabilmente impegnato a ridecorare le pareti e il soffitto con la tazza di succo!».

Jacks tornò dentro e posò la culla e i vestiti sopra gli scatoloni in corridoio.

Mentre spingeva la sedia a rotelle verso il lungomare, parlò con la madre di quello a cui stava pensando. «Ange è stata gentile a portarci quelle cose per il bimbo, vero? Lo rende piuttosto reale, però, pensare che una bambina o un bambino riempiranno quei vestiti», disse. «Non lo so, mamma, sei convinta di sapere dove stai andando e poi arriva qualcosa e ti toglie il tappeto da sotto i piedi. Le cose cambiano così in fretta. È questo che ha creato problemi». Girò la sedia per svoltare un angolo, evitando una buca. «Pensavo che la strada di Martha fosse segnata, pensavo che lo fosse la mia. E a essere proprio sincera, immagino che una delle ragioni per cui ci sono rimasta così male sia che avevo previsto dei miglioramenti anche per la mia vita. Mi piaceva l'idea di andare a stare con lei mentre andava all'università, vederla insieme al suo nuovo gruppo di amici. Ero eccitata. Ma quello che ha detto è giusto, è la sua vita, non la mia. E Gideon sembra davvero affidabile, un bel sostegno. Quello che tu definiresti un ragazzo meraviglioso!».

Sollevando la mano sinistra, Ida indicò di fronte a sé.

«Oh, adesso mi dai indicazioni? Capisco!». Jacks rise. «Okay, facciamo un giro per il molo. È un po' che non lo facciamo, vero?».

Jacks spinse la sedia a rotelle della madre fino alle assi di legno del Grand Pier e avanzò lentamente lungo l'iconica passerella. Di fronte a loro, l'isola di Steep Holm brillava nel sole e, con Worlebury Hill sulla destra, la vista era bellissima. C'erano coppiette che camminavano a braccetto sulla spiaggia, e più avanti, in lontananza, su per le dune di sabbia, i cani abbaiavano e giocavano a riporto con palloni e bastoncini di legno.

«Sei abbastanza coperta, mamma?». Jacks si chinò in avanti e rimboccò la coperta intorno alle braccia di Ida. Proseguirono, oltre il parco dei divertimenti, dove notarono Richard Frost che lavorava a una delle giostre con una chiave inglese. Lei ridacchiò tra sé.

Sistemò la sedia di Ida vicino a una panchina e si sedette a guardare la vasta distesa d'acqua, respirando profondamente e godendosi la pace e la quiete spezzate solo dallo strillare acuto dei gabbiani in cerca di cibo.

«È qui che venivi sempre con papà, vero? Tanti anni fa, dopo che avevate passato la notte a ballare al Grand Atlantic. Adoravo guardare le foto di voi due tutti agghindati, tu con il tuo rossetto rosso, proprio come una stella del cinema! E papà con il cravattino». Jacks sospirò. «Bei tempi, quelli, eh? Scommetto che senti la sua mancanza. Dev'essere così, lo so. Io la sento ancora, tutti i giorni».

Jacks lanciò un'occhiata a sua madre. Pensava che avrebbero potuto seguire il suggerimento di Lynne Gilgeddy: prendere una bella tazza di tè e dividersi una *teacake*.

La testa di Ida era reclinata sul petto. «Stai bene, mamma? Non sembri molto comoda».

Jacks si sporse a toccarle la guancia, temendo che se si fosse addormentata in quella posizione si sarebbe svegliata con il torcicollo. Ritirò la mano di scatto e lanciò un grido. La pelle di Ida era gelida e il suo viso non era più corrugato o contratto per la paura; al contrario, la pelle sembrava più liscia, giovane, riposata. Sua madre appariva calma, serena, addirittura felice, come liberata.

«Oh, mamma! Oh, no!». Jacks si lasciò cadere in ginocchio in fondo al Grand Pier e posò la testa in grembo a Ida, stringendo tra i pugni la coperta morbida. «Non mi lasciare anche tu, mamma. Abbiamo ancora così tante cose da dirci. Ti prego, mamma, non lasciarmi! Ti voglio bene. Ti voglio bene davvero».

Durante i successivi cinque giorni, Jacks ebbe la sensazione di muoversi come camminando nella melassa. Era esausta, ogni azione rallentata dal dolore, il che significava che non andava rapidamente da nessuna parte.

In casa c'era un silenzio spettrale. Salì le scale e posò la biancheria pulita sui letti dei ragazzi, poi rimase fuori dalla camera di sua madre. Esitò nel girare la maniglia. La stanza aveva bisogno di essere arieggiata; c'era ancora l'odore di sua madre e di tutti i suoi malanni da vecchia.

Jacks spalancò la finestra e studiò le foto incorniciate sul davanzale, scatti di una vita ormai finita. Affondando nel copriletto di ciniglia, fece scorrere le dita sulle linee ondulate del disegno, raggiungendo il punto dove le sue dita di bambina avevano tirato il cotone. Nuove lacrime sgorgarono mentre un'altra boccata di senso di colpa le scendeva lungo la gola. Nella sua mente, in prima fila, c'erano tutte le occasioni in cui si era rivolta a sua madre con uno sbotto frustrato, insieme all'espressione impaurita sul suo viso mentre la spingeva lungo la scogliera della gola dell'Avon.

«Oh, mamma, mi dispiace così tanto. Ero solo stanca». Si portò le mani sugli occhi, togliendole per fissare la pila di pannolini e salviette ammucchiati sul piano del comò. Pensò che non avrebbe mai più dovuto portare un altro di quei pannolini sporchi giù per le scale o fare la doccia a sua madre nel cuore della notte. Le cedettero le spalle dal sollievo, il che non fece che alimentare la successiva ondata di senso di colpa.

Pete bussò alla porta varcando la soglia. «Posso entrare?»

«Sei già dentro», mormorò Jacks dal letto della madre, su cui ora giaceva prona, il viso affondato nel cuscino.

«Cooksleys ha appena chiamato per sapere se hai avuto qualche idea per la musica».

«Andrà bene qualunque cosa, non ha davvero importanza».

«Non può essere *qualunque cosa*, Jacks. Pensiamo a cosa avrebbe potuto volere tua madre, canzoni che per lei significavano qualcosa. Qual era quella che le piaceva tanto?». Fece schioccare le dita. «Sai quale dico... Sorrideva sempre quando la mettevano». Pete tamburellò con le nocche contro lo stipite, come se quel ritmo fastidioso potesse aiutare il suo processo mentale. «Non riesco a ricordarmi il titolo. Arrivava alla radio e lei sorrideva e muoveva la testa a tempo».

Jacks sollevò il capo e fissò il marito. «Intendi *Happy*, la canzone di Pharrell Williams?»

«È così che si chiama?». Lui fischiettò la melodia.

Jacks si tirò a sedere. «Vuoi mettere *Happy* di Pharrell Williams al funerale di mia madre?»

«Be', dal tuo tono deduco che la risposta è no, ma almeno ne stiamo parlando». Lui sorrise.

Jacks sentì anche le proprie labbra tendersi in un sorriso leggero, più per abitudine che per vera allegria. «Non voglio uscire da questa stanza e non voglio vedere nessuno. Voglio solo restare qui, dove c'era lei».

«Va bene, tesoro, non c'è bisogno che fai nulla. I ragazzi stanno bene. Non c'è niente di importante da fare. Puoi restare qui seduta per tutto il tempo che vuoi».

«Sei sicuro che Jonty stia bene?»

«Sì, sta bene. È più coccolone del solito, ma c'era da aspettarselo».

«Mi sento vuota», bisbigliò lei. «Come se avessi fame. Ma non solo, più come se fossi stata svuotata».

«Sei sconvolta. Diventerà più semplice, lo prometto».

Lei guardò il marito. «Dopo la morte di papà, mi sono concentrata sul prendermi cura della mamma. Occupava tutto il mio tempo. Ero talmente impegnata che non avevo tempo di pensare davvero al fatto che l'avevo perso. Ma è anche che, finché c'era lei, in un certo senso era come se ci fosse anche lui. Una metà di mamma e una di papà – ha senso?».

Pete annuì e sedette sul lato del letto. «Sì».

«E adesso se ne sono andati entrambi e io mi sento spersa.

Sono un'orfana, Pete, e anche se sono adulta, questo pensiero mi rende tristissima».

«Non sei sola, Jacks. Hai noi e noi non andremo da nessuna parte. E hai ragione, hai dedicato tutto il tuo tempo a tua madre, ma adesso stare un po' insieme, come una volta. E non avremo solo più tempo, ma sarai anche meno stanca, così quello che passeremo insieme sarà ancora migliore».

«Penso di sì». Lei annuì.

«Ero felice di avere Ida qui, lo sai, e tu ti impegnavi perché le cose funzionassero al meglio, ma lei non aveva davvero una vita. Non poteva essere molto piacevole per lei. Passava la maggior parte del tempo senza rendersi conto di cosa stava succedendo».

«Lo so, ma io? La mia vita? Mi manca! Volevo che mia mamma e mio papà stessero con me il più a lungo possibile».

Pete sorrise. «Lo so, ma non è così che funziona, vero?»

«No. Non funziona così». Jacks si lasciò affondare di nuovo nel cuscino.

I due restarono in silenzio per qualche minuto.

«Che ne dici della canzone che lei e tuo padre hanno ballato al nostro matrimonio? L'aveva portata tuo padre, vecchio seduttore. Come si chiamava?».

Jacks sorrise e immaginò i suoi genitori che ballavano guancia a guancia. «Era Nat King Cole, *Unforgettable*. Lui l'adorava».

«Che ne pensi se gli dico di suonare quella?», la incoraggiò Pete. Alle pompe funebri serviva una risposta.

Jacks annuì e si lasciò scivolare più in basso sul materasso, seppellendo la testa e chiudendo gli occhi.

Trenta

Tredici anni prima

Jacks accese la radio e canticchiò *Can't Get You Out of My Head* a tempo con Kylie mentre puliva per la quarta volta il piano di lavoro e riempiva e accendeva il bollitore. Si legò i capelli in una coda di cavallo e li sciolse di nuovo, irritata.

«A che ora ti sei alzata, signorina?», chiese Pete dal corridoio.

«Alle cinque». Jacks arricciò il naso.

«Che cos'hai? Andrà tutto bene. Non dimenticare, se si accorge che sei nervosa capirà che c'è qualcosa sotto e si agiterà. Dobbiamo restare calmi, ricordi?»

«Ricordo, ma non posso dire che mi venga facile».

«La porterò io. Ho detto ai ragazzi che arriverò tardi. Tu inizieresti a piagnucolare e basta e questo la metterebbe in allarme. Io posso restare calmo e trasformarla in una grande avventura, d'accordo?»

«Be', allora andiamo entrambi, ma io rimango in auto. D'accordo?». Non aveva intenzione di perdersi quel momento memorabile.

«D'accordo».

Pete si avvicinò e la prese tra le braccia, stringendola forte e baciandole la fronte e il naso prima di scendere alla bocca. Lei rispose al bacio con passione, godendosi l'ondata di desiderio che la travolgeva. Tirandosi indietro di colpo, ridacchiò. «Non è né il luogo né il momento, Pete! Questa mattina abbiamo troppe cose da fare».

Mugugnando, lui cercò di afferrarla per la vita. «Mi bastano cinque minuti. Anche quattro...».

Lei gli schiaffeggiò via la mano e fece un verso scherzoso di rifiuto. «Renditi utile e preparale lo zainetto e le scarpe».

«Spero che oggi non piova. Non sarebbe terribile se mi mandassero a casa e dovessi passare il pomeriggio rannicchiato qui con te, sotto il copriletto...».

«Ma che ti è preso?». Lei rise, porgendogli una tazza di tè.

«Quanto bromuro, signore, uno o due cucchiai?»

«Per l'amor di Dio, non chiamarmi signore, peggiori solo le cose!».

«Pervertito». Lei gli gettò addosso un asciugamano.

Sentirono i passi della figlia che scendeva le scale ed entrambi si bloccarono per fissarla, in piedi sulla soglia, i capelli lunghi spettinati e il pigiamino della Sirenetta tutto stropicciato. Jacks sentì il labbro inferiore tremare e si concentrò sulla preparazione del porridge.

Un'ora dopo, Pete parcheggiò il furgone nella piazzola di sosta e spense il motore. Martha sedeva tra i genitori, sul sedile anteriore, scalciando avanti e indietro con le scarpine nuove e con i capelli legati in due ordinati codini. Il suo cardigan blu reale era troppo grosso ed era la prima volta che indossava una cravatta.

«Sembri così grande, piccola. Sono così fiera di te!». Jacks le baciò il viso. «Passa una bella giornata e ricordati di memorizzare tutti i particolari così me li puoi raccontare! Ci vediamo dopo!».

Sporgendosi, prese in braccio la figlia per farla scendere dall'auto e la passò a Pete, già in posizione sul marciapiede. Lo guardò accompagnare Martha verso l'entrata della scuola, poi si lasciò scivolare in basso, assicurandosi di non essere vista, e cercò un fazzoletto nella borsa.

Martha strinse la mano del padre. «Ho paura, papi», bisbigliò.

Lui si chinò fino a portare i loro volti alla stessa altezza. «Che cosa? Mi prendi in giro? La mia bambina, che salta senza braccioli dove c'è l'acqua alta, che si è fatta togliere le rotelle dalla bicicletta? Che cosa mai potrebbe farti paura?». Le baciò il nasino.

«Ho paura che non saprò dove andare». Lei abbassò lo sguardo sulle scarpette nuove e scintillanti.

«Allora chiedilo a qualcuno. E non sarai sola, ci sono un sacco di bambini che iniziano la scuola oggi». Lui deglutì il groppo in gola.

«La pancia mi fa i saltini». La sua vocina era fievole.

«Anche la mia», confessò lui.

«Ti mancherò oggi?». Lei sollevò su di lui uno sguardo triste.

Pete prese un respiro profondo, con le lacrime che gli scorrevano lungo le guance. Si sforzò di far uscire le parole. «Io... sento la tua mancanza ogni minuto che non passo con te, signorina Martha. Ogni minuto, ogni... giorno». Sentì una mano rassicurante sulla spalla e si voltò per vedere Jacks che gli sorrideva.

Martha sollevò lo sguardo sulla madre. «Bada a papino oggi. Sentirà la mia mancanza!».

Si alzò in punta di piedi e lo baciò sulla guancia, prima di voltarsi e attraversare saltellando il parco giochi per entrare a scuola, come se fosse la milionesima volta che lo faceva.

Pete si alzò e si sforzò di recuperare la compostezza mentre sua moglie gli massaggiava la schiena e lo riaccompagnava al furgone. «Su, su», lo consolò. «Sarà presto ora di tornare a casa».

Trentuno

Cadeva una pioggia leggera il giorno di giugno in cui Gina, in piedi con il cugino di Jacks sotto la tettoia di fianco alla porta del crematorio, accolse e diede indicazioni agli invitati al funerale. In quel momento, Jacks si trovava a Sunnyside Road, davanti casa, ad ammirare il carro funebre nero e scintillante che avrebbe accompagnato Ida nel suo ultimo viaggio. Guardò i fiori bellissimi che decoravano il coperchio della bara e le corone e i mazzi che lo circondavano. Era un tripudio di colori – Ida ne sarebbe stata felice. Molti vicini avevano tirato le tende in segno di rispetto per la famiglia che da diciannove anni viveva a Sunnyside.

Pete uscì e rimase davanti a sua moglie. «Come ti senti?».

Jacks scrollò le spalle mentre si abbottonava l'impermeabile nero fino al collo e aggiustava la sciarpa bianca e nera di chiffon che si era legata a fiocco intorno al collo. «Un po' intontita, a dire il vero. Mi sento la testa troppo confusa per essere triste. Ha senso?»

«Sì».

«Non ho neanche pianto, Pete, non davvero. Voglio dire, una lacrima ogni tanto sì, ma non un pianto vero, perché non sembra reale».

«Lo so, amore».

«È stato diverso quando è morto papà. Perché era malato, sapevo che sarebbe successo. Lo stavo quasi aspettando. Ma non mi aspettavo che la mamma sarebbe morta. So che suona stupido, ma non l'avevo proprio considerato, pensavo che si sarebbe ammalata o che sarebbe peggiorata gradualmente, ma che sarebbe stato lento e che ci sarebbero voluti secoli. Non pensavo che se ne sarebbe andata così». Scosse la testa e tornò a guardare la bara.

«Supereremo il funerale e poi la veglia», disse Pete. «E poi torneremo a casa e ci rannicchieremo insieme nel letto. Chiuderemo le porte al mondo e tu potrai dormire e riposare senza interruzioni, d'accordo?».

Jacks annuì. *D'accordo.*

«Mi dispiace così tanto, Jacks, davvero». La signora Dodds, la loro vecchia vicina di Addicott Road, esitò di fronte a lei. «Grazie». Jacks annuì. Guardandosi intorno, perlustrò la piccola folla riunita davanti al bar del Grand Atlantic alla ricerca di Pete. Era chino a chiacchierare con Jonty, che a parte l'aria un po' sperduta sembrava stare bene.

«Ormai aveva una certa età, in ogni caso», proseguì la signora Dodds, con in bocca una manciata di patatine prese da uno dei piatti disposti sul buffet.

«Sì, è vero». Jacks annuì di nuovo, come col pilota automatico. C'era solo un certo numero di parole che si potevano usare per rispondere ai rimpianti e alle condoglianze offerti con gli stessi identici toni sobri da parenti lontani, amici e vicini che le sputacchiavano addosso le briciole della pasta sfoglia dei rotolini di salsiccia e soffiavano verso di lei i fumi dello sherry.

La porta del bar si aprì ed entrò Martha, accompagnata da Gideon. Jacks notò le occhiate in tralice dei partecipanti al funerale, mentre tutti spostavano lo sguardo da lei a Martha e si chiedevano per una frazione di secondo se ci sarebbe stato altro dramma nel clan dei Davies.

Allungando il braccio, Jacks attirò a sé la figlia. Rimasero in piedi abbracciate. Infine Martha si tirò indietro. «Ho portato Gideon».

«Lo vedo». Jacks si voltò a lanciare un'occhiata al ragazzo. Era evidente che aveva fatto uno sforzo. Si era legato i capelli lunghi in una coda e indossava una camicia bianca e una cravatta nera con i jeans.

«Mi dispiace per sua madre».

«Ti ringrazio, Gideon». Il tono era formale; veniva quasi automatico quando si rivolgeva a lui.

«Quando è morta mia nonna, non sembrava reale. È stato così per anni. Era stata praticamente lei a crescermi, dopo la separazione dei miei genitori, e continuavo a scoprirmi sul punto di chiamarla. Avevo voglia di vederla, tantissima, tutti i giorni. È stato orribile. Lo è ancora, in realtà».

Jacks annuì e pensò a suo padre. Conosceva quella sensazione.

Martha fece un respiro profondo e cercò di fermare le lacrime. Gideon le mise un braccio intorno alle spalle e le bisbigliò nei capelli: «Superiamo questo e poi potrai riposarti un po', va bene?».

Martha si riprese leggermente e sorrise al suo uomo, che aveva la capacità di rendere tutto un po' più sopportabile. Jacks li osservò mentre si allontanavano in cerca di un posto a sedere.

Gina le si avvicinò di soppiatto. «Come stai?»

«Non lo so esattamente. Vorrei andare subito a casa, be', voglio e non voglio».

«Non ci vorrà ancora molto». Gina sorrise. «A proposito, ho ancora gli scatoloni con le cose che Ida aveva lasciato nel mio garage. Fammi sapere quando li vuoi e te li porto. Nessuna fretta, chiaramente».

«Grazie».

Quando l'ultimo dei partecipanti se ne fu andato e Jonty,

Martha e Gideon si avviarono verso Sunnyside Road, Jacks raggiunse l'auto con Pete. «Gina ha ancora gli scatoloni di mamma nel garage».

«Vuoi andare a prenderli subito?»

Jacks annuì. «Già che ci siamo». Voleva ritardare il momento di tornare in quella casa con il montascale ormai inutile e il sollevatore da bagno che non avevano mai usato.

Pete portò i grossi scatoloni quadrati su per le scale e li appoggiò sul pavimento. Jacks prese l'ultimo e lo sistemò al centro del letto di Ida. Fece scorrere le dita sulle foto sul davanzale e raccolse la vestaglietta di sua madre abbandonata sul cuscino.

«Che ne facciamo di tutte le sue cose?», domandò.

«Niente. Non finché non sarai pronta. Quando lo sarai, alcune andranno in beneficenza, altre le terremo e altre le getteremo via. Adesso non preoccupartene, però. La cosa può aspettare».

«Che cos'è?», chiese Jonty dalla soglia della stanza, indicando lo scatolone sul letto.

«Alcune delle cose rimaste dal trasloco della nonna, cianfrusaglie che avevamo lasciato dalla zia Gina. Gli stavamo dando un'occhiata».

«Lei mi faceva un po' paura», bisbigliò lui.

«Chi, tesoro? La zia Gina?», domandò Jacks.

Jonty scosse la testa. «No, la nonna».

Jacks si sedette sul letto e attirò il bambino tra le sue braccia. «Perché mai ti faceva paura? Era solo una vecchia signora».

«Era sempre tranquilla e poi di colpo urlava cose e mi chiamava Don o Toto e mi faceva fare un salto».

«Era un po' confusa, amore. Non avrebbe voluto spaventarti. Ti voleva bene».

«E a volte puzzava un po' e non mi piaceva».

«Non poteva evitarlo, Jont. Era vecchia, ma per molti versi era anche come una grande bambina».

«È per quello che mangiando si sporcava sempre la faccia?». Lui batté le ciglia.

«Sì». Jacks cercò di vedere Ida con i suoi occhi e comprese che non poteva probabilmente risultare molto attraente.

«Adesso è con il nonno?»

«Penso di sì». Lei lo strinse forte. «Stanno probabilmente danzando su un molo da qualche parte, divertendosi un mondo».

«È ancora confusa, secondo te?». Jonty ci aveva evidentemente pensato sopra parecchio.

«No». Jacks sorrise. «Penso di no. Penso che, dovunque si trovi, sia felice e non più confusa».

«È una buona cosa, allora».

«Sì, piccolo», intervenne Pete.

«Posso andare a guardare la TV con Martha e Gideon adesso?».

Jacks annuì e lui scese le scale con i calzini, evitando le strisce adesive della moquette.

«Pensi che stia bene, Pete?»

«Sì, tesoro. È un periodo di aggiustamento per tutti, ma è come ogni altra cosa, no? Finché continuiamo a parlarci, staremo tutti bene».

Lei ignorò la predica.

«Vediamo un po' che cos'abbiamo qui». Pete aprì lo scatolone e tirò fuori una pila ordinata di federe per i cuscini ripiegate.

«Beneficenza», disse Jacks con decisione.

«Sei sicura di volerlo fare adesso?», chiese lui mettendole da parte. Infilò di nuovo la mano nello scatolone e ne estrasse un set di geometria ancora intatto.

«A Jonty potrebbe servire», fece lei.

«Ne dubito». Pete sospirò, tirando fuori una scatola di scarpe da ginnastica della Nike. Sorrisero all'idea che la vecchia Ida scricchiolante e rugosa possedesse un paio di scarpe da ginnastica alla caviglia e andasse a correre. Si chiesero chi le avesse dato la scatola.

Pete la porse a Jacks, che sollevò attentamente il coperchio per scoprire un fascio di documenti, tutti legati insieme con un nastrino lilla. Jacks sciolse il nastro e lasciò che il fascio si disfacesse sul letto. Fece scorrere le dita tra i fogli, scegliendo una foto che ritraeva lei e suo padre davanti al padiglione dei Winter Gardens. Ricordava quando l'avevano scattata. Aveva nove anni. Stavano per entrare a vedere lo spettacolo degli scout quando sua madre aveva tirato fuori la macchina e scattato la foto. Jacks nascose la risata nel palmo. «Oh, Dio! Come ero vestita?».

Pete prese la foto e la studiò. «Salopette! Niente male!».

«Le adoravo. Le mettevo di continuo. E ti prego di notare i calzini a righe, un accessorio accuratamente scelto».

«Tuo padre sembra così giovane», osservò Pete.

«Aveva cinquantaquattro anni, quindi per avere una figlia di nove anni era piuttosto vecchio, almeno tra i miei amici». Jacks annuì, rovistando nel mucchio. «Guarda questo!». Sollevò un cartoncino su cui erano incollati due dentini da latte con il nastro adesivo. «Questi sono stati i primi che ho perso. Mamma deve averli rubati al topino dei denti!».

Pete rise. «Senza dubbio!».

La sua attenzione fu attratta da un pezzo di carta ingiallito. Lo separò dai biglietti per i viaggi in carrozza, souvenir della vacanza dei suoi genitori in Francia, e da una cartolina di auguri di compleanno per Ida da parte della sorella, piena di brillantini rosa che le restarono incollati alle dita. Aprì il singolo foglio di carta e riconobbe istantaneamente la bellissima calligrafia di sua madre.

«Avevo dimenticato quanto scriveva bene». Voltò la pagina per mostrarla a Pete, poi iniziò a leggere.

Pete la vide corrucciarsi, la bocca contorta in una smorfia.

«Oh, Pete!». Jacks si premette il palmo sul petto e porse il foglio al marito. «Oh, Dio! Non so cosa pensare».

Pete lesse ad alta voce la lettera indirizzata a suo suocero.

«In risposta, Don, questa sera ti ho guardato insieme a Jackie e mi si è spezzato il cuore. Lei pensa il meglio del suo papà eppure tu con tutta calma le menti e le dici che stavi lavorando, quando io so che eri con Joan. Il signor Wievelmore mi ha detto che vi ha visti di nuovo. Il piacere che prova nel tenermi informata rende tutto ancora più difficile, ma in fondo lo capisco, lei è sua moglie e neanche lui sa davvero cosa fare. Siamo in due. Le tue bugie mi danno la nausea, mi rendono furiosa e trasformano la mia casa in una prigione. Ti amo. Non ho mai fatto altro che amarti, e Jackie ci rende completi. Pensavo che ti saremmo bastate. Scoprire che tu e Joan avete portato avanti la cosa per tutto questo tempo, alle mie spalle, anche durante la mia gravidanza, è più di quanto possa sopportare. Ho il cuore spezzato, ma mi sforzerò, mi sforzerò di andare avanti per il bene della mia bambina. Ti prego, rinuncia a lei. Dimmi cosa posso fare per convincerti a lasciarla. Non posso dividerti con qualcuno. Non lo farò. Ida».

Pete sollevò lo sguardo sulla moglie, che appariva sconvolta.

Lei scosse la testa. «Non ci posso credere».

Pete si soffermò su un dettaglio. «Chi è Joan Wievelmore?»

«Non lo so. Non ho mai sentito quel nome prima d'ora. Pensi che sia vero?».

Pete annuì. «Penso di sì, Jacks. Non so perché avrebbe

tenuto questa lettera tutti questi anni, altrimenti. E di certo suona vero». Tornò a studiare le parole. «Dice "in risposta"... Pensi che tuo padre potrebbe averle scritto?».

Jacks afferrò il mucchio di lettere e frugò tra i fogli e le buste, passando in rassegna cartoline e foto fino a trovare quello che cercava. La busta non recava alcuna dicitura ed era aperta. Lei estrasse i due fogli e se li appiattì contro la coscia con il palmo prima di sollevarli verso la luce e leggerli a voce alta. Voleva che sentisse anche Pete.

«Ci ho pensato a lungo, Ida. Vivere con un segreto è una cosa difficilissima. Sono d'accordo che a Jackie non bisognerebbe mentire: è mia figlia e per quanto mi riguarda merita di sapere la verità. Io e Joan ci siamo innamorati. È stato semplice, è accaduto. Mi ha fatto felice. Continua a farlo. Non posso rinunciare a lei. Ti chiedo semplicemente di lasciarmi andare, in modo che non ci siano più menzogne. A volte penso che il tuo rifiuto di lasciarmi sia la mia punizione per essermi innamorato, costringendomi a passare le mie giornate lontano da lei, mentre tu mi ricordi i miei molti sbagli. È una lezione difficile da imparare, per me, e una vita marcia per entrambi. Ti accorgerai di certo che la libertà gioverebbe anche a te? Sei una donna splendida, Ida, e io voglio che tu sia libera di vivere la tua vita come preferisci, così che io possa fare lo stesso. Rimango per Jackie. Ma questo non significa che non vorrei essere altrove. Lo voglio. Anche io ti amo, a modo mio, ma come sappiamo, questo non sempre è sufficiente, vero? Chi ha mai detto che la vita sia semplice? Don».

Jacks si lasciò cadere sul letto e scosse la testa. «Voleva lasciarci. Non posso crederci. Non mio padre!».

Pete si sdraiò al suo fianco. «È stato molto, molto tempo fa e non ha niente a che fare con te. Tuo padre ti voleva molto bene, lo sai».

«Devono essere queste le lettere che mamma voleva trovare, quelle che stava aspettando e di cui continuava a parlare. Ricordi, una volta ha detto che non avrei dovuto leggere la sua lettera. L'ha urlato. "Non devi! Non farlo!". E poi quando è sparita ed è andata da Ange e Ivor, ha detto che stava cercando qualcosa che avevamo lasciato lì. Stava cercando questo». Jacks aprì i fogli a ventaglio contro il palmo. «Voleva tenermi nascosto questo. Oh, mamma!».

Iniziò a piangere, a piangere davvero, per la prima volta da quando era morta.

«Le ho urlato contro», singhiozzò. «Non avrei mai dovuto farlo. Ma ogni tanto perdevo la pazienza e un paio di volte sono stata dura con lei mentre era nella doccia. Non volevo farlo. Ero solo stanca. Così stanca. E... l'ho spaventata, l'ho portata di notte alla gola dell'Avon. Non avrei mai dovuto farlo. Non stavo pensando razionalmente». Singhiozzò più forte, quasi isterica.

«Non piangere, amore. Non piangere. Calmati, Jacks». Pete la tenne stretta. «Hai fatto tutto quello che potevi per tua madre. Lei era felice e sapeva che le volevi bene».

«Oh, Pete... Pete...». Jacks deglutì, cercando di parlare attraverso le lacrime. «Mi manca, mi manca la sua presenza e pensavo che mio padre fosse perfetto! Davvero! Pensavo che fosse l'uomo più perfetto del mondo!».

Pete ripensò alla notte di qualche mese prima, quando si era seduto al tavolo della cucina e aveva guardato le lancette dell'orologio girare tanto lentamente che si era convinto che il tempo stesse procedendo a ritroso. «Nessuno è perfetto», bisbigliò.

«Pensavo che papà lo fosse. Ma la cosa peggiore è che odiavo il modo in cui mamma lo trattava. Mi faceva arrabbiare, a volte l'ho anche odiata, ma lei ha avuto il cuore spezzato per tutto quel tempo. Immagina dover vivere in quel modo!

Lui le aveva fatto questo e io non lo sapevo!». Jacks lasciò scorrere le lacrime mentre affondava la testa nel copriletto di ciniglia. «Oh, mamma! Mi dispiace così tanto. Mamma! E adesso è troppo tardi. Mi dispiace così tanto!».

Pete la strinse ancora più forte.

«Non posso crederci, Pete. Perché ci ha fatto questo? Perché ha ferito lei e mentito a me? Non posso credere che avessero questo segreto».

«Tutti hanno segreti, Jacks. E non devi lasciare che questo cambi le cose. Tu adoravi tuo padre e lui adorava te. Quello che è successo tra lui e tua madre è una cosa del tutto separata. Erano adulti, e tanto di cappello per avertelo tenuto nascosto».

Jacks si liberò della sua stretta e si tirò a sedere, cercando di prendere fiato. «Da quando papà è morto, ho avuto di continuo questa immagine di lui nella testa. La sua faccia era lì, in mezzo a qualunque cosa guardassi. Ma adesso è sparita. È scomparsa e basta».

Pete le prese le mano. «Forse è un bene. Forse ora riuscirai a vedere la tua famiglia con un po' più di chiarezza».

«Intendi Martha, vero?». Jacks riprese a piangere e crollò contro il suo petto.

«Sì», bisbigliò lui. «E ricorda quello che abbiamo deciso, Jacks, a proposito del dirle la verità. Il momento si avvicina, lo sai, vero?».

Jacks annuì: come avrebbe potuto dimenticarsene? Restarono seduti insieme in silenzio, entrambi digerendo le informazioni contenute nella lettera e le sue implicazioni. Fu Jacks la prima a parlare. «Ho bisogno di rivalutare la situazione, Pete, di schiarirmi le idee e pensare che la vita va avanti. Mio padre aveva ragione, devo guardare in avanti, di fronte a me, e il percorso sarà sgombro. Guardare all'indietro mi farà solo finire nei guai». Di colpo, ebbe un flashback del giorno in cui era morta sua madre e di come le aveva indicato di proseguire. Sorrise tra le lacrime. «Anche mamma mi stava dicendo di andare avanti, credo, a modo suo. Sai, Pete, non penso che fosse sempre così fuori di testa quanto credevamo».

Pete la stava ascoltando solo in parte mentre raccoglieva una busta formato A4 e l'apriva. Si portò il contenuto al viso. «Dio Santo!».

«Che c'è?». Jacks si tirò indietro. «Non so se ce la faccio a leggere altre brutte notizie».

«Non sono brutte notizie, amore. Sono un certificato e una lettera firmata da tua madre e dal suo avvocato, e un biglietto indirizzato a noi, da parte di Ida».

Jacks prese il pezzo di carta e deglutì mentre leggeva la somma a voce alta. «Trentacinquemila sterline in obbligazioni a premio!».

Lesse velocemente la lettera. «Ereditati da suo padre... Adesso che ci penso, quando ero piccola diceva sempre che il nonno con i soldi ci sapeva fare. Papà si irritava da morire ogni volta, pensava che fosse tutta una sua invenzione!».

Pete la fissò. Passò qualche secondo prima che parlasse. «Non so cosa dire».

«Oh, Pete, doveva essere questo il tesoro! Pensavo fosse solo la sua mente che le giocava brutti scherzi, non mi sarei mai sognata...».

I due sedettero in silenzio per qualche minuto, finché Jacks non prese aria. Raddrizzò la schiena e si schiarì la voce. «Ho un'idea, Pete, ma solo se tu sei d'accordo...».

«Sentiamo». Pete si appoggiò alla testiera del letto di Ida e ascoltò la moglie.

Trentadue

Tredici anni prima

In piedi accanto al laghetto, Pete e Jacks guardarono Martha posare il sacchetto del pane per terra e tirar fuori la bustina di Twiglets dalla tasca.

«Martha, tesoro, per gli uccellini c'è il pane, i Twiglets sono per il tuo pranzo!».

«Ma a me i Twiglets non mi piacciono, così faccio cambio!», affermò lei, come se fosse scontato.

Jacks si voltò verso il marito e si aggrappò al suo braccio, ridendo.

Pete le diede una pacca sulla mano. «È proprio identica a sua mamma».

«Sì, proprio così». Jacks scosse la testa, rivedendosi a cinque anni.

Lo stormo di uccelli si raccolse intorno ai piedi di Martha. Lei strillò e fece un salto all'indietro. «Papà! Non mi piacciono!». Ritornò di corsa alla protezione dei genitori, affondando la testa nel grembo della mamma.

«Oh, Martha, non ti faranno niente. Con le anatre stavi facendo un ottimo lavoro... Meno male che c'eri tu a dargli qualcosa da mangiare».

«Quelle non sono anatre, sono oche».

Pete annuì, tornando a guardare il gruppo di volatili. «Giusto, certo. Che stupido!».

Martha fissò il padre. «Puoi distinguerle perché gli anatroccoli delle anatre sono belli e quelli delle oche brutti».

«Ah, sì, hai ragione. Adesso che lo dici, c'è una storia molto famosa su un brutto anatroccolo che in realtà è una cosa molto diversa. Quando cresce, scopre di essere un bellissimo cigno. La conosci?»

«No». Martha arricciò il naso. «Io ero una bimba bella o brutta?», chiese.

«Oh, eri la più bella bambina del mondo! La bambina più incredibile che l'ospedale di Weston avesse mai visto! In effetti volevano mettere una targhetta blu sul muro con su scritto: "Qui è nata Martha Davies"!», rispose Pete sinceramente.

Martha prese la cosa abbastanza alla lettera. «Davvero?»

«Assolutamente». Pete annuì.

«Non mi raccontare frottole, papà!». Martha gli agitò il dito davanti, un gesto che aveva imparato nelle occasioni in cui era stata rimproverata lei stessa.

«Non mi permetterei mai. Vuoi che ti racconti la storia del brutto anatroccolo?», chiese lui, chinandosi verso la figlia.

Martha considerò l'offerta. «No», rispose, e tornò di corsa verso il sentiero per costeggiare di nuovo il laghetto.

Jacks scoppiò in una risata fragorosa. «Be', papà, bella risposta!».

Pete la prese a braccetto. «Starò perdendo il mio tocco».

Lei sospirò. «Ne dubito, vecchio ammaliatore».

«Ricordi quando venivamo qua i primi tempi in cui stavamo insieme? E lasciavamo lì le bici e ci sdraiavamo per terra, sollevando lo sguardo verso il cielo?».

Jacks sorrise. «Ricordo. E tu mi dicevi un sacco di scemenze sul fatto che ti avevano quasi convocato alla Premier League! Eri così affascinante che avresti potuto convincere gli uccelli a uscire dagli alberi».

Lui si immobilizzò completamente. «Io volevo affascinare solo te».

«Be', ha funzionato. Mi hai conquistata». Lei sollevò lo sguardo, osservando Martha sul sentiero.

«Sì, quel giorno stavo giocando in un'altra lega». Pete si chinò a baciarla.

Jacks si lasciò baciare. Sentì l'umore risollevarsi; lui aveva ancora quel potere.

«Ti amo, Jacks».

Lei annuì. «E io amo te. E questo è sufficiente, no? Non hai bisogno di una bella vita da calciatore?»

«Per oggi basta». Lui sorrise. «Davvero».

«Ha ragione, però, Pete...». Jacks lasciò la voce affievolirsi.

«Chi?»

«Martha. Non dovremmo mentirle, mai. Dobbiamo essere sinceri su tutto». Lei abbassò gli occhi a terra, evitando il suo sguardo.

Pete sospirò rumorosamente. «Lo so, ma soltanto l'idea. Mi uccide». Parlò a denti stretti.

Jacks sentì stringersi la gola e si rannicchiò contro il suo petto. «Penso che dovremmo dirglielo quando sarà più grande. Grande abbastanza da capire».

«Quando sarà abbastanza grande, Jacks?», chiese lui, il tono sinceramente perplesso.

«Non lo so. Forse quando diventerà mamma?», suggerì lei.

Passarono alcuni secondi prima che Pete rispondesse, mentre si voltavano per guardare la figlia che saltava sulla riva, chiacchierando con le anatre e lasciando cadere nei loro becchi affamati pane e Twiglets. «D'accordo. Glielo diremo quando diventerà mamma; è la cosa giusta, non credi?».

Jacks lo strinse forte. «Penso di sì, amore».

Trentatré

L'estate era venuta e se n'era andata, ma a Jacks continuava a sembrare strano poter camminare a proprio piacimento per la Marine Parade senza nessuna sedia a rotelle da spingere. Come sempre Weston-super-Mare aveva dato spettacolo ai vacanzieri, ma con l'arrivo di settembre aveva l'aspetto di un salone il giorno dopo una festa. Tutti erano impegnati a fare il punto della situazione, mettendo in ordine e preparandosi per tornare alla normalità. Jacks lanciò un'occhiata al molo e sorrise; la sua città natale non le era mai sembrata più bella.

Inspirando l'aria di mare, pensò a quante cose fossero cambiate nei due mesi passati dalla morte di Ida. Quella del funerale era stata una giornata di rivelazioni e nuovi inizi. Ricordava come quella sera, dopo aver trovato il "tesoro" di sua madre, avesse cercato disperatamente di fingere che fosse tutto normale. Mentre Pete rimboccava le coperte a Jonty, lei aveva riempito il bollitore e preparato quattro tazze di tè. Ridacchiò tra sé, ricordando che, quando aveva aperto la porta del soggiorno con il piede per portare dentro il tè, Martha aveva tolto in fretta le gambe dal grembo di Gideon e raddrizzato la schiena, mentre Gideon si rassettava i capelli, rammentandole che erano ancora entrambi ragazzini.

Distribuendo le tazze, Jacks aveva preso posto su una delle sedie vuote. «Tuo padre scenderà tra un minuto. Dobbiamo fare una chiacchierata in famiglia».

Gideon si era tirato in piedi, esitando imbarazzato. «Io tolgo il disturbo, allora, signora Davies. Spero che si senta meglio. Mi è sembrato che oggi sia andata bene. Voglio dire, i funerali non sono mai piacevoli, ma è stato il migliore che si potesse fare».

«Siediti, Gideon, anche tu fai parte della famiglia. E per l'amor del cielo, chiamami Jacks».

Gideon si era seduto. Martha gli aveva lanciato uno sguardo perplesso; ne sapeva tanto quanto lui.

Pete era entrato e aveva preso il tè dal vassoio. «Quindi...». Aveva bevuto un sorso dalla tazza. «È stata una giornata intensa». Aveva sorriso alla moglie. «Io e Jacks stavamo parlando e vogliamo mettere le cose in chiaro. Giusto?».

Jacks aveva annuito. *Lo voglio davvero. La vita è troppo breve, ormai l'ho imparato. Non sono stata la figlia perfetta, ma posso essere una mamma fantastica e una nonna meravigliosa.*

«Il punto è, Gideon, che questo non è ciò che avevamo in mente per nostra figlia».

«Lo so, lo so, ma...».

«Lasciami finire». Pete l'aveva interrotto a metà frase. «Ma tu sei un bravo ragazzo».

«Lo è davvero, papà». Martha aveva afferrato la mano libera di Gideon, stringendogliela forte.

«Ti stiamo affidando la nostra cosa più preziosa. Ho amato questa ragazza fin dal suo primo respiro e la amerò finché io non esalerò l'ultimo». Pete era visibilmente commosso.

Jacks aveva deglutito le lacrime che le si erano raccolte in fondo alla gola. *Sei tu suo padre, Pete, e lo sarai per sempre.*

«Non vi deluderò». Seduto a schiena dritta, Gideon aveva parlato con sincerità.

Pete aveva lanciato un'occhiata alla moglie, che gli aveva fatto un cenno quasi impercettibile con il capo. «Un uccellino mi ha detto che hai in programma di aprire la tua autofficina, per fare modifiche e cose del genere».

«Sì!». Il viso di Gideon si era illuminato in egual misura di sorpresa ed entusiasmo. «So che sarei in grado di farle avere successo. Ho messo a punto il piano d'impresa, è impeccabile».

«Abbiamo trovato anche una sede». Martha aveva guardato i genitori. «Gideon è andato in banca e tutto. Adesso non possiamo farlo, ma un giorno ci riusciremo, vero?». Si era voltata a guardare il suo uomo.

Lui aveva annuito. «Ci riusciremo».

«Perché adesso no?», aveva chiesto Pete.

Gideon aveva scrollato le spalle. «Chiedono un grosso deposito, una somma davvero assurda. Quindi prima devo mettere altri soldi da parte e poi si vedrà a che punto siamo».

«Abbiamo un modo per aiutarti a cominciare, Gideon», aveva detto Jacks, parlando direttamente a lui.

«Come?». Il ragazzo aveva spostato lo sguardo da Jacks a Martha e viceversa.

«Io e Pete ti daremo i soldi per far partire la tua nuova attività, per dare a te e a Martha il giusto inizio».

Gideon l'aveva fissata, senza parole.

«Vogliamo che mostri a Pete il tuo piano d'impresa, che glielo lasci controllare, e se è a prova di bomba come dici, tornerà con te in banca. La casa è nostra e abbiamo un po' di soldi da parte. E se tutto funzionasse, chi può dirlo…?». Lei aveva sorriso.

«Ma… ma… Come? Mamma? Io… Io non…». Martha non riusciva a parlare, le lacrime le bloccavano le parole in gola.

Gideon si era alzato ed era andato verso Pete. Porgendogli la mano, gliel'aveva stretta. «Non so neanche da dove iniziare a ringraziarvi. Davvero. Nessuno mi ha mai aiutato, mai. E voi state facendo questo?»

«Non devi ringraziarci, prenditi solo cura della nostra bambina». Pete aveva sostenuto il suo sguardo.

«Lo farò. Lo prometto. La amo». Gideon aveva sorriso, raggiante.

Alzandosi, Jacks si era avvicinata al divano e aveva preso posto nello spazio che il ragazzo aveva lasciato libero. Martha le aveva gettato le braccia al collo. «Grazie, mamma. Non capisco come, ma grazie! Ti voglio bene. Davvero».

«Anche io ti voglio bene, te ne ho sempre voluto e te ne vorrò per sempre, qualunque cosa succeda». Jacks le aveva dato un bacio. «Dio, che giornata. Sono esausta».

«Anche io!». Martha si era stiracchiata.

«L'altro giorno Angela ha lasciato alcune cose per il bimbo, le hai viste?»

«No!». Martha aveva raddrizzato la schiena, eccitata, finalmente libera di parlare del bambino che stava crescendo dentro di lei.

Jacks era saltata in piedi e aveva fatto ritorno con la culla di vimini e le canottiere e i vestitini donati dai vicini. Martha aveva sollevato una canottierina e se l'era posata sul petto. «È minuscola!».

Nessuno di loro aveva sentire Jonty entrare nella stanza; non riusciva a dormire con tutte le voci provenienti dal piano inferiore e con i rumori di quella che sembrava una festa. Aveva guardato la sorella. «Non penso che ti entrerà».

«Non è per me, stupido!», aveva strillato Martha.

«Non dare dello stupido a tuo fratello!», avevano detto in coro Pete e Jacks.

Jacks sorrise, ripensando alla scenetta felice mentre attraversava la strada per raggiungere il supermercato. Si aggirò per le corsie, borbottando tra sé, cercando di decidere cosa preparare per cena. «Pollo? No, l'abbiamo mangiato ieri sera. Cotolette di maiale? No, Jonty non le mangia. Potrei fare uno sformato di pesce. A Gideon piaceranno i gamberi? Non ne ho idea…».

«Jacks?», disse una voce alle sue spalle.

«Lynne! Oh, che bello vederti. Come stai?». Lei sorrise.

«Benissimo! Ashley è a casa per un paio di settimane. Adoro averla qui, sentire tutte le sue avventure, e a lei fa bene passare un po' di tempo con Molly, la bimba di Caitlin-Marie».

«Ah, Molly, che bel nome. Come sta? Sarà cresciuta!».

«Sì, è carinissima. Ci credi che ormai ha quasi sette mesi? Passano così in fretta. E Martha come sta?»

«Oh, partorirà da un giorno all'altro. Ha il borsone pronto vicino alla porta d'ingresso, per ogni evenienza! La mamma di Gideon lavora al Weston General e sta già dando ferme istruzioni per la nascita!».

Lei e Allison avevano raggiunto un accordo silenzioso basato sul fatto che entrambe volevano solo il meglio per i loro figli e che, in ogni caso, non era in loro potere cambiare la situazione. Jacks aveva deciso che il carattere deciso di Allison le piaceva e pensava fosse altamente possibile che sarebbero diventate amiche.

«Sembri piuttosto calma, tutto considerato», notò Lynne.

«Lo sono davvero, sai. È strano, Lynne, ma quando mi prendevo cura di mia madre non avevo tempo di pensare. Andavo avanti con il pilota automatico, ma negli ultimi mesi ho avuto di nuovo del tempo per me e mi ha aiutato a fare il punto. Ho rallentato un po' e mi sento bene, come se potessi vedere tutto più chiaramente». *Povera mamma.* Si rivide mentre la spingeva in giro con il cesto sulle ginocchia. «Mi manca, però, davvero».

Lynne le massaggiò il braccio. «Certo che ti manca, e sono stata molto dispiaciuta di sapere che se n'era andata. Ma sei stata fantastica a prenderti cura di lei per tutto quel tempo.

Era sempre in ordine e ho sempre pensato che sembrasse davvero felice, soltanto perché stava con te».

«Grazie, Lynne». Jacks si sentì un po' sopraffatta dal complimento. «Be', sarà meglio che io finisca qui e vada a casa».

«Buona fortuna!», urlò Lynne mentre si allontanavano nelle direzioni opposte. «Oh», disse, voltandosi. «Dimenticavo di chiederlo: a Martha gli esami come sono andati?».

Jacks si fermò e si voltò. «Gli esami?»

«Sì». Lynne annuì.

«Oh, ha preso tre A!».

«Che diavolo!». Lynne rise.

Jacks sorrise mentre prendeva una lattina di pere sciroppate, che avrebbe servito con la crema pasticcera. *Sì, hai detto bene. Che diavolo!*

Due giorni dopo, Jacks stava preparando il tè per i muratori, alcuni colleghi di Pete che si occupavano della riconversione del sottotetto – o "piano di Jonty", come veniva chiamato adesso. Oltrepassò la vecchia stanza di Ida, irriconoscibile da quando vi si erano trasferiti Martha e Gideon. Dopo aver rimosso tutte le cose che la ingombravano, era risultata piuttosto spaziosa ed era incredibile l'effetto che avevano saputo dare uno strato di pittura e una moquette nuova. Il lettino era sistemato nell'angolo e sotto la finestra era già pronta la poltrona per allattare il bambino, con ripiegata sul bracciolo la coperta morbida che tanto piaceva a Ida.

«Mamma?»

«Sì, tesoro?». Jacks sporse la testa dentro la stanza.

«Mi puoi chiamare Gideon?», chiese Martha.

«Certo, dov'è?»

«All'autofficina, i nuovi affittuari si stanno trasferendo al piano di sopra».

Gideon aveva deciso, con grande sollievo di Jacks e Pete, che la cosa più saggia da fare fosse affittare l'appartamento al di sopra della sua autofficina. I soldi ricavati sarebbero stati molto più utili della privacy derivata dal vivere soli. E immaginava che quando fosse arrivato il bambino, Martha avrebbe avuto bisogno di avere sua madre a portata di mano.

«Stai bene, tesoro?». Jacks guardò la figlia, che sedeva sul copriletto con le braccia puntate dietro di sé e la maglietta del pigiama tesa sul pancione.

«Penso che forse sta succedendo qualcosa, mamma!».

«Davvero?».

Martha annuì, calma e sorridente.

«Oh, Dio, giusto! Vado a chiamarlo! Tu resta lì!». Jacks indicò il letto.

Martha rise. «Dove pensi che possa andare, in questo stato?».

Lei corse in cucina e afferrò il telefono. «Goodeon? Gid, voglio dire Gideon, bene, devi tornare a casa. Martha pensa che stia succedendo qualcosa!», urlò.

«Oh, d'accordo, Jacks, finisco qui e torno».

«No! Non finire lì, torna a casa subito!», strillò lei. «Non capisco come fate a essere così calmi, voi due».

«D'accordo». Lui rise. «Sto arrivando. Vuoi che prenda qualcosa dal negozio?»

«Il negozio?», gridò lei, quasi senza fiato. «Non fermarti al negozio! Torna subito! Vieni dritto a casa!».

Gideon sbuffò nel ricevitore. «Stavo solo scherzando. Non mi fermo da nessuna parte. Arrivo subito».

«E fai attenzione con l'auto!», riuscì a dire lei prima di chiudere la comunicazione e chiamare immediatamente il numero di Pete.

«Mamma?», chiamò Martha ad alta voce.

«Un attimo, Pete!», urlò Jacks coprendo il microfono e

correndo ai piedi delle scale. «Che c'è, amore? Stai bene? Aggiorno solo papà e poi salgo!».

«Sì, sto bene. Mi stavo solo chiedendo: ho una camicetta pulita?».

Jacks si appoggiò al corrimano e rise. «Sì, nel maledetto armadio asciugabiancheria!».

Nella sala d'attesa Jacks si agitò sulla sua scomoda sedia di plastica mentre Pete e Jonty si stringevano intorno allo schermo del cellulare di Pete, guardando un cartone animato.

«Spero che sia un maschietto!». Jonty sollevò lo sguardo.

«Be'…». Jacks guardò l'orologio. «Non dovrai aspettare ancora molto per scoprirlo». Sorrise a Pete.

«Penso di essere troppo giovane per essere nonno!», gemette lui.

«Un po' tardi per quello», rispose lei. «Jont, ti va una boccata di aria fresca?». Si era accorta che stava diventando un po' irrequieto.

«Certo». Il bambino seguì la madre nel fresco della notte.

Si sedettero sul muretto vicino all'entrata e sollevarono lo sguardo sul cielo. «Lo sapevi, Jonty, che la luna è lontana quasi quattrocentomila chilometri?».

Lui la guardò. «No, non lo sapevo».

«E la cosa ancora più incredibile è che, nonostante abbia un diametro di più di tremila chilometri, puoi farla stare tutta dietro l'unghia del pollice. Guarda!». Sollevò il pollice e chiuse un occhio, guardando suo figlio fare lo stesso.

«Hai ragione, mamma! È incredibile!».

Jacks sorrise.

«Maaamma?»

«Sì, amore».

«A scuola stiamo facendo un lavoro e la signora Palmer dice che devo portare un animale domestico e descriverlo.

Io ho detto che non ne abbiamo nessuno, ma lei ha detto che possiamo portare anche quello di qualcun altro, così devo prenderne uno in prestito».

«Stai scherzando? È una grossa richiesta. Per quando ti serve l'animaletto, Jonty?». *Ti prego, non domani. Ti prego, ti prego, non domani...*

«Domani», disse lui.

«Come facevo a sapere che avresti risposto così?». Lei si attirò il bambino contro il petto. «Forza, torniamo dentro. Non vogliamo perderci qualcosa, vero?».

Allison entrò di corsa dalle porte scorrevoli e si lasciò cadere accanto a Jacks. «Non vogliono dirmi nulla», disse con uno sbuffo. «Conosco alcune delle infermiere di quel piano e non mi dicono niente neanche loro!».

«È questa la parte più difficile, vero? L'attesa». Jacks le sorrise e cercò nella borsa i dolcetti che aveva messo da parte per quando avessero avuto bisogno di tirarsi su di morale. «Chi vuole una caramella?», chiese, tenendo la scatolina aperta nella mano protesa.

«Oh, io!», urlò Gina precipitandosi nella stanza con un grosso mazzo di fiori. «E quindi? Cosa abbiamo?»

«Ancora niente, G. Stiamo ancora aspettando». Jacks le sorrise.

«Maledizione. Speravo in un abbraccio veloce e poi a casa in tempo per *Coronation Street*!», disse Gina, delusa.

«G, a Jonty gli abbracci piacciono! Può andare?», scherzò Pete.

«Assolutamente no! Non mi piacciono!». Jonty si girò e gli diede un pugno sul braccio.

«Io ho degli abbracci che mi aspettano a casa», bisbigliò Allison.

«Oh, Allison, che donna misteriosa! E chi sarebbe il fortunato?», chiese Jacks.

«Be'...». Allison prese i lembi del cardigan e se li avvolse più stretti intorno al busto. «Siamo solo agli inizi, ma devo ammettere di essere piuttosto presa». Sorrise.

«Dove vi siete conosciuti?», domandò Gina, che adorava i pettegolezzi.

«Sul molo. Lavora lì. È fantastico, si chiama Richard, Richard Frost».

«Tutto bene, Gina?», chiese Pete mentre lei si piegava in avanti, apparentemente strozzandosi con la caramella.

Jacks saltò in piedi e con le spalle che tremavano di risatine silenziose massaggiò la schiena dell'amica. «Oh, è solo un po' travolta dall'emozione, con il bambino in arrivo e tutto».

Le due amiche si guardarono negli occhi e deglutirono le risate isteriche.

Fu un'ora più tardi, quando la situazione si era leggermente calmata, che Gideon entrò nella sala d'attesa, spingendo Martha su una sedia a rotelle. «Gente, mi spiace! Falso allarme!», urlò Martha, le mani in alto.

«Oh, no!», si lamentò Jonty.

Pete gemette e Gina fissò il bouquet per cui aveva speso quindici sterline. «Tanto vale darteli comunque». Porse i fiori a Martha. «E cerca di tenerli freschi finché non arriva il bambino, che non te ne porto altri!».

Martha inspirò l'odore dei fiori bianchi. «Mmh, grazie, zia G. Li apprezzo anche adesso. Sono bellissimi».

Gideon accompagnò Martha e Jonty a casa in auto mentre Jacks e Pete attraversavano il parcheggio a passo tranquillo e salivano sul furgone.

«Pensavo che saremmo tornati a casa con un bambino», disse Pete. «È un po' una noia, dopo tutta quell'eccitazione».

Jacks rise. «Sai che ti dico? Sono state delle belle prove generali e personalmente io per un giorno ho avuto abbastanza eccitazione. Un po' di noia mi sta bene. Prendiamo patatine per tutti?»

«È la migliore idea che tu abbia avuto in tutta la giornata. Sto morendo di fame!». Lui baciò la moglie.

Pete entrò in Sunnyside Road e fece manovra per infilare il furgone in un parcheggio, scalando più volte in retromarcia per poi muoversi in avanti centimetro dopo centimetro, finché non riuscì a sistemarsi, anche se a un'angolazione non proprio precisa. Jacks lo aspettava sul marciapiede, le braccia cariche di sacchetti di patatine calde ricoperte di sale e aceto. Pete uscì dall'abitacolo e si incamminarono fianco a fianco lungo la strada.

«Un cavolo di falso allarme, ancora non ci posso credere. Tutte ore di vita che non mi restituirà nessuno». Pete ridacchiò, passando il braccio intorno alle spalle di Jacks. «Quella ragazza è in ritardo perenne e non è mai pronta per niente. Con questo bambino non sarà diverso». Risero.

Il telefono gli squillò nella tasca. Lui lanciò un'occhiata allo schermo e tolse il braccio dalle spalle della moglie. «Ah, Dio, è il lavoro».

«A quest'ora della sera? Non puoi dirgli che sei impegnato?»

«Non posso, amore. Devo andare a risolvere la cosa. Stiamo facendo un lavoro importante e c'è stato un casino con le piastrelle. Non ci metterò molto. Tu porta dentro le patatine, così non si raffreddano». La baciò sulla guancia e risalì nel furgone.

Qualche minuto dopo, Pete parcheggiò sul lungomare e rimase seduto in attesa, cercando di calmare il cuore, che stava battendo un po' troppo veloce. Un paio di fanali arrivarono sfrecciando nel parcheggio alle sue spalle e lui sentì il rombo di un motore su di giri, il suono basso che riverberava nella cassa toracica. Uscì dal furgone, fin troppo consapevole degli spruzzi di cemento e fango sulla sua tuta da lavoro. Avrebbe dovuto farsi la barba. Maledicendosi per quella vanità malriposta, desiderò non essere tanto nervoso.

Sven scivolò fuori dalla sua Ferrari rossa e rimase fermo sul marciapiede.

«Ciao, Pete. Come stai?». Gli si avvicinò sicuro di sé, come se fossero passati mesi e non quasi due decenni dall'ultima volta che le loro strade si erano incrociate. Gli fece un cenno con il braccio proteso, ma Pete si rifiutò di stringergli la mano. Al contrario, lo fissò, lo sguardo risoluto, la postura di sfida.

«Che cosa vuoi?», chiese.

«Ero a Londra per affari e ho pensato di fare un salto. Con quella ci vuole solo qualche ora». Indicò l'auto. «Ho avuto il tuo numero da Gina».

«Ho detto che cosa vuoi?». Pete si concentrò sul mantenere la voce ferma.

«Parlare con te», rispose Sven, tenendo le gambe leggermente divaricate e i palmi aperti, nel tentativo di apparire poco minaccioso.

«Hai due minuti», disse Pete, brusco.

«Sul serio?», domandò Sven con una punta di divertimento, non abituato a prendere ordini da nessuno. Guardò dietro le spalle di Pete, nello spazio scuro oltre l'argine. «Potrebbero volerci un po' più di due minuti».

Il suo tono lo fece infuriare. Pete si lanciò in avanti, afferrandolo per i baveri e spintonandolo fino a inchiodarlo alla Ferrari. «Ho detto due minuti. Hai appena sprecato dieci secondi!», bisbigliò quasi.

Sven fece una breve risata. «Vedo che sei ancora convinto che mostrare i muscoli possa risolvere tutto. Mi ricordo di te e dei tuoi pugni volanti».

Fu necessaria tutta la sua forza per non cedere alla provocazione. Parlò in tono neutrale, ma a denti stretti. «Non mi piaci. Non mi piace niente di ciò che ha a che fare con te e non avrei problemi a dimostrartelo». Non si accorse che il signor Vickers del ferramenta stava passeggiando lungo il marciapiede con il suo cane malconcio.

«Tutto bene, Pete?», chiese il signor Vickers, mentre li oltrepassava, come se fosse normale vedere Pete che bloccava qualcuno contro il fianco di una Ferrari.

«Tutto bene?», rispose Pete, senza distogliere gli occhi neanche per un istante dal viso di Sven.

Il signor Vickers fischiò per chiamare il cane. Voltò la testa per urlare da sopra la spalla: «Oh, a proposito, Pete, puoi dire a Ivor che ho la sua vernice?».

Pete annuì. «Sarà fatto».

«Ti sei sempre creduto un pezzo grosso», grugnì Sven. «Tu e i tuoi amici della squadra di calcio, tutti a prendermi in giro. Faceva ridere quant'eri provinciale, ma avevi idee così grandi!».

«Non dirmi che è per la scuola, perché ridevo dei tuoi maledetti maglioni?». Pete si tirò indietro, sentendo che la forza gli abbandonava i polsi.

Sven raddrizzò la schiena, lisciandosi la camicia bianca e la giacca di sartoria in modo che ricadesse perfetta sui jeans. Tossì e si passò le dita tra i capelli biondi, ma non disse nulla.

«È patetico! Non lo vedi? Hai vinto tu!». Pete rise. «Hai l'auto grandiosa, la barca grossa, la maledetta carta platinum. Hai il lavoro, amico. Io? Io devo frugare dietro lo schienale del divano per trovare i soldi di una pinta. Quindi tornatene da dove sei venuto e goditi la tua vita. E lascia che io vada avanti con la mia».

«Ah, ma io non ho vinto, giusto? Tu hai Jacks e hai mia figlia».

Pete si raggelò, con le parole bloccate in gola e la testa che girava.

«Martha è figlia mia!», disse Sven, a voce alta, come se quella per Pete potesse essere una novità.

Il suo viso si corrucciò. Socchiudendo gli occhi, fece una smorfia come se stesse provando un dolore insopportabile. Quando li riaprì, cercò di controllare gli spasmi degli arti e di calmare il tremito nella voce. «Temo che tu abbia capito fischi per fiaschi, amico. Lei non è tua. Suo padre sono io e questo è quanto. Ora fai come ti ho chiesto e vattene, lasciaci in pace».

Sven si rigirò le chiavi dell'auto nel palmo. «Voglio essere ragionevole, ma pensi che non potrei prendere dei provvedimenti? Rendere le cose ufficiali? Sarebbe questione di giorni, nient'altro».

«E a cosa servirebbe? Perché cazzo stai facendo tutto questo?». Pete pensò a dove si trovavano solo poche ore prima. Era stata una giornata così bella. Ma adesso l'eccitazione di diventare nonno era stata cancellata da quella minaccia e aveva paura, più paura di quanta ne avesse mai avuta.

«Per avere chiarezza. Credo sia importante che sappiamo tutti dove ci troviamo». Sven fece un debole sorriso.

Pete inspirò a fondo, pronunciando con attenzione le sue parole: «Ero un ragazzino, quando mi sono innamorato di Jacks, non sapevo niente della vita, ma ero lì, responsabile di una bambina! La maggior parte dei ragazzi se la sarebbe data a gambe, ma non io. Ed è questo il punto. Ci vuole molto più di una scopata per fare di qualcuno un padre. Io ero lì da quando quella bambina ha fatto il suo primo respiro, le ho tenuto la mano il primo giorno di scuola e le ho letto le storie prima che si addormentasse. Sono suo padre». Si indicò il petto. «E questa è una cosa che nessuno al mondo potrebbe mai portarmi via».

I due si fronteggiarono. Pete mosse un passo verso Sven. «Non sono un uomo orgoglioso, quindi ti implorerò. Mia figlia sta per avere un bambino. Non è assolutamente possibile che sia in grado di gestire la tua comparsa dal nulla, né potrebbe farlo mia moglie. E in tutta franchezza, non ci riuscirei neanche io».

Si voltò, attraversò il marciapiede e si sedette sul muretto, lo sguardo fisso in direzione di Steep Holm. Intontito, immaginò Martha che correva tra le braccia di Sven una volta che si fossero ricongiunti. Immaginò Jonty entusiasta di fare un giro in quell'auto grandiosa. Era un dolore fisico, il pensiero di perdere sua figlia e di non essere in grado di darle ciò che avrebbe potuto offrirle quell'uomo. Non si era mai sentito tanto impotente in tutta la sua vita.

Sven si avvicinò lentamente e si sedette sul muretto al suo fianco. Alzò le mani. «Non mi prendere a pugni!».

Pete scosse la testa. «Non prendo a pugni qualcuno dai tempi della scuola». Vide le spalle di Sven rilassarsi. Per qualche secondo, rimasero seduti fianco a fianco in silenzio.

«In realtà non lo so, perché sono qui». Sven sospirò. «Di tanto in tanto la mia vita può essere vuota. A volte mi chiedo come sarebbe avere una famiglia e ho pensato che avrei potuto semplicemente... Non lo so...».

«Prendere la mia?», chiese Pete. Si sfregò le mani; nonostante gli anni di lavoro all'aperto, continuava a odiare il freddo.

«No. Non prendere la tua, ma venire coinvolto in qualche modo. Non sembra un'idea così geniale, adesso».

«Non lo è». Pete guardò il suo avversario. «L'idea del tuo arrivo mi ha sempre terrorizzato. È dal giorno in cui è nata che lo temo. Per tutta la sua vita ha pesato su di me come un incubo ricorrente. Sei l'unica cosa al mondo che mi faccia paura. Perché puoi distruggere la mia esistenza, le persone che amo più di ogni altra cosa».

«Non lo farò». Sven parlò molto chiaramente. «Ma volevo

darti questo, una lettera». Estrasse una busta color crema dal taschino interno della giacca. Pete la prese in mano e se la girò sul palmo. Rimase lì, in equilibrio. «C'è qualcosa qui dentro che potrebbe farle male?». La sua voce era bassa.

«No». Sven scosse la testa. «Sono delle scuse. Le ho scritto che mi dispiace se me ne sono andato prima che nascesse e quanto è fortunata ad avere un padre come te, uno che è stato lì per lei e che ci sarà sempre...».

Pete annuì.

«Ho anche scritto che non cercherò di contattarla, ma che se in qualunque momento volesse venire a trovarmi a San Francisco, sarebbe più che benvenuta. Solo questo». Scrollò le spalle, stringendosi le mani in grembo. «Dagliela solo se pensi che sia la cosa giusta da fare, Pete. Ma spero che tu lo faccia».

Pete proseguì come se Sven non avesse parlato. «Ho sempre avuto in un angolo della mente questa vocina che mi tormentava dicendo che l'amore di mia figlia aveva un prezzo, che avrei dovuto pagarlo. Odiavo quella sensazione. La odio ancora».

Sven scosse la testa. «Sai, Pete, ci sono persone in questo mondo che avrebbero fatto il mio nome e chiesto milioni. Avresti potuto farlo e io li avrei dati volentieri».

«Non ho mai voluto i tuoi milioni, volevo solo la mia famiglia».

Sven annuì. «Non so davvero come fare a dirlo, ma grazie per esserti preso cura di lei».

Pete lo fissò, senza sapere se stesse parlando di Jacks o di Martha. Una parte di lui voleva essere furioso con quello sconosciuto che aveva la faccia tosta di ringraziarlo, ma c'era anche un fremito di compassione, di gratitudine per il fatto che avesse riconosciuto il suo ruolo. Si alzò in piedi.

«Fammi un favore, Sven. Se hai mai voluto bene a Jacks e

hai anche solo il minimo interesse per quello che è meglio per Martha, allora per favore stai alla larga. Non ti voglio rivedere». Pete fece ritorno al furgone e saltò su, posando la lettera sul sedile posteriore.

«Non succederà», bisbigliò Sven, lo sguardo fisso sul mare.

«Mamma?», chiamò Martha dal corridoio.

«Che c'è, amore?». Jacks stava mescolando il latte nel caffè.

«Penso che sia iniziato sul serio. Voglio tornare in ospedale!». La voce di Martha sembrava ansiosa mentre si premeva le mani sulla pancia.

Pete entrò dalla porta d'ingresso e diede un'occhiata alla figlia. «Che c'è, tesoro?»

«Oh, papà, ho queste fitte di dolore che partono dalla spina dorsale e attraversano la pancia e scendono lungo la parte superiore delle gambe».

Pete la fissò, sentendosi impotente, ricordando il giorno in cui l'aveva vista nascere. Desiderò poter prendere lui il suo dolore.

Martha iniziò a piangere. «Non mi sento molto bene».

«Oh, tesoro! Va tutto bene, te lo prometto, andrà tutto bene». Jacks avvolse la figlia tra le braccia, cullandola meglio che poteva.

Martha si piegò in avanti. «Ho un po' paura».

«Certo che ce l'hai, ma non ce n'è bisogno, sarai nelle mani migliori».

«Martha?», chiamò Gideon dalla soglia del bagno, a petto nudo e con un asciugamano avvolto intorno alla vita. «Dove sei? Stai bene?»

«Penso di avere iniziato davvero, adesso. È diverso. Dobbiamo andare!». Lei si appoggiò a una pila di scatoloni nel corridoio.

«Prendo la borsa». Gideon sfrecciò in camera, si infilò al

volo un paio di jeans e una maglietta e si precipitò giù per le scale con il borsone e le chiavi dell'auto. «Forza, piccola, torniamo in ospedale. Andrà tutto bene, non ti preoccupare. Jacks, tu e Pete raggiungeteci lì. Ivor ha detto di lasciare Jonty da lui e Ange se il bambino fosse arrivato di notte. Potete farlo voi?», chiese mentre accompagnava fuori Martha e la faceva entrare nell'auto, allacciandole la cintura sul pancione.

Jacks annuì dalla soglia, ammirando il modo in cui il ragazzo si prendeva cura della sua famiglia. «Saremo lì il prima possibile».

«Per favore, sbrigatevi!», urlò Martha dal finestrino mentre l'auto partiva.

«Starà bene?», chiese Pete.

Jacks fece un respiro profondo. «Sì, certo. Ma vederla così mi ha fatto ricordare di colpo che è davvero solo una ragazzina, non è vero?». Spinse nelle mani di Peter quel che restava di un sacchetto di patatine e corse dentro per portare Jonty dai vicini.

Jacks e Pete sedevano nella sala d'attesa, adesso molto più tranquilla di prima.

«Hai risolto tutto con il lavoro?».

Pete si fermò. «Non era il lavoro, amore».

«Che?». Jacks lo guardò, perplessa.

«Ho incontrato Sven».

«Oh, Dio, Pete! Io...».

«No. Non c'è bisogno di dire niente», la interruppe lui. «È tutto sistemato». Annuì. «Tutto sistemato».

«Ti amo, Pete». Lei gli strinse la mano.

«Anche io. Il nostro primo nipotino, eh?». Lui scosse la testa.

«È strano pensare che anche Martha è nata qui. E pure

io! Mi fa tornare in mente la mamma». Jacks gli appoggiò la testa sulla spalla e inspirò il suo odore.

«Ah, Ida, che Dio la benedica», bisbigliò lui, abbracciandola. «Sven mi fa un po' pena, in realtà».

«Davvero? Perché?». Jacks sollevò lo sguardo sul marito.

«Perché per un semplice scherzo del destino e tempismo, non ha potuto averti. Ha tutto, Jacks, tutti quei soldi, l'auto grandiosa, le barche. Ma posso dirti una cosa? Non ha niente. Assolutamente niente».

«Sicuro che non vorresti scambiarmi con una moto e un furgone nuovo?»

«No!». Lui rise. «Be', dipende. Qual è la capacità del nuovo furgone?»

«Maledettamente affascinante!». Lei rise mentre lui si sporgeva a baciarla.

Le porte scorrevoli si spalancarono e Allison entrò di corsa. «Mi sono persa qualcosa?», ansimò.

«No. Va tutto bene. L'hanno portata in sala parto e Gideon è con lei. Immagino non ci resti che aspettare».

«Hai altre caramelle, Jacks?», chiese Pete massaggiandosi lo stomaco.

«Temo di no». Lei rise, sapendo che lui stava cercando di farle tornare in mente Richard Frost.

Dopo quelle che sembrarono ore, Jacks ebbe un sussulto e scosse vigorosamente la testa. Per una frazione di secondo non seppe dove si trovava e credette di aver sentito la campanella di sua madre.

«Va tutto bene», la rassicurò Pete. «Ti eri addormentata».

Gideon era in piedi davanti a loro con un cappello blu che sembrava fatto di spugna e un camice verde. Passò lo sguardo sul gruppo di familiari che gli si riunivano intorno. Incapace di prendere fiato mentre le lacrime gli scorrevano sul viso, disse: «Oh, Dio, Martha è incredibile. Sapevo già di amarla…». Tirò su col naso. «Ma non ho mai pensato che avrei potuto farlo così tanto. È incredibile. Si è impegnata talmente tanto. Sono così fiero di lei. È stata fantastica, davvero».

Jacks e Pete avevano entrambi le lacrime agli occhi mentre si stringevano forte. *La loro meravigliosa Martha!*

«Oh, Gideon, è fantastico! Sono così fiera di entrambi! E quindi?», intervenne Allison, raggiante, le mani unite sotto il mento nell'attesa di sapere.

«E quindi sono papà! Sono così felice!». Gideon cedette alla nuova ondata di lacrime che lo travolse. Pete gli batté la mano sulla schiena, combattendo le emozioni.

«Gideon?», chiese Jacks fermamente.

«Sì?», disse lui, con l'aria ancora piuttosto frastornata.

«Sei diventato papà, ma questo bimbo che hai appena avuto…».

«Sì, Jacks?», singhiozzò lui.

«È un maschietto o una femminuccia?».

Lui si raddrizzò in tutta la sua altezza e annunciò con orgoglio: «È una femminuccia, una bellissima bimba».

Rimasero tutti e quattro con le lacrime agli occhi e quasi senza fiato, lasciando radicare la consapevolezza di quel fatto meraviglioso.

«Vai prima tu». Allison posò la mano sulla schiena di Jacks, spingendola in avanti.

«Sei sicura?».

Allison annuì. «Sì, certo. Sarà impaziente di vedere la sua mamma».

Jacks seguì Gideon nella piccola anticamera della sala parto dove Martha era sdraiata. Deglutì, sopraffatta dall'emozione di vedere la sua bambina, che nonostante l'evidente stanchezza sorrideva radiosa, cullando la figlia tra le braccia.

«Oh, mamma!», tubò Martha. «Guardala! È così bella!».

Jacks si chinò e posò il dito nel palmo minuscolo della nipotina. «Oh, Martha! È incredibile. Ciao! Ciao piccolina!». La bambina curvò i suoi lunghi ditini intorno a quello della nonna, stringendolo con tutta la forza di cui era capace. «Guardala! È così forte e intelligente! Mi ha stretto la mano e ha una bella presa!». *Diventerà una pianista, me lo sento! Suonerà alla Albert Hall vestita con un lungo abito di taffetà e sui suoi poster ci sarà scritto "Tutto esaurito!" perché i biglietti saranno andati a ruba. Io e Pete potremo sedere in un palchetto e guardare come tutti la osservano!*

«Come si chiama?», chiese, incapace di distogliere lo sguardo dalla nipotina.

«Maggie. Ti presento la signorina Maggie Ida Parks».

«Oh, è adorabile! Ciao, Maggie. Ciao, mia bellissima bimba! Sei così bella e intelligente, proprio come la tua mamma. Sei perfetta».

Epilogo

«Pete?», urlò Jacks ai piedi delle scale. Nessuna risposta. «Pete!», gridò di nuovo, più forte.

«Che c'è, donna? Per l'amor del cielo! Ero in bagno!», urlò lui dal pianerottolo.

«Sei pronto? Non voglio arrivare in ritardo!».

«Non ancora, no, ma se non mi avessi chiamato, lo sarei!». Jacks fece un verso di disapprovazione.

«Pensavo che non dovessimo urlare per le scale!», strillò Jonty dall'ultimo piano.

«Molto divertente, signore. Scendi subito anche tu. Saluta i tuoi amici. Dobbiamo partecipare a una festa di compleanno importantissima».

Jacks si mise il rossetto nello specchio del corridoio mentre tre paia di piedi scendevano rumorosamente le scale, facendo tremare i travetti.

«Grazie per l'ospitalità!», urlò Milo mentre si sedeva a terra vicino alla porta d'ingresso per infilarsi le scarpe da ginnastica. Jacks era irremovibile sulla politica del "niente scarpe", determinata a mantenere intatta la moquette il più a lungo possibile. Milo si incamminò verso la strada, dove la madre aspettava in auto per riportare a casa lui ed Elliot.

«Non c'è di che, tesoro». Jacks gli sorrise, salutando sua madre dalla soglia.

«È stato un pigiama party fantastico!», disse Elliot, seguendo l'amico.

«Bene. Jonty ne organizzerà sicuramente un altro molto presto».

Salutò i ragazzi e andò a recuperare la torta. Stava appoggiata sul piano scintillante della cucina nuova che aveva aiutato Pete a progettare. Sapeva che non si sarebbe mai stancata di girare per il grande open space e vedere le superfici sgombre e i fornelli di cromo scintillante. E la sua adorata veranda, certo, che percorreva la casa di Sunnyside Road in tutta la sua larghezza. Gli affari di Gideon e Pete andavano sempre meglio.

Pete arrivò alle sue spalle. «Oh, hai un buon profumo», disse lei, inalando l'essenza di limone del marito. «Che ne dici, Pete? Ti sembra che la torta vada bene? Sono un po' preoccupata; forse avrei dovuto comprarne una? Devo fare un salto al negozio? C'è ancora tempo».

Pete sapeva quante ore aveva impiegato a preparare e glassare la torta per il quinto compleanno di Maggie e quanto tempo era stato necessario a ottenere la giusta sfumatura di rosa per la glassa. Socchiudendo gli occhi mentre si metteva le sneakers eleganti, la fissò e decise di non accennare al fatto che la scritta sembrava dire più: "Buon Compleanno Moggie".

«È perfetta, amore. Hai fatto un ottimo lavoro. Potresti tenere testa a Mary Berry».

«Ne dubito!», sbuffò lei, segretamente deliziata dal complimento.

Jacks, Pete e Jonty si infilarono nell'auto e Jacks si posò la torta sulle ginocchia. «Vai piano, Pete!», strillò mentre lui aggirava la strada a senso unico e si dirigeva verso casa di Gideon e Martha, una bellissima villa vittoriana sul lungomare.

Gideon aprì il portone e fece un passo indietro. «Accidenti, Pete, con i jeans non ti avevo riconosciuto!». Sorrise.

«Ridi pure, ma indossare il completo tutti i giorni mi aiuta a entrare nella parte», rispose Pete. «I ragazzi possono andare a lavoro trasandati, ma quando mi faccio vedere io, in tutte le sedi, ci si aspetta che il business manager vesta in maniera consona!».

«Sì, capo. In ogni caso, vediamo la torta di cui ho tanto sentito parlare!». Gideon batté le mani, chinandosi per dare un bacio a Jacks e sbirciare la sua creazione. «Chi è questa Moggie per cui hai fatto la torta?».

In piedi dietro alla moglie, Pete prese a gesticolare affannato.

«C'è scritto: "Maggie"!», rispose Jacks, in tono fermo.

«Oh, certo. Ho visto male io». Con una smorfia, Gideon guidò la processione verso l'ampia cucina, facendo l'occhiolino a Pete.

Maggie era seduta per terra, con la zia Gina, Allison e Richard che la guardavano aprire i regali, strappando la carta tra esclamazioni affascinate e battiti di mani.

«Grazie! Mamma, guarda!», urlò lei mentre aggiungeva un diadema e uno zaino alla pila dei tanti altri accessori da principessa.

«Eccola, la più bella bambina di tutto il mondo!», si esaltò Jacks. *La mia piccola pianista!*

«Nonna! Ho un diadema nuovo!». Maggie batté le mani e salutò il suo ospite più gradito.

«Ciao, tesoro. Che bello! Tra un attimo vengo a farti le coccole. Poso solo la tua torta».

«Io le voglio adesso, nonna! Devo venirti in braccio, è tutto il giorno che ti aspetto!», piagnucolò lei.

«Oh, signorina, meno drammi, anche se è il tuo compleanno». Martha alzò gli occhi al cielo.

Martha aveva appeso dal caminetto al frigorifero alcuni festoni fatti a mano da Jacks; occupavano l'intera stanza e Jacks pensò che davano un'aria davvero accogliente all'ambiente. Davanti al lavandino, sua figlia stava cercando di scolare la pasta e allo stesso tempo tagliare una cipolla; come al solito era disperatamente in ritardo e un po' in difficoltà, nonostante avesse avuto tutto il giorno per prepararsi.

«Oh, mamma, è bellissima!». Sorrise nel vedere la torta.

«Non so di che stavi parlando, papà. Non c'è dubbio che dica "Maggie" e non "Moggie"!».

«Cosa intendi?». Jacks guardò la figlia.

«Oh, papà mi ha mandato un messaggio avvisandomi di non dire che sembra ci sia scritto "Moggie", visto che ci hai messo un secolo a prepararla. Ma non c'era bisogno di preoccuparsi!».

Pete si nascose dietro a Rob e al padre di Gideon, che stavano sorseggiando una birra accanto alle porte finestre e ammirando il giardino recintato.

«In effetti, mamma, il pranzo inizierà un po' in ritardo. Ti andrebbe se mangiassimo prima la torta?», chiese Martha, mentre correva di cassetto in cassetto per poi tornare alla piastra.

«Sì, certo!». Jacks non vedeva l'ora di tagliarla, per evitare ulteriori prese in giro.

«Più tardi possiamo cantarle la canzoncina mettendo una candela su quello che avanza, a lei non dispiacerà!». Martha le fece l'occhiolino.

«Per me niente torta». Jonty si massaggiò la pancia.

«Come mai? Hai il mal di pancia per il ciclo?», urlò Gideon, entrando con un secchiello di birre fredde.

«Molto divertente!». Ormai Jonty era abituato allo scherzo, che sembrava non avere mai fine.

Jacks si stava concentrando sul preparare le fette di torta quando Martha mise il tagliere da parte e la guardò. «Posso chiederti un favore, mamma?»

«Certo, tesoro». Jacks prese i piattini dalla credenza.

«Mi stavo chiedendo se martedì sarebbe un problema per te andare a prendere Maggie da scuola. Io sono in tribunale, non so quanto durerà l'udienza. Non ti dispiace, vero?». Si raccolse i capelli in una coda di cavallo che le ricadde sulla spalla.

«Certo che non mi dispiace, sai che la terrei di continuo. Adoro averla per casa». Jacks sorrise. Era vero, era completamente cotta. Come aveva fatto notare Gina, quando si faceva il nome di sua nipote il suo viso cambiava espressione.

Jacks guardò sulla mensola la foto di Martha il giorno della laurea, fiera, con il suo cappello e la toga e la pergamena in mano. Ricordò la conversazione che avevano avuto quando Maggie aveva sei mesi, iniziata per caso mentre Jacks faceva il bagno alla bimba.

«Mamma?»

«Che c'è?». Jacks si era voltata verso la figlia, riservandole la sua piena attenzione.

«Devo dirti una cosa».

«Cosa?». Jacks aveva sentito il cuore fermarsi, preparandosi per qualche brutta notizia.

«Mi hanno offerto un posto all'università di Bristol».

«Ti… Davvero?»

«Sì».

«Per studiare cosa?»

«Farò Legge. Voglio diventare un'avvocato». Le parole di Martha erano rimaste sospese nell'aria. «Cosa ne pensi?».

Fissandola, per una volta Jacks si era ritrovata senza parole.

«Cosa ne pensi, mamma?», aveva ripetuto Martha.

Jacks aveva fissato la figlia, gli occhi offuscati dalle lacrime. «Penso… Penso che tu, la mia meravigliosa bambina, possa fare qualunque cosa voglia».

Martha aveva riso. «Perché piangi, allora?»

«Perché sono felice», aveva singhiozzato Jacks.

«Cavolo, non vorrei doverti vedere quando sei sconvolta». Martha aveva preso la madre tra le braccia e l'aveva stretta forte.

La reazione di Pete ai suoi programmi era stata meno emotiva. «Ce l'hai ancora quella piastra per i panini?», aveva scherzato.

Per Jacks c'era un doppio lato positivo, dato che mentre Martha studiava lei poteva vedere più spesso la sua minuscola nipotina. Era stato incredibile il modo in cui Martha era riuscita a gestire tutto alla perfezione, ma l'aiuto della mamma era risultato comunque indispensabile, e questo aveva riempito il cuore di Jacks di gioia. Tra i suoi compiti di nonna e la gestione dei libri contabili di Pete e Gideon, era più occupata che mai e la cosa le faceva un immenso piacere.

Non avrebbe mai dimenticato il giorno della laurea di Martha. Jacks rise tra sé, ricordando come, sebbene fossero sfrecciati in autostrada con la BMW scintillante di Pete, erano arrivati appena in tempo. Il traffico era intenso e si erano trovati a salire i gradini della Wills Tower di corsa proprio mentre la cerimonia aveva inizio. Durante tutto l'appello Jacks si era mossa nervosamente e poi di colpo era arrivato il loro turno. Quando era stato letto il nome di Martha, insieme a una speciale menzione per aver ottenuto il massimo dei risultati, Jacks si era alzata in mezzo al mare di volti per applaudire con foga, senza preoccuparsi più di tanto se fosse la cosa giusta da fare. Aspettava quel momento da tutta la vita. Aveva tenuto lo sguardo fisso sulla sua bambina che, con addosso il cappello e la toga, si avvicinava con calma al podio per ricevere la pergamena. Le lacrime le rigavano il viso e sentiva il petto gonfiarsi di orgoglio. *Ce l'ha fatta! Ce l'ha fatta, maledizione! La mia bambina, mia figlia. Ha scelto il suo percorso; sarà un'avvocato.*

«Nonna! Guarda che cos'ho!». Jacks venne strappata dai ricordi dalla voce di Maggie, che arrivò piroettando con addosso un lungo abito azzurro completo di quello che sembrava uno strascico nuziale, e il diadema intonato.

«Oh, Mags, sei bellissima!». Rise.

Jacks uscì in giardino per portare un pezzo di torta a Pete. «Che stai facendo qui fuori tutto solo?», chiese.

«Stavo pensando ai tuoi genitori, in realtà. Cosa avrebbero pensato di tutto questo, eh?». Indicò la casa di Gideon e Martha. «Sarebbero così fieri, non è vero?»

«Sì, amore». Lei tornò con la mente alla sua povera mamma e al suo papà imperfetto; due genitori normali.

Pete sorrise nel mordere il dolce spugnoso ricoperto di rosa. «È deliziosa e penso che Maggie l'adorerà!». Fermandosi dietro di lei, le strinse il sedere con la mano baciandole la nuca.

«Pete!». Lei si allontanò, divincolandosi. «C'è Jonty in giro!».

«Non vedo l'ora che arrivi questa sera, quando lui sarà al suo piano, a chilometri di distanza...». Lui la baciò di nuovo e lei ridacchiò.

«Cosa c'è a chilometri di distanza?», chiese Jonty. Nessuno dei due l'aveva sentito arrivare.

«La luna», rispose Pete, fulmineo.

«Lo so. Poco meno di quattrocentomila chilometri, in effetti. Ma puoi farla stare lo stesso dietro l'unghia del pollice, non è vero, mamma?»

«Sì, sì, esatto». Lei annuì, ripensando a Sven per la prima volta dopo molto tempo e sentendo... nulla a parte un po' di tepore nell'immaginare il suo vecchio amico. Rivide il momento in cui avevano detto la verità a Martha e le avevano dato la lettera. Lei li aveva sorpresi entrambi con il suo stoicismo, la sua maturità. «Ho il migliore papà del mondo, è questa l'unica cosa di cui ho bisogno», aveva commentato, ripiegando il foglio nella busta e gettandosi tra le braccia di Pete.

«E non andrò mai da nessuna parte, signorina Martha», era riuscito a dire lui tra le lacrime. Era stata una giornata particolare, in cui Martha aveva finalmente compreso perché per Jacks fosse così importante che lei avesse successo, perché desiderasse tanto cercare di impedire alla storia di ripetersi.

A passo lento, Jonty tornò in casa.

«Mi chiedo cos'altro farà, la nostra bambina», disse Pete. «Sta facendo un percorso incredibile».

«Sì», concordò Jacks. «Un po' come noi. Abbiamo fatto tutto così giovani, che adesso siamo come una vecchia coppia anche se abbiamo solo quarant'anni!».

«Sì, è quello che abbiamo di buono, la nostra storia, ciò che abbiamo passato. Non c'è una sola cosa che cambierei. E abbiamo ancora molto da fare». Lui sorrise alla moglie.

«Hai ragione, Pete. Quello che so per certo è che sei tu a decidere cosa fare della tua vita. Nessuno può farlo per te. Devi prenderla e correre tenendola stretta, oppure colerai a picco, e colare a picco è l'opzione semplice. Devi lavorare duro e puntare al massimo. È questa la verità, non è vero?»

«Sì, ragazza mia. Proprio così».

Indice